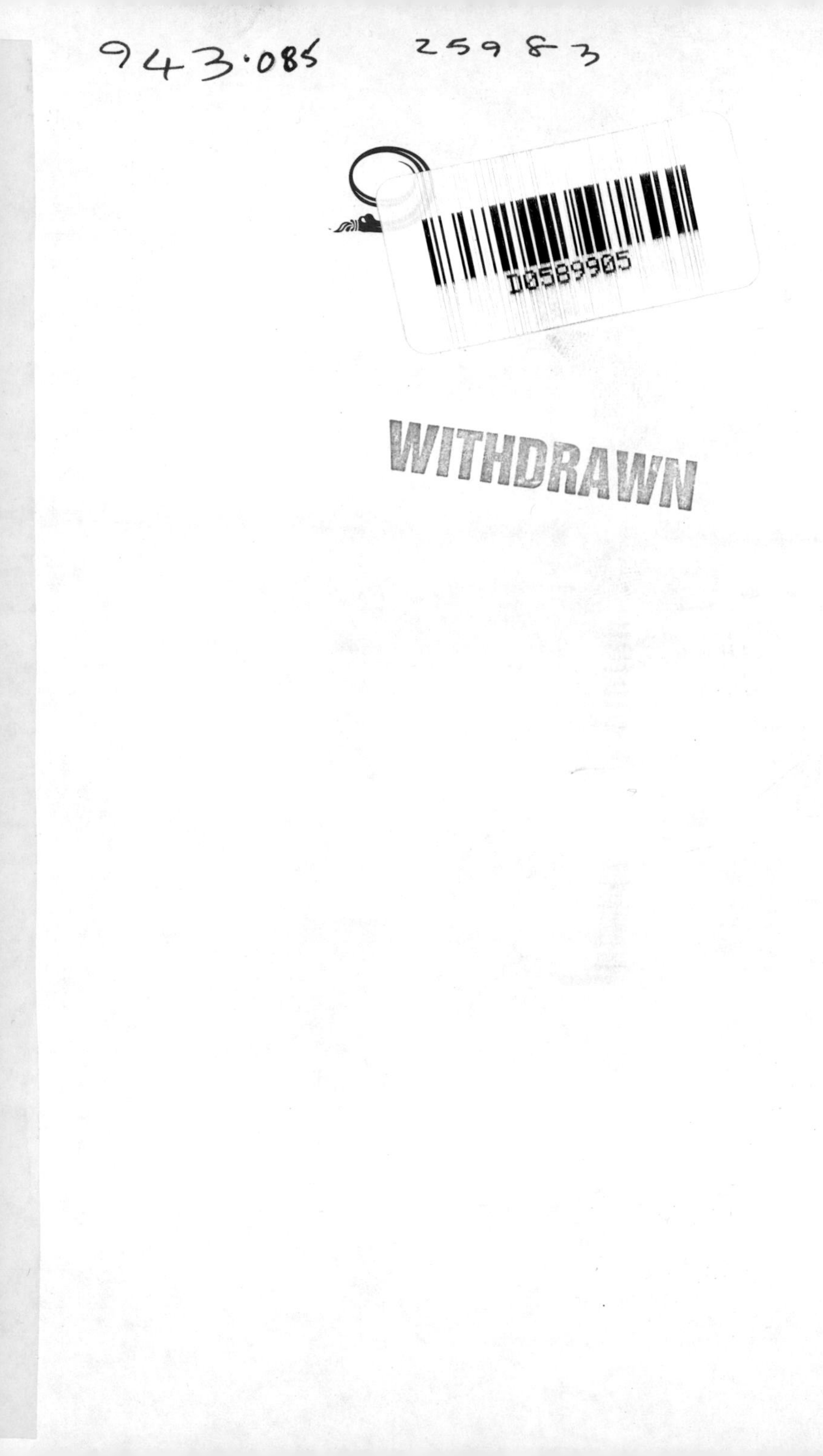
943.085 25983
D0589905
WITHDRAWN

Dieses Land schläft einen unruhigen Schlaf

Sozialreportagen 1918–45

Ein
Lesebuch
Herausgegeben
von Friedrich G. Kürbisch

Verlag J. H.W. Dietz Nachf.

Dieses Land schläft einen unruhigen Schlaf:
Sozialreportagen 1918–45 / Friedrich G. Kürbisch (Hrsg.). –
Berlin; Bonn: Dietz, 1981. –
ISBN 3-8012-0056-6

NE: Kürbisch, Friedrich G. [Hrsg.]

Friedrich G. Kürbisch, geb. 1915, nach Herkunft,
Ausbildung und aus Leidenschaft Sammler und Herausgeber
deutschsprachiger Arbeiterliteratur, bisher 7 Bände
(5 Anthologien, 2 theoretische Schriften),
1969 Förderungspreis der «Theodor-Körner-Stiftung»,
1970 «Luitpold-Stern-Preis»,
1980 Förderungspreis der «Ernst und Gisela Paul-Stiftung»,
lebt und arbeitet in Graz und Wien.

Da es nicht möglich war, alle Rechteinhaber und -nachfolger aufzufinden,
bittet der Verlag, eventuelle Ansprüche bei ihm geltend zu machen.

© 1981 bei Verlag J. H. W. Dietz Nachf. GmbH
Berlin · Bonn
Godesberger Allee 143, D-5300 Bonn 2
Alle Rechte vorbehalten
Nachdruck – auch auszugsweise – nur mit Genehmigung des Verlages
Lektorat Charles Schüddekopf
Umschlag Karl Debus, Bonn,
unter Verwendung eines Fotos von August Sander (1929)
Satz, Druck und Verarbeitung Clausen & Bosse, Leck
Printed in Germany 1981

Inhalt

Danksagung

An dieser Stelle habe ich mich zu bedanken bei denen, die mir bei der schwierigen Beschaffung der Materialien behilflich gewesen sind: beim Archiv der sozialen Demokratie der Friedrich-Ebert-Stiftung, vor allem bei Frau Dr. Ilse Fischer und ihren Mitarbeitern in der Bibliothek; beim Dokumentationsarchiv des österreichischen Widerstandes in Wien, und da besonders bei Bibliothekar Herbert Exenberger; beim Dr. Karl-Renner-Institut in Wien und seinem Bibliothekar Richard Klucsarits; beim Seliger-Archiv in Stuttgart und seinem Archivar Dr. Franz Kunert und bei Herrn Dr. Rainer Noltenius, Leiter des Instituts für Deutsche und Ausländische Arbeiterliteratur in Dortmund. Und meine dankbare Verbundenheit bekunde ich allen Freunden, die die Arbeit an dieser Sammlung mit Hinweisen, Anregungen und Kritik gefördert haben.

Friedrich G. Kürbisch

Einleitung

«Ich besuchte daselbst viele Familien und verschaffte mir Einsichten in ihre Lebensumstände.» – Dieser Satz, der eine von Verfassern sozialer Reportagen auch heute noch angewendete Arbeitsmethode beschreibt, stammt von *Bettina von Arnim.* Ihr soziales und aufklärerisches Engagement hatte sie – trotz aller romantischen Schwärmerei – zu einer kritischen Beobachterin der unmenschlichen Arbeits- und erbärmlichen Lebensbedingungen des einfachen Volkes gemacht. Die Ergebnisse ihrer Erkundungen veröffentlichte sie unter dem herausfordernden Titel «Dies Buch gehört dem König» im Jahre 1843. Die damit verbundene Absicht geht aus der Zueignung im Titel hervor: die von ihr vorstellbar gemachte und nachprüfbare soziale Lage der unteren Schichten sollte Friedrich Wilhelm IV. von Preußen vor Augen führen, daß es nun Sache des Königtums sei, «den Geist der Revolution in einen wohltätigen Geist der Freitätigkeit umzuformen.»[1]
Dieses Buch, das wesentliche Elemente und Zielsetzungen der Reportage erkennen läßt, wurde jedoch nicht zum Ausgangspunkt für die Entwicklung dieses neuen Genres. Dafür gibt es zwei Gründe, die bis weit in die Zeit des poetischen Realismus hineinreichen: Zum einen war der in einer streng hierarchisch geordneten Privilegiengesellschaft des 19. Jahrhunderts in totaler Abhängigkeit arbeitende Mensch niederen Standes – in der Summe «das gemeine Volk» – nicht für sich allein und schon gar nicht als Gesamtheit Gegenstand der herrschenden Kunst. Zum anderen ist Bettina von Arnim ohne Nachfolge geblieben. Unter den Schriftstellern ihrer Herkunft hat sich damals oder unmittelbar danach kein weiterer Neugieriger oder von einer sozialen Idee Besessener gefunden, der gleich ihr aus seinem Salon zu dem arbeitenden Volk gegangen wäre, um sich mit dessen Arbeits- und Lebensumständen vertraut zu machen und die dort gewonnenen Einsichten ungeschminkt literarisch zu gestalten.

Die Wurzeln der Reportage sind also keinesfalls in der gehobenen, in der bürgerlichen Literatur zu suchen; und sie werden auch nicht ausschließlich vom Informationsbedürfnis genährt, wie jene meinen, die das Aufkommen der Reportage an die in unserem Jahrhundert sprunghafte Ausweitung und Vermehrung der Kommunikationsmittel ge-

1 Richard M. Meyer: Die deutsche Literatur des Neunzehnten Jahrhunderts. Berlin 1900, Seite 33

bunden sehen wollen.[2] Selbstverständlich: Zeitungen, Zeitschriften und Bücher, später dann die Wochenschau in den Kinos sowie Rundfunk und Fernsehen transportierten und transportieren die Reportage in einem früher unvorstellbaren Ausmaß. Doch nach eingehender Überprüfung der vor 1900 entstandenen Prosa, die bewußt Wunden und Narben des sozialen Lebens und deren Ursachen aufdeckt, bin ich zu der Überzeugung gelangt – auch wenn sie sich gegen die vorherrschende Lehrmeinung stellt –, daß die Reportage ihre Entstehung in erster Linie dem Bedürfnis nach Aufklärung verdankt und nicht dem Stoffhunger der Medien.[3] Sie wurde Darstellungsmittel, als die Literatur begann, sich selbst als ein Medium der sozialen Bewußtmachung zu verstehen, das in der gesellschaftlichen Aktion sein Ziel findet.
Es ist daher nicht zufällig, daß der Reportage zeitlich eine Flut thematisch gleichartiger Aufklärungsschriften, auch wissenschaftlicher Art, vorangegangen sind und daß die Reportage, die eine Kurzform ist, ständig von einer Flut von Sachdarstellungen gleicher Themen, wissenschaftlich fundiert und oft dickleibig, begleitet wurde und immer noch begleitet wird. Beispiele dafür gibt es genug. Ich beschränke mich hier auf zwei und meine, daß sie ausreichen, meine Auffassung zu verdeutlichen. Es kann wohl kaum angezweifelt werden, daß von *Friedrich Engels'* Bericht «Die Lage der arbeitenden Klasse in England», von ihm nach eigener Anschauung und authentischen Quellen zusammengetragen und 1845 in Leipzig veröffentlicht, eine direkte Linie gezogen werden kann zu *Victor Adlers* «Die Lage der Ziegelarbeiter», von ihm ebenfalls nach eigner Anschauung und authentischen Quellen zusammengetragen und in der «Gleichheit» am 1. Dezember 1888 veröffentlicht. In diesem Fall ist zudem allgemein bekannt, daß Engels' Buch, vor allem seit seiner 2. Auflage 1892 in der Dietz'schen «Internationalen Bibliothek», wegen seines aufklärerischen Inhalts und der Übertragbarkeit der in ihm dargestellten Fakten auf deutsche und österreichische Verhältnisse innerhalb der Sozialdemokratie weit verbreitet gewesen ist und daß Victor Adler es gekannt, geschätzt und in seinen Argumentationen oft verwendet hat. In glei-

2 Schütz/Vogt: Einführung in die deutsche Literatur des 20. Jahrhunderts, Band 2. Opladen 1977, Seite 200

3 Zeitungen und Zeitschriften befriedigten damals ihren Stoffhunger vor allem aus dem weitaus größeren Angebot von ausschließlich auf den Publikumsgeschmack abgestimmten fiktiven Stoffen trivialen Inhalts. Siehe u. a. Wolfgang Langenbucher: Der aktuelle Unterhaltungsroman. Bonn 1964

cher Weise ist nachweisbar, daß *Dr. Isidor Singers* «Untersuchungen über die sozialen Zustände in den Fabriksbezirken des nordöstlichen Böhmen», Leipzig 1885, den Anstoß zu Reportagen gegeben haben, die *Max Winter* ab 1900 über die Lage des Industrie-, Gewerbe- und Landproletariats im böhmisch-mährisch-schlesischen Raum «erwandert» und in der Wiener «Arbeiter-Zeitung» veröffentlicht hat. Beide Werke, das von Engels und das von Singer, sind der Form nach Berichte soziologisch und politisch gewichteten Inhalts. Die in der direkten Nachfolge entstandenen – sagen wir vorerst einmal – Aufsätze von Adler und Winter sind es nicht. Sie sind Reportagen, nicht etwa weil sie kurz sind und in einer Zeitung zum Abdruck gelangten, sondern weil bei ihnen an das Ende – sei es offen oder verdeckt – bewußt eine politische Forderung gestellt ist: die Betroffenen hätten aus der Bewußtmachung ihrer Lage zu lernen und selber eine Veränderung herbeizuführen.

Bei Victor Adler lauten daher die Schlußzeilen: «Wir werden nicht ruhen, bis diese Schandwirtschaft aufgehört hat. Aber Behörden und Öffentlichkeit können nicht alles machen. Die Hauptsache ist die Tätigkeit der Arbeiter selbst. Sie müssen sich endlich aufraffen und ruhig aber energisch erklären, daß sie sich diese Beraubung nicht mehr gefallen lassen werden.»[4] Und Max Winter berichtet im Anschluß an die Reportage selbst, als eine Fortsetzung der Aufklärung, was die Enthüllung der betreffenden Mißstände in der Öffentlichkeit bewirkt haben.

In diesem Zusammenhang erscheint es mir notwendig, eine der gängigsten Reportage-Definitionen zu zitieren. Bei Gero von Wilpert[5] heißt es: *«Reportage. – Berichterstattung für Zeitung oder Rundfunk als journalistische Gebrauchsform, gekennzeichnet durch Nähe zur objektiven und dokumentarisch nachprüfbaren Wirklichkeit und leidenschaftslos sachliche Schilderung des Details ohne einseitige Tendenz, allenfalls aus der Perspektive des Berichters.»* Doch hinter der nur so beiläufig und zaghaft angehängten Beifügung zu «ohne einseitige Tendenz», also in der Feststellung «allenfalls aus der Perspektive des Berichters», verbirgt sich ausgerechnet das, was die Reportage von einem Bericht unterscheidet, und was sie, die sozialkritische Reportage, erst als solche ausweist: die Parteinahme des Verfassers.

Eine sozialkritische Reportage wäre nämlich dann ohne Belang, wenn

4 Victor Adler: Die Lage der Ziegelarbeiter. In: Gleichheit. Wien, 5. 12. 1888
5 Gero von Wilpert: Sachwörterbuch der Literatur. Stuttgart 1964, Seite 575

sie die «nackten Tatsachen», also die erkundeten Fakten, lediglich mit einem sozialen oder gar sentimentalen Mäntelchen umhüllt oder an den «Tatbestand» – gleichsam als ein Alibi – einen «sozialistischen Schwanz» anhängt. Schon bei der Erkundung und erst recht bei der journalistischen oder literarischen Aufarbeit der «reinen Tatsachen» wird sich ein Reporter etwa an den von *Georg Lukács* stammenden Grundsatz halten müssen: *«Selbstredend geht jede Erkenntnis der Wirklichkeit von den Tatsachen aus; es fragt sich nur: welche Gegebenheit des Lebens und in welchem methodischen Zusammenhang es verdient, als für die Erkenntnis relevante Tatsache in Betracht zu kommen.»* Nur eine nach diesem Gesichtspunkt erarbeitete und gestaltete Reportage kann in den aufgefangenen Einzelbildern die sozialen Zusammenhänge aufspüren, wird so das gesellschaftliche Ganze als eine gesetzmäßige Einheit sichtbar machen.

Gero von Wilpert – damit seine Definition vollständig zitiert ist – bringt noch einen Satz, der auf den langjährigen und müßigen Kunst-Journalismus-Streit[6] hinweist und ihn sogar als Kanon fixiert. Weiter sagt er über die Reportage: *«Als tagesgebundene Sachdarstellung rasch vergessen und nur in seltenen Fällen (J. Roth, E. E. Kisch) von größerem literarischen Wert.»* Damit versucht er, die Reportage nach ihrer literarischen Wertigkeit zu messen und sie zudem an einzelne Namen zu binden. Dieser Teil der Wilpertschen Definition löst nicht nur nicht das Problem, wann eine Reportage von Belang ist, sondern steht auch in Widerspruch zu ihrer angestrebten und erreichten Funktion, die mit Kunstcharakter und Namen nichts zu tun hat, sondern darauf ausgerichtet ist, aufzuklären und zu verändern.

Die Abgrenzung der Reportage von anderen Formen der Kurzprosa ist nicht immer eindeutig. Es kann daher passieren, daß ein Herausgeber einer Anthologie von Geschichten oder Lebenserinnerungen denselben Text aufnimmt, der in einer Reportagensammlung steht, und umgekehrt. Denn: Das Genre «Reportage» ist kaum noch ausreichend untersucht[7] und nur vage definiert;[8] es ist keineswegs noch ausrei-

6 Gemeint ist hier die Auseinandersetzung in der «Linkskurve», Berlin 1932. – Dazu Helga Gallas: Marxistische Literaturtheorie. Neuwied 1971

7 Die Reportagenliteratur und ihre Vertreter werden von der Literaturgeschichtsschreibung im allgemeinen nicht behandelt, allenfalls am Rande erwähnt (wie z. B. bei Mahrholz und Salzer/Tunk). Ein teilweises Eingehen – zumeist auf E. E. Kisch beschränkt – bei Wolfgang Beutin u. a.: Deutsche Literaturgeschichte. Stuttgart 1979; Frank Trommler: Sozialistische Literatur in Deutschland.

chend zusammengetragen und gesichtet, überhaupt noch nicht in Längs- und Querschnitten präsent;[9] und trotz seiner schon hundertjährigen Beheimatung in Presse und Buch besitzt es keine Tradition. Selbst die als «Meister der Reportage» apostrophierten Autoren – und diese haben sich mit der Theorie dieses Genres eingehender beschäftigt[10] als die Literatur- oder Zeitungswissenschaft – wissen nichts von ihren Vorgängern: so gesteht *Günter Wallraff* 1977 ein,[11] daß er sich mit dem ihm bis dahin völlig unbekannten Egon Erwin Kisch erst auseinandergesetzt habe, als seine eigenen Reportagen 1966 von der Kritik mit denen des damals noch aktiven «rasenden Reporter» verglichen worden sind; und bei *Egon Erwin Kisch* wiederum findet sich kein Hinweis, daß er in dem Begründer der Arbeiterreportage und nur elf Jahre vor ihm verstorbenen «Arbeiter-Zeitung»-Redakteur Max Winter, aus dessen Feder rund 1000 Reportagen in der Presse Österreich-Ungarns erschienen sind, ein «Vorbild» gesehen hätte – und dabei haben Winter, Kisch und Wallraff für ihre Recherchen die haargenau gleichen Methoden entwickelt und ihren Reportagen den gleichen politischen Stellenwert beigemessen.
So ist also das Genre «Reportage» in fast allen Bereichen Neuland.

Stuttgart 1976; ausführlicher bei Schütz/Vogt: Einführung in die deutsche Literatur des 20. Jahrhunderts. Band 2. Opladen 1977

8 Eine ausführliche, auf das Literaturwesen der DDR abgestimmte definitorisch getragene Abhandlung über die Reportage in «Sachwörterbuch für den Literaturunterricht», Berlin 1980; «Meyers Handbuch über die Literatur». Mannheim 1964, definiert kurz: «Reportage = objektiver (Erlebnis)-Bericht für Presse, Funk u. a.». – Die Zeitungswissenschaft läßt ebenfalls aus: Das dtv-Wörterbuch für Publizistik, hrsg. Koszyk/Pruys, München 1969, bringt überhaupt nichts; das Handbuch der Publizistik, hrsg. v. Dovifat, Berlin 1968 f., behandelt beiläufig das Wesen der Reportage unter Berufung auf Kisch

9 Andere als von mir benützte Reportagen-Anthologien (siehe Quellennachweis) sind für die Zeit 1918–1945 nicht ausgewiesen

10 Hier vor allem Egon Erwin Kisch mit «Klassischer Journalismus», Berlin 1923 bzw. München 1979; weiteres Material nachgewiesen im Kisch-Kalender, hrsg. v. Weiskopf/Noll. Berlin 1956. (Günter Wallraffs zahlreiche Äußerungen zur Reportagentheorie werden in einer in Ausarbeit befindlichen Publikation in Kürze vorgestellt.)

11 Günter Wallraff: Kisch und Ich heute. In: Die Zeit. Hamburg, vom 11. 11. 1977

Egon Erwin Kisch schreibt 1935 über die Reportage: *«Reportage heißt Sichtbarmachung der Arbeit und der Lebensweise – das sind oft spröde, graue Modelle in den heutigen Zeitläuften.»* Ohne Zweifel: Die Reportage begleitet die Zeit, beschreibt Land, Leute und Ereignisse, analysiert Vorgänge und deckt Zusammenhänge auf.
Auf die Frage jedoch, ob sie Entwicklungen bewegt oder gestoppt, Entscheidungen verhindert oder verursacht, Menschen weniger dumm und weniger gemein gemacht, also Einfluß auf die Zeit genommen hat, muß jetzt, im nachhinein, auch wenn eine große Zahl von Reportagen auf das hin nachgelesen wird, mit Nein beantwortet werden. Die Zeit treibt die Reportage vor sich her, nicht umgekehrt.
Es ist eine Überschätzung des Reporters von seiner «Waffe», der Reportage, und eine Überschätzung der Reportage als eines Mittels der Veränderung durch die Öffentlichkeit, daß sie Zustände von Grund auf verändern und Machtmechanismen aufheben könne. Was sie bewirkt, erreicht sie auf Umwegen: indem sie den Leser sehen, hören, abwägen, hinter die Kulissen schauen und Zusammenhänge einschätzen lehrt, macht sie ihn entscheidungsfähiger und handlungsbereiter.
Die Zeitläufe, die in dieser Sammlung sichtbar gemacht werden, sind durch zwei Zäsuren bestimmt:

1918 zerbricht eine Monarchie nach ihrer militärischen Niederlage am Aufstand des Volkes und

1945 stürzt eine Diktatur, die das gleiche Volk durch zwölf Jahre mit Fallbeil, KZ und blindmachender Propaganda zum «Tausendjährigen Reich zusammengeschweißt» hatte, in einen so totalen militärischen und politischen Zusammenbruch, daß der opferreiche Widerstand der vielen, politisch unterschiedlichen Gruppen gegen den Nationalsozialismus als ein wichtiger Beitrag für das Freisein des Volkes beinahe übersehen worden wäre.

Für die Neuordnung nach 1918 und nach 1945 sind die Umstände, unter denen die Republik jeweils errichtet wurde, eine Hypothek mit lange nachwirkenden Folgen.
Der Ablauf der Epoche 1918–1945 ist in Nachschlagewerken feststellbar. Nicht Vollständigkeit im Festhalten nun schon historischer Ereignisse bestimmt die Auswahl der aufzunehmenden Reportagen, sondern zugegebenermaßen eine bestimmte thematische Absicht: Das Schicksal des betroffenen Volkes festzuhalten, das all das mit seinen Knochen bezahlen mußte, was die Zeit an sich (Folgen des Krieges, Weltwirtschaftskrise) und die innere Entwicklung der von Krisen ge-

schüttelten Weimarer und österreichischen Republik[12] (revolutionäre Nachkriegsphase, restaurative Strömungen, soziale Krisen, Hitlerherrschaft) ihm aufgehalst hatten. So sind auch solche Autoren vorrangig, die als Beteiligte ihre Haut zu Markte trugen (45 Autoren, 1 anonym). Nur zusätzlich sind von mir auch Autoren aufgenommen worden, die Zuschauer oder Nutznießer gewesen sind (5 namentlich, 3 anonym), aber die wegen ihrer aufschlußreichen Beiträge dennoch in dieses Buch gehören.

Um dies sofort zu erläutern: Im ersten Teil der Epoche, also zwischen 1918 und 1932, kam es zu einem kurzfristigen Konjunkturaufschwung, der dem Fortschritt in der Technik und einer umfassenden Rationalisierung gutgeschrieben wurde. Die dadurch aufgekommene Zukunftsgläubigkeit hat sich im Literarischen in einer Fetischierung der Technik niedergeschlagen. Das Pro und Contra: Man lese zuerst etwa die Beiträge von *Grünberg, Jaksch, Kläber, Leitner und Weinert*, dann den von *Reger*. Diese sechs Autoren haben die Industrie, die Arbeitswelt und die Lebensweise der Arbeiterklasse thematisiert: jene aus dem Spannungsfeld und Erlebnis des Klassengegensatzes, dieser aus der Position der Objektivität in Bewunderung, ja, in Mystifizierung der Technik und im Glauben an die Unveränderbarkeit einer Welt, die den Fortschritt zu ertragen und dafür zu bezahlen hat.

Erstaunlicherweise ist Egon Erwin Kisch dem gigantischen Eindruck des Bochumer Stahlwerkes ebenfalls erlegen; sie ist eine der wenigen Ausnahmen unter seinen Reportagen. Hingegen haben die Romantisierung der Technik bei Reger und die Verklärung der Arbeitswelt bei dem in dieser Sammlung nicht vertretenen *Heinrich Hauser* einen starken Einfluß auf einige Arbeiterdichter genommen, die ihr neues Lebensgefühl in einen eigenen Schreibestil umsetzten (so Lersch und Wohlgemuth).

Die Zeit der NS-Diktatur ist der andere Teil dieser Epoche und damit auch dieser Sammlung. Warnungen vor der Gefahr des Faschismus sind seit 1923 in Reportagen immer wieder anzutreffen (Altmaier, Bredel, Brunngraber, Frank, Soyfer). Sie haben die Ohren der Verantwortlichen nicht erreicht wie später ebenfalls nicht die ersten Berichte über die Verfolgung der Antifaschisten und die Zustände in den Kon-

12 Österreichische und sudetendeutsche Verfasser von Reportagen haben zahlreiche Aussagen über den «Schauplatz Deutschland» gemacht; ihre Hereinnahme wird damit begründet.

zentrationslagern (Hornung, Leitner, Liepmann, Peter, Petersen). In Deutschland nicht und nicht in der damals noch «freien Welt».
Vereinfachend kann man sagen, daß unter der Hitlerherrschaft das Volk in zwei Lager geteilt gewesen war: auf der einen Seite die überzeugten Faschisten samt skrupellosen Helfern sowie neben ehrlich Nichtwissenden Halbwisser, Wegschauer und Düpierte und auf der anderen Seite die Antifaschisten, sich auflehnend und niedergeknüppelt. Zur Sichtbarmachung dieses Gegensatzes war die Aufnahme von Reportagen aus beiden Lagern notwendig: die von Widerstandskämpfern (neben den schon Genannten noch Karl Barthel, Jochmann, Mader, Quaiser) und die von NS-Herrlichkeitsverherrlichern. Beim Sichten der NS-Reportagen haben sich solche für die Aufnahme besonders angeboten, die die NS-Propagandatechnik (Biallas, Seehofer), die Blindgläubigkeit und Besessenheit der Anhänger (3 anonyme Texte) und nahezu die Vergottung Hitlers (Johst) offenlegen.
Das Thema Krieg, besser gesagt: der Schauplatz Krieg, ist nicht Gegenstand der sozialkritischen Reportagen gewesen, ebenso nicht die soziale Lage an der «Heimatfront». Für das betroffene Volk war während des Dritten Reiches die Aufhebung sozialer Rechte und arbeitsrechtlicher Gesetze als Folge der Wiederaufrüstung und im Zuge des «totalen Krieges» ein schwerer Rückschlag. Doch schwerwiegender erschien ihm die ständige existenzielle Bedrohung durch die Gesetze und die Praktiken des NS-Regimes. Davon war nicht mehr eine Klasse betroffen, sondern Menschen aus allen Gesellschaftsschichten, eben jene, die den Nationalsozialismus ablehnten und bekämpften. So sind die das NS-Regime bloßstellenden Reportagen Widerspiegelungen des alten – aber eben doch existenziell anderen – Gegensatzes: Ihr da oben – Wir da unten.
Nachzuholen ist, daß die «Neue Sachlichkeit» die literarische Reportage in eine folgenschwere Entwicklung gedrängt hat. Als Reaktion auf die übersteigerte Subjektivität des Expressionismus und auf die Politisierung der Literatur durch die Rußlandbegeisterung linker Intellektueller hatte die «Neue Sachlichkeit» Objektivität auf ihre Fahne geschrieben.
Als direkte Folge dieser Haltung wurden die gesellschaftlichen Widersprüche in der literarischen Reportage geleugnet und ableitend daraus eine Parteinahme vermieden. Da entstand ein Vakuum, in das der Faschismus mit der Widerbelebung angeblich verlorengegangener Werte (Heimat, Volk, Ehre, Nation u. a.) vorstoßen konnte.
Zwischen 1918 und 1932 haben überraschend viele Schriftsteller die

journalistische und literarische Reportage für sich entdeckt. Nicht alle waren Anhänger der «Neuen Sachlichkeit» und wurden keineswegs von der «Arbeiterreportage» infiziert, wohl aber – trotz ihrer Zugehörigkeit zum bürgerlichen Lager – von Egon Erwin Kischs sensationellen publizistischen Erfolgen. Es war die lohnende Vermarktung der Reportage, die den neuen Trend auslöste. Und so lieferten die Schriftsteller die «neue Ware», wissend: Reportagen erhöhen den Bekanntheitsgrad und bringen außerdem Woche für Woche gute Honorare. Anstelle der bisherigen Reise-, Landschafts- und Stadtschilderungen flossen nun Reise-, Landschafts- und Stadtreportagen aus ihrer Feder, gelungene und schwache, wie immer in der Literatur. Es war Modesache, und später schämte man sich seiner Reportagen wie etwa *Robert Neumann*,[13] der seinen 1928 erschienenen Reportagenband «Jagd auf Menschen und Gespenster» 1963 als unlesbar abqualifiziert.
Es gab in dieser Zeit auch Reportagen, die unter die Haut gingen: die bissige Zeichnung des Durchschnittsbürgers (Polgar), das wie von einem Blitz aufgehellte Mordkomplott der Reaktion (Toller), die hingestrichelte Naivität des Wählervolks (Hans Siemsen), die alles bloßstellende Einschau in ein Moabiter Mietshaus (Zerna), die Fahrt zum brennenden Justizpalast nach Wien (Gottgetreu), dic wie auf einem Filmband abrollenden Bilder einer Stadt (Hasenclever), die Verständlichmachung einer fremden Welt, angesiedelt in einer Berliner Judenstraße (Roth) – ihre Verfasser: Sozialdemokraten, Sozialisten, Linke.

«Die Reportage ist eine absolut berechtigte, unerläßliche Form der Publizistik», schrieb *Georg Lukács* 1932. Ihren politischen Stellenwert hatte *Johannes R. Becher* fünf Jahre zuvor fixiert: *«Die Reportage ist die Avantgarde einer kommenden Dichtung in ein neues Diesseits. Es ist kein Zufall, daß die bedeutendsten Reporter entweder aus dem Proletariat stammen oder ihm nahestehen. Wer diesseitsgläubig ist, wer wirklichkeitsbesessen ist, muß Sozialist sein. Denn was heißt soziale Revolution? Eroberung der Wirklichkeit.»* [14] Und eben an dieser Frage, ob der in einer Reportage wiedergegebene Wirklichkeitsausschnitt wahr und typisch ist und eine im proletarischen Emanzipationskampf einsetzbare Erkenntnis liefert, entzündete sich die hauptsächlich in der BPRS-Zeitschrift «Die Linkskurve» ausgetragene Diskussion über Literatur und Klassenkampf und über Literatur und Kunst. Sie trat in

13 Robert Neumann: Ein leichtes Leben. München 1963, Seite 22
14 Johannes R. Becher: Wirklichkeitsbesessene Dichtung. In: Die neue Bücherschau 1928, Seiten 491 ff.

eine entscheidende Phase, als Arbeiterkorrespondenten und BPRS-Mitglieder sich anschickten, mit Reportageromanen die proletarische Literatur auf eine höhere Ebene zu heben.[15]
Jetzt bündelten sich die Fragen: Sollte es eine Literatur *der* Proletarier geben? oder eine *für* Proletarier? oder vermischt, besser noch: eine *einzige*, in der jedweder Gegenstand mit den Augen des revolutionären Proletariers gesehen werden und in neuen literarischen Formen zum Ausdruck kommen sollte? – Darüber existieren eingehende Untersuchungen und Stellungnahmen.[16] Hier genügt es zu sagen: Durchgesetzt hat sich Georg Lukács. Ingeborg Stephan sieht es so: «Die proletarische Literatur wurde von Lukács auf das Vorbild der bürgerlich-realistischen Literatur des 19. Jahrhunderts verwiesen und damit letzten Endes ihres revolutionären Charakters beraubt. Die Frage des Erbes war zugunsten der Tradition und gegen die Moderne entschieden.»[17]
Diese Entscheidung kam vorerst aus äußeren Gründen nicht zum Tragen. Denn Hitler hatte einige Monate später Deutschland in seine Gewalt gebracht, die legale Basis der sozialdemokratischen und kommunistischen Arbeiterbewegung und ihrer kulturellen Vorfeldorganisationen zerschlagen.
Die Arbeiterschriftsteller – ebenso die antifaschistisch eingestellten bürgerlichen Dichter – gingen in den Untergrund oder in die Emigration, sofern sie nicht wegen ihres aktiven Widerstandes gegen das Hitler-Regime erschlagen, in Konzentrationslager verbracht oder vor Volksgerichtshöfe gestellt wurden.
Das freie Wort lebte dennoch weiter. Es war nicht zu verbieten und nicht zu unterdrücken.

Graz, im Februar 1981 Friedrich G. Kürbisch

15 Zu verweisen ist auf die 8bändige Romanserie «Der Rote Eine-Mark-Roman». Berlin, 1930–1933. – Darüber: Schütz/Vogt: Einführung in die deutsche Literatur des 20. Jahrhunderts. Band 2. Opladen 1977, Seiten 213ff.; Lexikon sozialistischer deutscher Literatur. Leipzig 1964. Seiten 417f. – Hier vertreten sind: Willi Bredel und Erich Knauf (dieser aus der Büchergilde Gutenberg)
16 Siehe u. a. Fähnders/Rector: Linksradikalismus und Literatur. Reinbek 1974; Helga Gallas: Marxistische Literaturtheorie, Neuwied 1971; Frank Trommler: Sozialistische Literatur in Deutschland. Stuttgart 1976; Zur Tradition der Sozialistischen Literatur in Deutschland. Berlin-Weimar, 1967
17 Inge Stephan: Literatur in der Weimarer Republik. In: Wolfgang Beutin u. a.: Deutsche Literaturgeschichte. Stuttgart 1979, Seite 290

Die ersten Toten der Novemberrevolution

Es war am Freitag, dem 8. November 1918. Wir trafen uns im Sekretariat und lasen dort: Genossen sind verhaftet worden. Die sogenannte Volksregierung, die Militaristen, hatten sich von Tag zu Tag immer anmaßender benommen. Jemand fragt: «Was soll werden?» – «Was werden soll? Morgen geht's los. Früh um neun fällt der erste Schuß! Keinen Tag, keine Stunde länger!» So antwortete Erich Habersaath und drückte uns Waffen in die Hand. Wir gingen still auseinander.

Der kommende Morgen brachte einen regengrauen, naßkalten Tag. In der Ackerstraße trafen sich wenige Freunde, meist feldgrau. Es waren vier bis fünf Mann, die die großen Schwartzkopff-Werke stillegten. Und während sich die ausständigen Arbeiter zum Zug formierten, ging Habersaath mit seinem Häuflein hinüber und nötigte auch in den AEG-Werken, die Maschinen anzuhalten. Der Zug dehnte sich endlos lang; über 10000 Proletarier schritten langsam dem Stadtinnern zu. An der Spitze schritten junge, feldgraue Freunde, kaum zwei Dutzend. Es waren «Illegale», Deserteure, die nicht auf Kommando ihre Klassenbrüder morden wollten, Flüchtige, die im Lande umherirrten, die sich verborgen halten mußten, gehetzt und verfolgt. Heute schritten sie frei dem Volke voran, als Stoßtrupp der Revolution, todesmutig, rote Fahnen flatterten, Standarten und Schilder grüßten!

An der Kaserne der Garde-Füsiliere wurde haltgemacht. Die Fenster und Türen waren mit Ketten verschlossen. Maschinengewehrläufe starrten von den Dächern und Mauervorsprüngen. Sturmbereit drängten sich die Soldaten, die erst vor wenigen Tagen aus ländlichen Garnisonen hereingebracht waren, hinter den Scheiben. Auf die Aufforderung, die Waffen gegen die Offiziere zu richten, antworteten sie mit unentschlossenem, verlegenem Schweigen. Nur einer sprang zum Fenster heraus, begrüßt von Hochrufen der Demonstranten. Ein anderer warf Maschinengewehrmunition herunter.

An dem Tore rüttelte eine Genossin, die eine große rote Fahne trug.

Die Masse ging zum Sturm über!

Jemand mahnte zur «Besonnenheit» und zum «Weitergehen»! Der Zug bewegte sich schon wieder weiter.

Da bog die Spitze wieder um, drängte auf das Tor zu, das im nächsten Augenblick aufgesprengt wurde.

Scharf knallten Schüsse.

Die Menge flutete wild zurück. – Irgendwer mußte gefallen sein ...

Man sah Körper stürzen, sich aufraffen und wieder zusammenbrechen.
Niemand hatte Zeit, sich genauer zu erkundigen!
Der breite Kasernenhof war leer. Maschinengewehre standen, drohend auf das Tor gerichtet, mitten im Hofe, von den Schützen verlassen.
Es war, als ob das peitschende Knallen im nächsten Augenblick wieder beginnen müßte.
Ein Offizier sollte geschossen haben. Es gab Tote und Verwundete. – Nach einem Gerücht war Habersaath tot.
Einen Augenblick versuchten wir, darüber nachzudenken, doch dann riefen wir die anderen nachzukommen und erzwangen die Übergabe der Kaserne.
Fort ging es von einem Erfolg zum anderen bis zur späten Nacht.
Wenige Tage später sah ich Habersaath wieder. – Jugendgenossen hatten ihn im Jugendheim, Brunnenstraße, aufgebahrt. Er lag zwischen roten Fahnen und vielen Blumen. Das Gesicht war nicht viel bleicher als sonst. Überhaupt wenig verändert. Die Hände ruhten auf der Brust und waren von Revolverkugeln durchschossen. Den tödlichen Schuß hatte er durch die Brust mitten ins Herz empfangen.
Am nächsten Morgen begrub das revolutionäre Berlin seine Toten. Man hatte auf dem Friedhof der Märzgefallenen im Friedrichshain ihre letzte Ruhestätte bereitet, neben dem «unbekannten Mann» und dem Lehrling Zimmer und anderen proletarischen Helden der achtundvierziger Jahre.

Max Winter

Das hungernde Wien

Am Mittwoch haben einige französische, englische, schweizer und italienische Journalisten und Journalistinnen, denen sich auch einige Wiener Zeitungsleute als Führer angeschlossen hatten, *Favoriten*[1] besucht, um dort die Leiden des anderen Wien kennen zu lernen, die auf der Ringstraße auch jetzt nicht sichtbar werden. Die Herren sind mit dem Wunsche nach Wien gekommen, hier die Auswirkung der Lebensmittelabsperrung zu erforschen und ihren Landsleuten berichten zu können, wie dringend nötig Hilfe ist. Es waren erschütternde Bilder, die vor der Gesellschaft auftauchten, Bilder, die die Gäste aus den feindlichen Ländern von gestern stark gepackt haben und die sie nun, gesehen durch ihre verschiedenen Temperamente, ihren Landsleuten vor Augen führen werden. Auch wir wollen versuchen, diese Bilder festzuhalten als Dokumente des Zustandes, in den uns der endliche Zusammenbruch des Krieges gebracht hat. Es ist unsägliches Leid, das man auf solchen Gängen in einem Arbeiterbezirk schauen kann.

Auf dem Eugenmarkt

Der erste Besuch der ausländischen Gäste galt dem Eugenmarkt. Alle Fleischstände geschlossen. Nur einige Gemüsestände geöffnet. Rüben, oft verfault, Zwiebeln, etwas Knoblauch und gefrorenes Kraut ist alles, was wir zu sehen bekommen. 60 Heller das Kilogramm gefrorenes Kraut. Viele der Krautköpfe zur Hälfte schon von den faulenden Stoffen ausgefressen. Eine Frau, die schon Erfahrung damit hat, sagt uns zur Erklärung: «Koch'n S' das Kraut nur, da werd'n S' schon sehn, wie wenig das ausgibt.» Bei einem Stande wird Margarine verkauft. Wenig appetitreizendes Fett. Vier Dekagramm [40 gr] für jede Person als Wochenmenge, und die Frauen und Kinder stehen vorne schon eine Stunde, hinten anderthalb, um diese Wochenmenge an Fett zu erwerben. Das Thermometer zeigt zwei Grad unter Null, der Tag ist

1 X. Stadtbezirk Wiens, 1873 aus Zusammenschluß industriereicher Vororte (Ziegel-, Metall-, Textil- und Lebensmittelindustrie) entstanden, Arbeiterbezirk mit hohem Anteil von Tschechen (1920: 14805 Männer und 5082 Frauen sozialdemokratisch organisiert)

neblig und bitter kalt, und die Menschen sind alle schlecht gekleidet. Kinder in Sandalen und Halbschuhen, ihre Füße mit Fetzen umwickelt, stehen in der Reihe dichtgedrängt neben Großmüttern, die ihr langes Leben hindurch nicht so bittere Zeiten zu erleben hatten wie diese, neben jungen Frauen, die, in Fetzen und Tüchern eingewickelt, ihren Säugling oder ihr Kleinkind am Arm haben, da sie es in dem kalten Heim nicht allein einsperren können. Jammern und Klagen geht durch die Reihen, da die Frauen hören, was der Zweck des Besuches ist. «Helfen Sie uns, meine Herren!» klingt es in allen Tonarten an die Ohren der Gäste, deren einige der deutschen Sprache recht gut mächtig sind, während den anderen die Rufe erst durch Dolmetscher vermittelt werden müssen. «Helfen Sie uns, wir können nicht mehr weiter!»

Nicht ein Kilogramm Kartoffeln ist auf dem Markt. Da wir bei dem Fettstand stehen, kommt eine Frau mit einem Papier, auf dem sie einen Fingerhut voll Fett hat. Sie hält es unserer Gruppe hin: «Das kost't zwei Kronen.»[2] Entsetzt halten die fremden Zeitungsschreiber, unter denen auch ein Vertreter des «Petit Parisien» ist, der noch vor acht Tagen schönes Weißbrot und gutes, reines Fett in Paris aß, den Preisansatz in ihren Notizbüchern fest. Immer dichter umdrängen die Käufer unsere Gruppe. Es wird zum Ersticken eng. Alles drängt an uns heran, jeder will uns seine persönliche Erfahrung mitteilen, sein persönliches Leid klagen, jeder will uns mit Ratschlägen versorgen, wohin wir gehen sollen, wo wir Blicke in das Leben des Hungers werfen sollen. Erst ein Spaßwort macht uns freie Bahn. Ein kleiner Junge, etwa fünfzehnjährig, drängt sich an uns heran und ist nicht vom Fleck zu bringen. «Wer ist der Kaiser der Republik?» fragt ihn einer von uns. Er antwortet schlagfertig: «Die Republik hat kan' Kaiser net.»

Das Elend ist für einen Augenblick vergessen. Die Umstehenden lachen, die Gasse öffnet sich. Wir können weiter. Gleich um die Ecke wird Roßfleisch abgeladen. Da die Fleischhauergehilfen die Viertel abtragen, haben wir die Zeit, das Fleisch zu besichtigen. Dieses durchaus fettlose, dunkelrote Fleisch, dem man es förmlich ansieht, daß die armen Tiere, die es liefern mußten, vorher bis zur Erschöpfung ausgeschunden waren, Kriegsgäule, die nun das Ende erreicht hat. Aber die Hungernden warten darauf. Es soll ja das erste billige Fleisch sein, das auf den Markt kommt. Drei Kronen das Kilogramm, nicht mehr wie

2 Ein Fingerhut voll Fett (etwa 20 gr) = eine Arbeitsstunde eines qualifizierten Drehers im Akkord.

am Samstag noch 20, 23 und 24 Kronen für ein Kilogramm Pferdefleisch. Der Staatsrat hat beschlossen, den Unterschied draufzuzahlen, um der Bevölkerung wenigstens Pferdefleisch bieten zu können.

Die Zentralküche

Wieder um die Ecke, Quellenstraße Nr. 52, die Zentralküche Favoriten, eingerichtet von der Gemeinde Wien. In einer Schule ein Parterreraum als Küche, ein Kellerraum als Magazin, der Turnsaal eingerichtet für die Speisenabgabe. Wir kommen zuerst in die Küche, kosten das suppige Kraut, das schon fertig ist und aus großen, einige hundert Liter fassenden Holzbottichen dampft. Die großen Kochkessel aber werden zum zweitenmal mit geschnittenem Kraut gefüllt, und von den Wasserhähnen fließt zum zweitenmal das Wasser in die Kessel. Denn 14000 Menschen sind es, für die diese Küche das Essen bereiten soll. Sechs bis acht Riesenkessel in der Reihe und alle bis zum Rande gefüllt mit braunem Kraut. Neben der Küche die Vorratskammern. Wir sehen das Mehl, das in der diesmaligen Sendung schön weiß ist, das aber normal so ist, daß uns die Küchenleiterin sagt, daß sie kaum damit einbrennen kann, schwarz und oft dumpf und widerlich im Geschmack. Wir sehen den «Makkaroniersatz», diese Teigware von der Farbe unserer Lehmerde, die Zubuße aus der Ukraine sehen wir, irgendein Getreidekorn, mit fremdem Geschmack, an den sich selbst unsere Hungrigsten nicht gewöhnen können, und auch das Fett verkosten wir. Jeder der ausländischen Gäste muß in eine vor ihren Augen frisch geöffnete Kanne langen und etwas von dem Fett verkosten, das verwendet wird. Ein Mischfett, zusammengesetzt aus allerlei Fetten. Das Schwein, die Gans, das Schaf, das Pferd, das Rind, alle, alle müssen ihren Talg und ihr Fett geben, um diesen «Fettersatz» zu liefern, den die Küche braucht, das einzige Fett, das für sie erlangbar ist. «Da wendet sich der Gast mit Grausen!» Die Männer und Frauen von der Feder, die bisher die Kriegshungersnot nicht am eigenen Leibe verspürt haben, vermögen es kaum zu fassen, daß wir so am letzten sind. Wir gehen dann in die unteren Räume. Ein Berg von gefrorenem Kraut, demselben Kraut, das wir auf dem Markt sahen, ist das erste, was wir wahrnehmen. Dann führt uns die Küchenleiterin zu ihrem Kartoffelvorrat. Höchstens 500 Kilogramm, vielfach verfaulte und sehr stark noch mit Erde vermischte Kartoffeln liegen in einem Abteil des Kellers. «Das ist unser ganzer Vorrat, er soll für 14000 Menschen reichen.» – «Auf wie lange?» – «Auf unbestimmte Zeit ... Wir haben gestern im Rathaus angefragt, wann wir wieder Kartoffeln bekommen, und es wurde uns gesagt, es sei ganz unbestimmt und man könne uns gar nichts in Aussicht stellen.» Wollte man die vorhandenen Kartoffeln auf die 14 000 verteilen, so käme im günstigsten Falle auf einen der Esser, die auf diese Küche angewiesen sind, eine halbe Kartoffel. Auf dem Markte keine Kartoffeln, in der Küche keine Kartoffeln!

Kriegskinder

Im Turnsaal drüben sind schon Frauen und Kinder angestellt, um an der Kasse ihre Marken zu beheben, um sich dann auf Grund der Marken ihre Töpfe mit Kraut füllen zu lassen. Da steht ein kleines Mädel, zehnjährig etwa, mit einem viel, viel kleineren Buben an der Hand. «Wie alt ist der Junge?» – «Sechs Jahre.» – «Aber das ist doch nicht möglich, er kann doch nicht älter wie drei, vier Jahre sein.» Wir schaffen ein Maßband herbei und messen das Kind, hinter dessen Augenlid es rosawässerig schimmert, da wir es herunterziehen. Blutarm! Von der Sohle bis zum Scheitel mißt der Junge 98 Zentimeter. Ein Zwerglein, das in seinen sechs Jahren kaum Tischhöhe erreicht hat. Daneben ein ganz gleich großes Kind an der Hand einer Frau. Auch ein Bub. «Wie alt ist der Bub?» – «Dreieinhalb Jahre.» Ein pausbäckiger, kleiner, lieber Kerl, der auch gleich auf den Spaß eingeht und breit lacht. «Wieso haben Sie den so gut durchgebracht? Das ist ja ein fescher Kerl?» – «I hab'n a zwaahalb Jahr' an der Brust g'habt.» – «Zweieinhalb Jahre?» – «No ja, was hätt' i tuan soll'n? Milch hab' i kane kriegt und andere Lebensmittel a z'weng. Hab' i ihm halt geb'n, was i g'habt hab'.» Wir drücken der tapferen Mutter die Hand.
Vor dem Ausgang hunderte Menschen. Sie alle wollen die Fremden sehen, die gekommen sind, das Elend zu schauen. Achtungsvoll bildet sich eine Gasse, um uns freie Bahn zu den Kraftwagen zu geben, die uns weiterbringen sollen. Nur eine Frau drängt sich durch die Gasse, in der einen Hand einen Papiersack mit Mehl, in der anderen Hand einen Laib Brot. «Davon soll'n zwa Leut' a Woch'n leb'n. Schau'n Sie's nur an, das Mehl, meine Herren.» Der Mehlsack geht von Hand zu Hand. Wir alle können uns überzeugen, daß es schwärzestes Mehl ist. Eine Viertelkilogramm-Mehlration für zwei Menschen in einer Woche. Die Gäste empfinden es schon, daß unter solchen Umständen das Volk verhungern muß.

In der Wärmestube

In der Puchsbaumstraße in Favoriten stand einstens förmlich auf freiem Felde im Zuge der künftigen Gasse eine der sechs Wiener Wärmestuben. Jetzt ist die Stadt schon an sie herangewachsen. Dorthin führt uns unser Weg. Wir finden sie geschlossen und im Fenster einen Zettel, auf dem steht:

Wegen Mangels an Lebensmitteln
bleibt die Wärmestube bis auf weiteres geschlossen.

Wir wollen Näheres erforschen, pochen an die Türe, der Verwalter öffnet uns auch und lädt uns ein, einzutreten. Wir stehen in einem kalten Raum, in der Speiseausgabehalle der einstigen Wärmestube, die nun nicht mehr die Konservensuppe und das Stück Brot den Hungernden geben kann, die sie nicht mehr, wenn auch auf Minuten, mit der wohltuenden Wärme umfangen kann, die den Raum sonst zu Winterzeiten erfüllt hat, und die auch nicht mehr den Obdachlosen die Notunterkunft bietet wie in früheren Jahren. Wir versuchen, den Gästen die Schande der Zustände, die zu dieser dreifachen Ausnützung der Wärmestube genötigt haben, kurz zu erklären. Wir rufen in ihnen das Bild hervor, wie die Obdachlosen auf einer Bank mit gemeinsamer Mittellehne, Leib an Leib und Scheitel an Scheitel, übernachten mußten, und entsetzt erfahren sie aus dem Munde des Verwalters, daß es 170 Menschen Nacht um Nacht waren, die hier ihr Obdach fanden, das heißt ihren Sitzplatz auf der Bank, ohne daß ihnen die Erlaubnis gegeben werden konnte, ihre nassen Kleider abzulegen oder sich ihrer Schuhe zu entledigen. Die Gäste aus dem Ausland können das Grauen, das in diesen Räumen im holden Frieden wohnte und von dem dieser Raum auch bis in den vorletzten Kriegswinter hinein erfüllt war, nicht in seiner ganzen Trostlosigkeit erfassen. Aber die Pariser versprechen unter dem Eindruck doch, daß sie nun auch in Paris Nachschau halten werden, ob nicht auch dort der Kapitalismus solche Auswüchse scheußlichster Unkultur gezeugt hat. Wir können ihnen empfehlen, in ruhigeren Zeiten auf dem Montmartre, und den Engländern in Whitechapel, Nachschau zu halten. Sie können sich dort den lebendigen Eindruck holen von dem Elend, von dem wir ihnen hier nur die kalten Räume zeigen konnten. Da wir fünf Minuten auf den kalten Steinfliesen der Halle stehen, beginnt es uns bedenklich kalt in den Füßen zu werden. Eine kurze Eintragung noch in das Besuchsbuch, und dann geht es hinaus.

Die Gäste haben genug gesehen. Wir lassen sie nur noch einen kurzen Blick in den wilden Kleinhandel werfen, der sich um den Ostbahnhof herum aufgetan hat. Sie haben wenig Lust, sich ein Stück Roßwurst und ein Brot um 2 Kronen zu kaufen und es zu verkosten. Den einzigen Kaufversuch macht der Vertreter des «Petit Parisien» – nebenbei die Zeitung mit der größten Auflage der Welt. Sie druckt 2,5 Millionen Exemplare täglich. Er tritt an den Maronibrater heran und kauft sich um eine Krone gebratene Kastanien. Sieben Stück, und die sind klein. Es ist unser letztes Erlebnis und die Gäste erklären, sie hätten genug gesehen. Sie wüßten nun aus eigenem Augenschein, daß nirgends in der Welt so viel gehungert wird wie in diesen Tagen in Wien. Ein geistreicher Franzose kleidet seinen Dank in die Worte: «Wir haben viel gesehen, da wir nichts gesehen haben ...»

Ernst Toller

Wie man auf der Flucht erschossen werden kann

Das Gefängnis Stadelheim bei München, in dem ich den größten Teil meiner Untersuchungshaft verbringen mußte, war ständig mit Weißgardisten[1] als Bewachungsmannschaften «belegt». Die Leute hatten ihre eigene Art Vergnügen. Es war den Gefangenen verboten, aus dem Gitterfenster zu schauen. Wenn wirklich einmal einen Gefangenen Lust anwandelte, ein Stückchen Himmel zu sehen, knatterten gleich unten im Hofe die Gewehre, und Kugeln spritzten gegen die Backsteinmauer. Aber sie spritzten auch, wenn keiner sich am Fenster zeigte, bei Tag und bei Nacht. Es war ein gemütliches Gefängnis. Das konnte auch der Fremde sehen, führte ihn der Weg in den Maitagen am großen Tore Stadelheims vorbei. Weiße Kreideschrift, Menetekel dieser Zeit, leuchtete: «Hier werden Spartakisten kostenlos zu Tode befördert.» «Hier wird aus Spartakistenblut frische Blut- und Leberwurst gemacht.»

Ende Juni 1919, etwa drei Wochen vor Beginn meines Prozesses, führte mich der Aufseher eines Tages aus meiner Zelle, die in einem Seitenflügel des ersten Stockwerkes lag, hinunter in ein Bürozimmer, zur Vernehmung. Als ich den Korridor des Erdgeschosses betrat, erblickte ich etwa sechs Leute in Mannschaftsuniform, die offensichtlich – man sah es Gesichtern und Gesten an – Studenten und Offiziere waren. Als sie mich bemerkten, rief einer: «Da ist er.» Nach der Vernehmung, die etwa zwei Stunden dauerte, führte mich der Aufseher wieder nach oben. Die sechs Soldaten, die immer noch im Korridor standen, folgten uns schimpfend auf den Fersen. «Du roter Lump!» – «Du roter Hund!» – «Du Spartakistenaas!» – «Warte nur, die Kugel ist schon für dich gerichtet!» – «Jetzt hat deine Stunde geschlagen!»

Der Aufseher schloß oben die Eisentür auf, die zum Zellengang führte. Ich ging hinein. Die sechs blieben vor der Tür stehen. Ich war etwa eine Stunde wieder in meiner Zelle (man hatte mir mit raffinierter Ab-

1 Eine seit der russischen Revolution (1917/19) auch in Deutschland und Österreich gebräuchliche Bezeichnung für Angehörige reaktionärer paramilitärischer Verbände (Freikorps, Zeit-Soldaten, «Schwarze Reichswehr» u. a.), aufgestellt und eingesetzt gegen die Arbeiterklasse.

sicht jene Zelle gegeben, die Leviné[2] vor seiner Erschießung bewohnte), als ein junger Hilfsaufseher die Zellentür aufschloß. Dieser junge Hilfsaufseher war mir wohl gesonnen. «Herr Toller, lassen Sie sich nicht auf den Spazierhof führen. Ich stand vor der Tür des Vernehmungszimmers und hörte, was die sechs Soldaten mit Ihnen vorhaben. Sie sagten, jetzt sei eine gute Gelegenheit, Sie um die Ecke zu bringen. Als einer fragte, wie denn, schlug ein anderer vor: Wenn er auf den Spazierhof geführt wird, gehen wir mit. Einer tritt ihm auf die Fersen, daß er aufspringt, das wäre dann Fluchtversuch.»

Der Hilfsaufseher ging.

Sollte ich den Rat befolgen? Wie war die Zellenluft vom Abortkübel verpestet! Auf die halbe Stunde Spazierhof verzichten? Vor dem gierigen Wunsch nach frischer Luft zerstäubten Überlegungen und Bedenken. Nun war es kein Wunsch mehr, Zwang trieb mich. Schließlich war ich schon ein paarmal Flinten- und Revolverläufen entwischt. Irgend etwas wie Trotz kam dazu, als der Gangaufseher mit umgehängtem Säbel und Revolver an der Zellentür erschien und «Spazierhof» rief. Ich folgte ihm.

Vor dem Eisengitter des Zellengangs lauerten wirklich die sechs.

In solchen Sekunden geschieht Merkwürdiges. Der Körper strafft sich, es ergreift den Menschen nach Sekunden heftiger Angsterschütterung Fühllosigkeit, er empfindet nicht, er konstatiert mechanisch geringste Einzelheiten seiner Umgebung. Wir gingen die Treppe hinunter. Die sechs folgten schweigend. Beim Hinuntergehen sah ich, daß an einigen Stellen der Wand Mörtelteile sich abgelöst hatten, daß der Kragen des Aufsehers speckig war, daß der Aufseher auf der linken Seite zwischen Kieferknochen und Ohr einen großen roten eitrigen Pustel hatte, der eben reif wurde.

Wir standen vor dem Eisengitter des Zellengangs im Erdgeschoß, durch das eine Seitentür in den Spazierhof führte.

Der alte Aufseher Müller, der, wie der Hilfsaufseher, den Plan der sechs kennen mußte, hatte nicht gewagt, mich zu warnen. Als automa-

2 Eugen Leviné, geb. 1883 in Petersburg, nahm 1905 an der ersten Russischen Revolution teil, wurde mehrmals verhaftet und konnte 1908 in den Westen fliehen. L. war Mitbegründer des Spartakusbundes und ging im März 1919 im Auftrag der KPD nach München, um dort die «Rote Fahne» herauszugeben. Nach der Niederwerfung der Räterepublik durch die Regierungstruppen am 1. und 2. Mai 1919 wurde L. wegen Hochverrats angeklagt und zum Tode verurteilt. Am 5. Juni wurde L. erschossen. (nach H. M. Enzensberger)

tisch handelnder Beamter führte er mich, wie es seine Vorschrift verlangte, auf den Spazierhof. Am Eisentor aber handelte er nicht nach der Dienstordnung. Er sperrte das Tor auf, gab mir einen Stoß, folgte schnell nach, dann schloß er ebenso schnell das Tor von innen zu. So rettete er mir das Leben.
Die sechs Soldaten rüttelten am Gitter. «Lassen Sie uns 'raus, wir befehlen es Ihnen!»
«Ich habe den Auftrag, den Gefangenen allein zu führen, beschweren Sie sich halt beim Herrn Gefängnisvorstand!»
Wir waren im Hof. Erst nach ein paar Runden Laufens im Quadrat begann das Herz rascher zu schlagen. Das Gefühl lebte das Geschehen nach. Es lebte um so stärker, als die eine Hofwand, an der über dreißig Menschen, Männer, Frauen, Knaben, in den Maitagen erschossen wurden, und erst neulich Eugen Leviné, von zahllosen Kugeleinschlägen zerlöchert war, die Erde davor eingetrocknete Blutlachen narbten...

Erich Knauf

Nach dem Kapp-Putsch

Für das reaktionäre Gelichter kam die große Zeit der Vorbereitung eines zweiten Putsches. Es hatte von seinen Fehlern gelernt und war entschlossen, das nächste Mal ganz anders zuzupacken. Nur die passende Gelegenheit fehlte noch.
Bis dahin wurde emsig gerüstet.
Der Putsch war mit Sammetpfoten niedergeschlagen worden, das war der Fehler. Aber auch wir hatten gelernt. Einstweilen freilich war so ziemlich alles verpatzt...
Am anderen Morgen schien die Sonne, als wäre sie Parteimitglied und wüßte, was sich gehört. Überall in unserem Viertel hingen rote Fahnen aus den Fenstern. In der Nacht hatten beherzte Kerle die höchsten Fabrikschornsteine rot bewimpelt, und auch das Rathaus zeigte den Spießern die Farbe, die sie scheu macht. Die Arbeitsruhe war vollständig.
Ich stand am Fenster, und mir war, als müßte ich mich erst wieder eingewöhnen. März – April – Mai – ging es mir immer durch den Kopf. Drehte sich die Welt so schnell? Wieviel war in diesen Wochen geschehen!
Nach dem Essen trat die Mutter an mich heran und steckte mir eine rote Nelke ins Knopfloch: «Komm!»
Der Vater war schon unterwegs. Er war aufgeregt, denn er sollte die Ansprache halten.
Auf dem Markt wurde angetreten. Es war noch nicht lange her, da waren Schüsse über diesen Platz geknallt, die Pflastersteine waren von Blut rot geworden, und dann war die Woge des Massenangriffs auf den Drahtverhau und die Maschinengewehre der Putschisten gestürzt. Und jetzt baute sich hier ein festlicher Reigen auf. Ein Siegesfest? Wohl kaum. Die Sieger waren die Besiegten geworden.
Aber ich war der einzige, der so dachte. Überall sah ich aufgehellte Gesichter, bekränzte Kinder, Fahnen, Arbeitersportler in Weiß, Radfahrer auf geschmückten Rädern, und immer neue Abteilungen rückten mit Musik heran.
Als das Trommlerkorps an der Spitze des kaum absehbaren Zuges den Takt in alle Beine schlug, fiel von meiner Erinnerung etwas ab wie ein grauer Mantel, und ich sah nur noch das Schöne, die großen Erlebnis-

se. Das menschliche Gedächtnis hat diese wundervolle Gabe, das Unangenehme beiseite zu schieben und zu begraben und auf seinem Leichenhügel die bunten Blumen leuchten zu lassen. Ich gebe es zu, diese Gabe ist oft daran schuld, daß dunkle Erinnerungen in freundliche Farben umgelogen werden, aber in diesem Augenblick legte ich mir keine Rechenschaft darüber ab und gab mich ganz dem Marschrhythmus hin. Die Musik schlug den Schall dröhnend an die Häuserfront, zwischen den Kapellen begann Gesang aufzufliegen und wurde stark und rauschend, Trommeln hämmerten einen zornigen Takt, jede singende Abteilung hatte ihr eigenes Lied, aber die Melodien vereinigten sich, und es entstand ein Chorgesang, wie ihn noch kein Komponist in die Zauberformel der Noten gebannt hatte. Die Köpfe des marschierenden Zuges wogten auf und nieder, und auf diesen Wogen tanzten die Fahnen wie rote Wellenreiter.

Ich fühlte nichts mehr als den Massentakt und die unsichtbare, aber mitreißende Gewalt, die von einer marschierenden Masse ausgeht.

Das Wort Bewegung hörte auf, nur ein Wort zu sein.

An einer Straßenbiegung versuchte ich, den Zug zu überblicken. Es war unmöglich. Aber ich hatte bekannte Gesichter entdeckt ... Morgenstern und Karafiol liefen zu mir herüber, später lasen wir noch den Tierbändiger aus der Zuschauermenge auf, und so waren vier vom Stoßtrupp seligen Angedenkens beieinander!

In unserer Nähe sangen sie jetzt: «Nicht mit dem Rüstzeug der Barbaren, mit Schwert und Spieß nicht kämpfen wir» – da lachte Morgenstern: «Nee, aber mit Maschinengewehren und Handgranaten!»

Und die frohe Laune war allgemein. Jetzt machte es doppelt Spaß, im Zuge zu marschieren. Wir wuchsen, indem wir marschierten. Wir wuchsen wieder zusammen.

An den Gräbern der Gefallenen des Putsches hielt der Zug. Der Garten der Toten war zu klein, die vielen tausend Menschen zu fassen. Wie die feurigen Farben des Lebens standen die roten Fahnen vor dem feierlichen Ernst der in ewige Trauer versunkenen Friedhofsbäume. Und dann sprach mein Vater. Ich werde diese Rede an die Toten und an die Lebenden nicht so leicht vergessen ...

Sie streute nicht Maiblumen auf Gräber und festlich gekleidete Menschen. Es war kein Pietät markierendes Intermezzo zwischen Maiaufzug und Festwiese. Es war eine Maibotschaft an die Märzgefallenen, ein Gelöbnis, das Vermächtnis der Toten zu vollstrecken. Es war eine zornige Rede, ein Alarmruf, der das Vergnügen auslöschte und aus festlichen Kolonnen Bataillone des Kampfes formierte:

«Der Putsch ist vorbei, der Krieg geht weiter, der Krieg der Ausbeuter gegen die Ausgebeuteten. Dieser Krieg ist in ein Stadium getreten, das sich nicht mehr mit Verlegenheitslösungen und friedlichen Auseinandersetzungen begnügt, obwohl der friedliche Charakter dieser Auseinandersetzungen bereits zweifelhaft genug ist. Der Bürgerkrieg steht Gewehr bei Fuß. Gefahrenzeichen überall!
Wollen wir warten, bis uns der Gegner die Gesetze dieses Kampfes diktiert? Die Arbeiterorganisationen, die Gewerkschaften und die Parteien müssen die Reihen schließen. Wo es nicht geschieht, müssen sie dazu gestoßen werden. Wo Organisationen den Schlaf der Gerechten schlafen, muß die Energie einzelner Genossen einspringen! Bereit sein ist alles!
Bei Demonstrationen darf es nicht bleiben. Demonstrationen sind gut und nötig. Sie beweisen Bereitschaft und Kampfwillen. Aber sie sind nur ein Auftakt. Mehr ist nötig! Mehr als Kundgebungen! Mehr als papierene Proteste!
Macht euch nicht lächerlich! Zugreifen!
Ihr habt Menschlichkeit gesät und Mord geerntet!
Ihr habt um eure Gefangenen eine Schutzwehr gebaut, und sie haben die von euch fortgeworfenen Gewehre wieder auf euch gerichtet.
Ihr habt euren Sieg mit Güte gekrönt, sie haben ihrer Niederlage das Gebiß einer Hyäne eingesetzt!
Die Gräber unserer Toten klagen unsere Gleichgültigkeit an. Die Tränen ihrer Hinterbliebenen löschen nicht, sie brennen, wo sie hinfallen.
Es ist viel zu Asche geworden in diesen Wochen und Monaten, aber die Glut lebt noch!
Wir fachen diese Glut nicht an wie Mordbrenner. Unser Wille ist der Sozialismus, und der Sozialismus ist der Friede! Aber wir sind nicht willens, die linke Backe noch hinzuhalten, wenn man die rechte schlägt. Wir antworten auf Gewalt mit Gewalt, auf Schüsse mit Schüssen!
Auf den Krieg haben wir mit der Revolution geantwortet, und diese Revolution war zu gütig. Mit was werden wir auf den Putsch antworten?
Abermals mit Güte?
Ich predige den Haß. Nicht den Haß des einzelnen gegen einzelne. Ich predige den Haß einer Klasse gegen die andere, den Kampf eines Systems gegen das andere, die Revolution gegen die Revolution!
Ich predige den Haß, obwohl ich auf Gräbern stehe, nein, *weil* ich auf

Gräbern stehe, und weil ich eine endlose Gräberstraße sehe, die die Straße unseres Vormarsches ist.
Jeden Schritt haben wir uns erkaufen müssen mit Opfern unerhört. Diese Opfer sind uns heilig, aber sie sind nutzlos, wenn diese Gräberstraße kein Ende nimmt...
An diesen Gräbern geloben wir die Treue zur Klasse und den Willen zur Revolution. Wir wollen den März, damit ein erster Mai sein Banner der Verheißung entfaltet. Wir sehen den kommenden Dingen ins Auge. Wir sind bereit!
Der Sturmschritt der Carmagnole[1] muß in uns sein. Ihr Leitmotiv ist:
Ça ira! – Es wird gehen! –
Ça ira! Marschiert, marschiert!
Der Sieg wird unser sein!»

1 Italienisches Tanzlied, von Arbeitern aus Marseille nach Paris gebracht, 1792 beim Tanz um die «Freiheitsgöttin» und um die Guillotine erstmals gesungen. C. war das eigentliche revolutionäre Lied des vierten Standes in Frankreich.

Max Dortu

Der Leuchtturm des Proletariats

Große rote Zettel kleben an den Straßenecken. Hellrosige Zettel. Schreiende Zettel mit Blutzungen. Zettel: deren Rot fast braun ist. Zettel in Erdbeerfarbe: wie die duftigen Brustwarzen einer jungen Mutter.
Riesengroße Fragezeichen stehen auf den roten Zetteln. Und vor den riesengroßen Fragezeichen steht ein Kampfwort. Ein grimmiges proletarisches Kampfwort. Vor dem das Bürgertum zittert. Vor dem der geldlüsterne Unternehmer erbleicht.
Streik? Streik? Streik?
Sollen wir streiken oder sollen wir nicht streiken?
Eine große Versammlung ist einberufen. Das arbeitende Volk der rotgrauen Bezirke will sich entscheiden.
Streik oder nicht Streik?
Es geht auf Abend. Der große Zirkus hat heute abend seine Vorstellungen abgesagt. Das Arbeitervolk will ernste Entscheidungen treffen.
Ein häßlicher Bau ist der Zirkus. Er ist wie der Zylinder eines Geheimrats – auf den sich ein Proletarier gesetzt hatte.
Eingedrückt ist dieser Bau. Nichts Freies hat er in seinen rundlaufenden Linien. Ihm fehlt der Auftrieb. Der Trieb nach oben fehlt ihm! Er ist das Gegenteil des Vogels. Er ist Schildkrötenware. Schlamm und Schmutz suchend!
Dünne Bäche streben zu den breiten Mäulern des Zirkus hin. Die Arbeiter kommen. Es kommen die Arbeiterinnen.
Harte Schritte. Wiegender Gang. Schwenkende Arme. Schlechter Tabakgeruch. Kohlenglutige Augen.
Blaßgrau ist das Antlitz der Bergleute. Man kennt es in seiner traurigen Bleiche aus der Vielfältigkeit der Antlitze *sofort* heraus. Und im blaßgrauen Antlitz der Bergleute glimmen die sagenden Augen. Sie sind eine große Anklage. Jedem wahren und aufrichtigen Menschen sind sie Stiche ins Herz. Die Brüder von der Grube arbeiten zu schwer! Es ist schrecklich da unten in der heißen schwarzen Erde. *Wir müssen den Bergleuten irgendwie helfen*!
Es kommen die Hüttenleute. Rotgraue Gesichter. Rotgrau wie ihr Tag: die Nacht!
Hier sind die Steinbrucharbeiter. Die Arbeiter aus den Kalksteinbrü-

chen. Ihre Gesichtshaut ist von dem ätzenden Kalkstaub angefressen. Pockennarbig schaut es her.
Die chemischen Fabriken schicken ihre gelben, blauen und grünfarbigen Menschen.
Die schönen Mädchen! Einen Frühlingsduft bringen sie aus den Parfümfabriken mit.
Staubig und ölig geht die Luft mit den Spinnerinnen.
Und die Frauen aus den Zigarettenfabriken verbreiten einen orientalischen Gedanken. Man fühlt die weißen Lampendekorationen auf den Minarettürmen glühen. Zum nächtlichen Beiramsfest. Diese Arbeiterinnen der Zigarettenfabriken duften wie ein islamitischer Harem.
Halt! Und halt! Schließt die Bronzetore. Der Zirkus soll keine Quetschpresse sein. Er ist bereits überfüllt. Kein Mensch darf mehr hinein!
Es brandet ein Stimmenmeer. Auf dunkle Felsen brandet es rätselschwanger. Die dunklen Felsen sind das «Morgen».
Ruhig! Einer will reden.
Und es redet der Gewerkschaftsbeamte. Es redet der Ausdruck einer langen Erfahrung. Jahrzehnte sagen ihre Weisheit. Wenig Beifall.
Ein jugendlicher Mensch fliegt auf die Tribüne. Er ist Sturmwind. Er ist Feuer. Die Zerstörung ist er. Und wild braust das Menschenmeer auf. Wilde Zustimmung. Es ist als ob ein Taifun in diesem Stimmengewoge zürne und Wirbel aufreiße.
Zustimmung und Widerspruch kreuzen sich. Streik? Nicht Streik? Revolution? Galgen? Andere Sinne: Bedachtsamkeit! Klugheit! Kriegslist! Vorsicht! Beispiel der Geschichte! Einigkeit! Einigkeit! Dies ist das schicksalschwere Wort: dies ist *der Leuchtturm jeden proletarischen Erfolges.*

Alfred Polgar

Der Herr mit der Aktentasche

Die Kellner in diesem Wirtshaus sind flink. Aber wenn sie den Herrn mit der Aktentasche bedienen, sind sie noch flinker. Es ist ein elektrisches Feld von Fleiß, Tätigkeit, Energie um ihn, das Beschleunigung wirkt. Seine Mahlzeiten sind eilig, er nimmt sie zu sich wie die Maschine ihren Heizstoff. Ein strenger Blick auf die Speisekarte: rasch sind Entschlüsse gefaßt, der Plan des Mittagessens bis ins letzte mit knappen Strichen entworfen, die nötigen Befehle erteilt, das Zeitungsblatt entfaltet.

Der Mann mit der Aktentasche muß im Kriege befohlen haben. Er hat etwas Unbedingtes in seinem Wesen, etwas Disponierendes, Imponierendes. Sein Blick greift und greift an, die Schultern sind breit und wollen Verantwortung tragen. Die scharfe Grenze zwischen Haupthaar und Nackenwulst zeugt von strammer Führung. Zu Suppe, Fleisch und Süßspeise hat er die Beziehung eines Vorgesetzten zu Untergebenen. Sie dienen ihm – und doch nicht ihm, sondern der Kraft, deren Exponent er ist: der Kraft, die das Getriebe in Schwung hält, das Geschäft, die Produktion, die Rechnung, den Um- und Absatz, kurz: das Leben.

Er ist der strikte Gegensatz zu dem andern Stammgast, der, ein bescheidener Untergebener seiner Mahlzeit, den vorgesetzten Braten wie den Vorgesetzten empfängt, das Auge treu und stark auf ihn gerichtet, Messer und Gabel, faustumklammert, als ehrenbezeigende Schildwachen auf den Tisch gepflanzt.

Ich weiß nicht, ob der Herr mit der Aktentasche Geschäftsmann ist oder Rechtsanwalt oder Mädchenhändler oder Regisseur. Er ist jedenfalls ein Mann der Praxis, der zweckvollen Arbeit. Er kennt die Ziele und kennt die Wege, kein Zweifel nistet in seiner Entschiedenheit. Er ist gesund, behaart, ökonomisch, Grundsätzen treu. Er liest, zeitersparend, während des Essens und tut gewiß auch so während der den Stoffwechsel abschließenden Funktion. Er ist bestimmt nicht wehleidig und erzieht seine Kinder zu Soldaten des Lebens, tauglich für Fern- und Nahkampf. Sein Gemüt, täglich mit kaltem Wasser gewaschen, ist immun gegen Schnupfen. Er hat Zeit zu allem und niemals Zeit. Er besitzt einen gewölbten Brustkasten, ein geordnetes Budget, eine feste Weltanschauung und eine Aktentasche.

Diese Aktentasche ist aus schwarzem Rindsleder. Und wenn er sie so, ins Gasthaus kommend, auf den Tisch wirft, ist es, als ob ein Krieger, Schlachtpause machend, den blutberieselten Säbel oder ein Gefängniswächter sein Schlüsselbund ablegte. Sie ist ein Würdezeichen, ein Inbegriff von ihres Besitzers Können, Dürfen und Müssen, eine zusammenfassende Chiffre seines Wandels. Gewiß, wenn der Teufel ihm erschiene, der Unerschrockene zückte sie dem Verführer und Bedroher entgegen ... und dem heiligen Leder wiche der Böse.

Wie sie so daliegt, neben Salzfaß und Brotkorb, scheint sie drittes Symbol der Unterwerfung: das besiegte Leben reicht dem triumphierenden Menschen Brot, Salz und Aktentasche.

Ich weiß, daß man auch Speck und Wurst in ihr bergen kann, ein Nachthemd, Diebsbeute oder eine Flasche essigsaurer Tonerde oder ein Geduldspiel. Aber die Aktentasche meines Wirtshausnachbars ist solchen Leichtsinns nicht fähig. Sie nährt sich ausschließlich von Papier; und würde sich erbrechen, wollte man ihr anderes zumuten. Schwiele erfüllter Pflicht, Runzel nie rastender Anstrengung zieren die alte, treue Haut.

Zwischen der Aktentasche und ihrem Herrn waltet das Gravitationsgesetz. Sie bindend, von ihr gebunden: so sind beide behütet vor dem Absturz ins Nichts und tönen, zweistimmig, in Brudersphären Wettgesang.

Der Mann hat sich eine Zigarre angezündet. Nun zieht Rauch aus dem Schornstein des Gebäudes, in dem nimmermüde geschaffen und gewerkt wird. Und wie er jetzt, die Aktentasche unter den Arm geklemmt, dasteht, dampfend, schwarz, unerschütterlich, weiß ich, was er ist.

Er ist die Schule. Er ist das Abiturium. Er ist die Kaserne. Er ist der Richter, der die Gesellschaft vor den armen Sündern schützt. Er ist das Amt. Er ist das Büro. Er ist der Aufseher in der Katorga[1] und der Mustersträfling in ihr. Er ist der Mann mit dem Stock, der die Kinder von der Wiese treibt. Er ist die Ordnung, die Pflicht, die genützte Minute und die Nachrede am Grabe: «Die XVII. Abteilung wird dem Dahingeschiedenen ein ehrendes Andenken bewahren.» Er ist das tätige Leben, dessen Rhythmus den Unmusikalischen alle Musik ersetzt.

Ich möchte aus seiner Haut eine Aktentasche haben.

1 gefürchtetes Kriegsgefangenenlager in Sibirien 1914–1917.

Edgar Hahnewald

Der Lokomotivführer

Eine Fahrt im Schnellzug – was ist dabei! Du gehst zum Bahnhof, und da steht der Zug zur Fahrt bereit. Selbstverständlich steht er da. Du steigst ein, setzt dich bequem in die Ecke, ziehst eine Zeitung aus der Tasche und liest. Und wenn der Zug mit leichtem Ruck anfährt, schaust du auf, blickst prüfend auf die Uhr, siehst draußen Leute winken, Dinge vorübergleiten. Und dann liest du weiter in deiner Zeitung, indessen dich der Zug dem Ziele entgegenführt.

Anders sieht sich die Sache vom Führerstand der Lokomotive aus an. Dort ist anstrengender, verantwortungsvoller Dienst, was dir im Abteil ein Vergnügen, schlimmstenfalls eine langweilige Angelegenheit ist.

Dampfend, mit zischenden Ventilen, steht die Lokomotive vorm Zuge. Alles ist fertig. Die Signale stehen auf Frei. Noch das Fertigzeichen von hinten her – der Heizer löst die Tenderbremse, der Führer greift in die Apparate: Bremsen, Steuerung, Regler. Zischend, stoßweise kochend, zitternd unter der Spannung der Energien zieht die Maschine an und spürt das Gewicht. Sie spürt es – den Eindruck hat man. Alle Rohre, Kolben, Stangen scheinen sich zu straffen, eiserne Muskel zu ballen und zu strecken.

Weiße Tücher flattern wie Vögel auf dem Bahnsteig – dem Heizer, dem Führer winkt kein Gruß. Sie sind im Dienst, sind selber unpersönlich eingeschaltet in den Organismus.

Weichen und Kreuzungen knattern unter der immer schnelleren Fahrt. Signale, Dampfwolken, Kohlenberge, Heizhäuser, Stellereien. Vorortstationen stürzen heran und bleiben zurück. Erleuchtete Straßen klaffen sekundenlang zwischen Häuserwänden auf, verschwinden. Die Lokomotive klirrt. Jeder Quadratzentimeter Eisen bekommt eine gellende Stimme. Im Wasserstandsglase schwankt die flüssige Säule auf und ab. Die Zeiger der Manometer zittern von Zahl zu Zahl. Die schmale Eisenbrücke, die die Lücke zwischen Lokomotive und Tender schließt, wankt auf und ab, hin und her. Steht man darauf, so hat man das Gefühl, auf biegsamem, taumelndem Eisen durch die Nacht zu tanzen, zu schwanken.

Der Heizer dreht da an einem Ventil, da an einem andern, verrichtet mit ruhiger Selbstverständlichkeit, als ob er auf dem festesten Grund der Welt stünde, fortwährend Handgriffe, deren Sinn man nicht kennt und deren jeder irgendeine Wirkung hat.

Der Führer blickt durch das ovale Fenster voraus in die Nacht. Draußen ordnet sich das komplizierte System der Signale zu einer klaren Zeichensprache, die das Fahrgleis sichert. Rote Lichter schimmern als glühende Punkte im Dunkel, verwandeln sich – es ist wie das Zucken eines Augenlides – in Grün und geben die Strecke frei. Eine Tafel, mit Zahlen und schwarz-weißen Feldern bemalt, zeigt an, daß die Strecke steigt: 1:40. Der Führer kurbelt die Steuerung nach vorn, schaltet den Regler auf mehr Dampf, öffnet den Sandstreuer, damit die Räder besser greifen, und zitternd unter dem Drucke gespannter Kräfte nimmt der Zug die lange Steigung, erreicht die Höhe. Eine Tafel meldet Fall 1:60 – der Führer schaltet den Dampf ab und läßt die Luftdruckbremse spielen. Rasselnd, vom Gewicht der 314 Tonnen geschoben, fällt der Zug in fliegender Fahrt abwärts in das «Loch». Der Zeiger am Geschwindigkeitsmesser zuckt vorwärts: 50, 60, 70, 75 Kilometer. Kleine Stationen, spärlich erleuchtet und vereinsamt, wie vergessen in der Nacht, schreien dem vorüberdonnernden Zuge das grelle Echo ihrer Wände und Blechdächer nach. Eiserne Brücken brüllen über schwarzen Schluchten, in denen sich schlafende Dörfer ducken. Die Lokomotive scheint auf ihren fünf Achsen zu kreiseln. Und hinterdrein stürzt die Last der 314 Tonnen auf 64 donnernden Rädern, die Wucht der Wagen, in denen Menschen im Licht sitzen und plaudern und lesen, im Speisewagen Roquefort mit Beaujolais netzen, im Schlafwagen sich zur Ruhe betten.

Der Führer steht vor mir, mit leicht gespreizten Beinen, um sicheren Stand zu haben; gekleidet wie zu einem kurzen Gang zum Zigarrenhändler, in schwarzer Hose und grauer Joppe, über der ein schmaler Rand des weißen Kragens schimmert. Die geklappte Mütze gibt seiner Gestalt etwas Lässiges, Gelockertes; er steht da, als sei es ein Sport, einen Schnellzug durch die Nacht zu führen. Aber unter dem Mützenschirm denkt eine Stirn nichts anderes als: die Strecke; sehen geschäftige Augen nichts anderes als: die Strecke. Die Hände bedienen wie selbstdenkende Organe die Maschinerie: Regler, Steuerung, Umlaufhebel, Luftdruckbremse, Zusatzbremse, Luftsandstreuer, Handsandstreuer, Luftpumpenventil und Dampfpfeife. Das alles bedienen die Hände, während er blickt und denkt. Und wenn man diese geschwärzten Hände im zitternden Scheine des Lämpchens hantieren sieht, und daran denkt, daß in sie das Leben aller der Menschen gegeben ist, die in den hinterdreinrasenden Wagen sitzen und mit ihren

Freuden und Sorgen dahinfahren, so sieht man lange nichts als diese Hände, nur diese Hände.

Es ist seltsam: eben blitzten noch die Sterne. Und nun, man meint mit einemmal, sackt dichter Nebel alles ein, die Berge und die Schluchten, die nächtlichen Felder, den Himmel und die Strecke. Wie ein grauer Vorhang hängt er herab bis auf die Gleise. Vielleicht war er hier schon lange da, und wir sind nur in ihn hineingefahren. Er macht den Dienst auf dem Führerstande schwierig.

Ein Vorsignal blinkt mit zwei roten Augen durch den Dunst: Gesperrt. Jeden Augenblick muß es frei werden, denn die Strecke ist um diese Zeit nicht besetzt. Der Führer legt die Bremse leicht an – das Hauptsignal wird grün leuchten. Es ist noch nicht sichtbar. Der Nebel hüllt es ein. Da schimmert es hoch durch den Dunst – rot. Gesperrt! Dampf weg, Steuerung und Hebel herum, Gegendampf, Luftdruckbremse, Zusatzbremse – die Bremsen greifen nicht, der Nebel macht die Schienen schmierig – Sand aus beiden Streuern – die Hände des Führers greifen in das Eisen wie die Hände eines Organisten in die Register. Der Zug scheint sich in hundert Fesseln zu bäumen und stürmt vorwärts. Die Strecke fällt. Die Bremsen zischen zornig, Dampf siedet um die Räder – einen Schritt vor dem Hauptsignal steht der Zug. Der Führer sieht mich an und lacht. Man spürt: das war eine scharfe Sache jetzt! In den Adern braust noch der Rhythmus nach; man hat ein Lustgefühl wie nach einer tollen Radfahrt bergein, an davonstiebenden Gänsen flitzend vorbei, wenn man es mal darauf ankommen ließ, daß die Jacke unter den Armen flatterte – jeder, der einmal in die Pedale trat, kennt diese verführerische Lust. Und man schaut am Signalmast empor, an diesem Heiligtum der Lokomotivführer, hinter dem manchmal Kontakte liegen, die das Überfahren des Signals um Lokomotivlänge verräterisch weitermelden. Da knackt es oben, das rote Licht klappt und wird grün – die Strecke ist frei.

Und alles kommt wieder in Gang. Dunkle Klippen kreisen draußen vorbei: Häuser einer schlafenden Stadt. Signale blinken friedlich grün. Und nun strahlt vor uns ein leuchtender gelber Himmel mit weißen, gelben, grünen, roten Sternen, mit Bogenlampenmonden hoch darüber und mit einem strahlenden Himmelstor: ein Großstadtbahnhof im Nebel. In sanften Schwüngen durch Weichen und Kreuzungen fahren wir ein. Die Sterne im Leuchtnebel bekommen Gestalt und werden Signallichter, das Himmelstor wird zur Bahnhofshalle. Der Bahnsteig schiebt sich heran wie ein Strand, an dem wir landen.

Anna Siemsen

Im Thüringer Wald

Der Thüringer Wald ist wunderschön. Er ist nicht so fröhlich wie der Wiener Wald. Seine Wälder sind dunkle Tannen, unter denen man stundenlang wandern kann, bis man ein Dörflein findet oben am Kamme und in einem der engen Waldtäler. Aber schön ist der Tannenwald mit seiner Ruhe, seinem Rauschen und den hellen Wassern, die vom Berge fließen und die Täler bilden. Und die Städter finden die kleinen Fachwerkhäuser, die dem Bach entlang stehen, «malerisch» und meinen, so ein Leben im Walde müsse doch sehr romantisch sein.

Die Leute im Dorfe, die denken oft recht anders darüber. Der schöne Wald gehört ja nicht ihnen. Das sind Staatsforste, aus denen sie nur zur Not ein wenig Brennholz und Beeren holen dürfen. Und nur ganz wenige finden Arbeit in ihm als Holzfäller oder Fuhrknecht. Die anderen haben nur ihren Kartoffelacker am Berghang und vielleicht eine Wiese für eine Kuh. Oft aber haben sie nur ein paar Ziegen, die am Wegrain weiden müssen. Davon kann man nicht leben. Und so haben sie eben seit vielen hundert Jahren, solange es Menschen im Gebirge gibt, sich andere Arbeit suchen müssen. Erst sind sie Bergknappen gewesen und Kohlenbrenner. Aber die Bergwerke waren bald erschöpft. Und die Holzkohle wurde von der Steinkohle und Braunkohle verdrängt. Da haben sie allerlei Künste gelernt: Spielzeugschnitzen, Geigenbauen, Spitzenklöppeln und Glasblasen. Die Thüringer sind ebenso geschickte Glasbläser wie die Leute im Böhmerwald, denen es ja ganz ähnlich geht. Sie machen Christbaumschmuck und Fieberthermometer und wunderfeine Tierlein aus Glas.

Die Frau aber, die ich besuchte, die macht Glasknöpfe. Das klingt ganz einfach. Aber man muß sich so eine Arbeit einmal ansehen. Sie hat nur einen Tisch dazu, über dem eine Stichflamme aus Gas brennt. Dann nimmt sie eine lange, dünne Glasröhre, die muß sie zwei Stunden weit sich holen in der Glashütte überm Berg. Und nun wird die Röhre so lange in die Flamme gehalten, bis sie weich ist. Dann bläst die Frau. Sehr vorsichtig und gleichmäßig muß sie blasen, denn mit ihrem Atem formt sie eine kleine Glasperle, eine Perle nach der anderen. Und alle müssen ganz gleichmäßig und ganz rund sein. Ein bißchen schnelleres, ein bißchen stärkeres Atmen und die Arbeit ist verloren, das kostbare Material verdorben. Nachher werden die Perlen auseinandergeschnitten, ehe das Glas erkaltet. 30 Pfennig gibt es für ein Gros[1].

Aber es gibt auch andere Perlen, aus denen man Knöpfe macht. Da muß man jede Perle abschneiden, sobald sie sich gebildet hat, damit es nur eine Schnittstelle gibt, und dann wird eine zweite Röhre ganz fein gezogen, abgeschnitten und ein Henkelchen davon geformt, das man dann anklebt an die geblasene Perle. Beim Auftraggeber, dem Fabrikbesitzer, jenseits des Berges, wohin die Frau ihre Arbeit jedes Wochenende trägt, da werden die Perlenknöpfchen ausgegossen: weiß und schwarz, rot, grün und bunt. Die Arbeit wird besser bezahlt. Fünf Pfennig bekommt man für das Dutzend.

«Mir besorgt die Schwiegermutter das Haus, und der Junge kann auch schon helfen, sieben Jahre ist er alt. Da kann ich schon den ganzen Tag bei der Arbeit bleiben, und es bringt wohl zwölf Mark die Woche. Andere bringen es nicht so hoch. Acht Mark, zehn, wenn es gut geht. Ich hab' das Glasblasen aber schon mit vier Jahren gelernt. Und seit ich aus der Schule bin, hab' ich's Tag für Tag getrieben. Dreimal hab' ich Ferien gemacht außer den Feiertagen: als ich Hochzeit machte, als mein Junge kam und als der Brief kam, daß mein Mann im Westen gefallen wär'.»

So leben sie in diesen hübschen Fachwerkhäusern. Auch die Männer blasen Glas. Und sie verdienen wohl ein bißchen mehr. Aber zum Leben langt auch das kaum, obgleich sie so fleißig sind, und ach, so gar bedürfnislos. Und es ist nicht zu ändern.

Draußen im Lande gibt es Knopffabriken mit Maschinen, die Tausende von Knöpfen in einer Minute machen. Man kann Knöpfe nur verkaufen, wenn sie sehr billig sind. Und die Handarbeiter in ihren kleinen Häuschen müssen hungern, denn, wenn sie höheren Lohn verlangen, dann hört die Arbeit auf. Und wie den Glasbläsern, so geht es den «Puppenflickern», den Porzellanmalern, den Holzschnitzern und den Spitzenklöpplerinnen. Überall im flachen Lande fressen ihnen die Maschinen die Arbeit weg, und wenn sie das bißchen Arbeit festhalten wollen, dann müssen sie nehmen, was man an Lohn ihnen bietet: Dreißig Pfennig das Gros, zwölf Mark die Woche für eine gute Arbeiterin.

Was die Glasbläserin im Thüringer Wald erlebt, das ist das Ende einer langen, jahrhundertlangen Geschichte. Seit die Maschinen erfunden wurden, haben sie dem Handwerker seine Arbeit weggefressen, den

1 altes Mengenmaß: 12 Dutzend = 144 Stück

Webern und Spinnern, den Schmieden und Töpfern, den Drechslern und Schustern und Schneidern. Und mit dem Besitz der Maschine kam die Macht und der Profit aller Arbeit in die Hände derer, die das Geld hatten, Maschinen zu kaufen und Arbeitern Lohn zu zahlen.

Es ist die Geschichte des Kapitalismus, die man ablesen kann aus den roten und grünen Glasknöpfen, aus dem blassen Gesicht der Frau an ihrer Stichflamme, aus den Gesichtern aller Heimarbeiter, die in einem Winkel zwischen Bergen und Wäldern um ihre Existenz kämpfen gegen dieses große Wunder: die Maschine und ihre vertausendfachte Arbeit.

Jakob Altmaier

In die besetzte Heimat

Neugierig steigt man in Frankfurt aus dem Zug und brennt darauf, recht schnell in die rhein-mainische Heimat zu kommen. Geduld. Es fährt keine Eisenbahn zum Rhein. Ritzerote Plakate schreien den Reisenden die ausfallenden Linien entgegen. Es sind mehr als die Hälfte aller Züge, die nicht mehr nach Frankfurt kommen und von dort nicht mehr abgehen. Und jetzt merkt man auch, wie menschenleer die große Bahnhofshalle geworden ist. Für schweres Geld läßt sich jedoch ein Platz in einem der Kraftwagen erstehen, die eilige Menschen nach Mainz oder Wiesbaden bringen. Du kannst dir auch ein Zweirad leihen, oder dem Kutscher eines Lastfuhrwerks ein gutes Trinkgeld geben, der nimmt dich dann mit.
Gemach! Wie kommen denn die Tausende von Arbeitern und Angestellten in die Stadt, die weit im Taunus und im Nassauer Ländchen wohnen? Teils bleiben sie in Frankfurt, teils laufen sie zu Fuß, teils werden sie täglich von den großen Fabriken im Lastauto geholt und zurückgebracht; andere sitzen zu Haus und warten, bis die Eisenbahn wieder fährt. Von Frankfurt geht sie sogar jetzt noch pendelweise zwei Stationen ins Land. Wir rutschen mit. In Nied müssen wir heraus. Auf dem toten Bahnkörper, zwischen verrosteten Schienen und verkeilten Weichen, wandern schwarze Menschenschlangen nach Höchst. Unheimlich still und tot sind die Bahnanlagen, daß einen friert. Kein Schiff, keine Maschine, kein weißer Rauch, kein Streckenarbeiter, kein Schrankenwärter, nichts, gar nichts. Und das in einem der dichtbevölkertsten Industriegebiete. Kirchhofsruhe. Es ist, als träume man eine Kinovorstellung. So haben nicht die ältesten Leute die Heimat gesehen.
In Höchst biegen wir auf die Landstraße. Hei! Sie lebt. Sie ist wie ein Weg zum Jahrmarkt. Es dröhnt auf ihr und jackert, von schweren, braven Müllerfuhren bis zu den leichthüpfenden, abenteuerlichen Wägelchen und Kutschen, deren verschimmeltes Lederpolster zerrissen ist und Stopfheu herausquellen läßt. Hinterher jagen und überholen rasende Limousinen, und auf rollenden Lastkraftwagen knäueln sich zur Nachtschicht fahrende Arbeiter, gleich Infanteristen, die an besonders gefährdete Frontstellen geworfen werden.
In der Abendsonne liegen Main, Rhein und Taunus, der tief im Schnee

steckt. In der Ebene ragen die Kirchtürme, Fabrikschlote, Wasser- und Elektrizitätswerke. Braune, fruchtbare Erde wölbt sich schon im Frühlingsahnen. Trockener Wind frißt die Feuchtigkeit der Äcker. Dichte Klumpen von Krähen fliegen aufgescheucht von dannen. Weinbergarbeiter stampfen schon durch die Rebzeilen. Gesegnetes Land. Und dennoch: welches Elend unter den Dächern. In einem der Dörfer, das 6000 Seelen zählt, sind vierzig Prozent der Schulkinder tuberkulös. Die alten Leute fallen wie die Schneeflocken ins Grab. Die Teuerung und der Wucher sind schlimmer als in irgendeiner andern Gegend Deutschlands. Lebensfreude stirbt auch hier, wo Heiterkeit und Lust, Sang und Klang, Wein und Rhein zu Hause sind. Es ist rauh und ungemütlich geworden ...

Man sieht jetzt in Mainz an allen Ecken und Enden die roten Anschläge der französischen Militärbehörde, die befehlen, verordnen, warnen und drohen. Das ist nicht mehr das goldene Mainz. In seinen Mauern liegt bleierner Ernst. Selbst sein großes, jährliches Nationalfest, die Fastnacht, ist gefallen, die wochenlang jede Politik, jeden sozialen Kampf verbannt hatte; der Rosenmontag, für den das letzte Hemd ins städtische Pfandhaus getragen wurde. Heute herrscht in Mainz der Belagerungszustand. Die Franzosen sagen, es seien die Fernsprechdrähte nach Paris durchschnitten worden. Verhaftung des Oberpostdirektors. Proteststreik der Postbeamten. Schließung der Postämter. Seit 14 Tagen ruht der gesamte Postverkehr. Kein Brief geht ein oder aus. Die Stadt ist tot. Keine Eisenbahn, keine Post. Die Geschäfte und Warenhäuser bleiben leer, die Kaufkraft der Bevölkerung ist durch die hohen Warenpreise erloschen. Von abends 9 Uhr bis morgens 6 Uhr darf außer Ärzten, Krankenwärtern und Arbeitern lebenswichtiger Betriebe kein Zivilist die Straße betreten ...

Nur an Markttagen belebt sich des Morgens die Stadt. Ganze Straßenzüge und der weite Marktplatz am Dom sind mit Gemüse, Obst, Fischen, Butter, Eiern, Federvieh und allen möglichen Waren bedeckt, und die Bauern, Händler und Gemüsefrauen schreien ihre Waren aus und locken die «Madame» oder den «Musjé», der als Offiziersbursche mit langer Markttasche für seinen Herrn einkauft. Hier auf dem Markt werden auch die «Latrinenbefehle» ausgegeben: «Poincaré[1] ermordet», «Revolution in Paris».

1 Henri Poincaré, 1860–1934, P. forderte als französischer Ministerpräsident und Außenminister 1922–24 eine konzessionslose Durchführung des Versailler Vertrages. Mußte aber wegen außenpolitischer Isolierung Frankreichs nach

Kein Wunder, wenn solche Nachrichten im ganzen Land herumgehen und gläubige Ohren finden. «Cuno[2] muß doch wissen, was er tut, er hätte gewiß die Sache nicht angefangen, wenn er nichts hinter sich wüßte ... Wartet nur, England hilft ...» Ein Narr, wer's glaubt. Vom unbesetzten Gebiet kommt keine Zeitung herein. Die Blätter des besetzten Rheinlandes sind teils verboten, und wenn sie erscheinen, ohne jede politische Meinung und ohne vollwertiges Nachrichtenmaterial. Wolffsche Telegramme[3] werden kaum veröffentlicht. Durch verschiedene unwahre Berichte dieses halboffiziellen Büros über die Ereignisse an der Ruhr sind viele rheinische Blätter tagelang verboten worden. ... Politische Versammlungen sind verboten. Über Stadt und Dorf ist ein Dunstschleier ausgebreitet. Alles wartet, alles hofft, alles fürchtet, man weiß nicht, was noch werden mag. Schöner wird auch die Welt nicht am Rhein.

Es soll kein politisches Lied gesungen werden. Nichts gesagt werden von dem Haß, der Erbitterung, der Verzweiflung, die auch in diesem reichen rhein-mainischen Kulturgebiet das Leben jeder Freude und jeden Adels beraubt. Wut regiert gegen fremde militaristische Unterdrückung, Wut der Arbeiterschaft gegen schamlose Ausbeutung durch die deutschen Kriegs-, Revolutions-, Reparations- und Besatzungsgewinnler. Hört man dann noch die Bewohner über die Wacht am Rhein sprechen, die aus heiseren überpatriotischen Hitlerkehlen vom unbesetzten Gebiet herüberklingt, dann wird das Wort Rheinland schmerzlich. Es ist nicht mehr die alte Heimat. Es ist ein Land voll Leid geworden, ein Volk voll Not.

der Ruhrbesetzung 1923 eine Neuregelung der Reparationsfrage zugestehen, die zum Dawesplan führte.

2 Wilhelm Cuno (1876–1933), Generaldirektor der HAPAG/Hamburg, parteilos, Reichskanzler einer Koalition aus Deutscher Volkspartei, Zentrum, Deutscher Demokratischer Partei und Bayerischer Volkspartei von 1922–1923, scheiterte an der Frage der Reparationsleistungen aus Friedensvertrag und betrieb 1923 aus Protest gegen die Ruhrbesetzung den sogenannten passiven Widerstand

3 Wolffs Telegraphisches Büro, 1849 in Berlin gegründet

Otto Wohlgemuth

Fahrt in die Tiefe des Bergwerks

Willst du mich (nun) begleiten zu einer kurzen Fahrt in die Tiefe des Bergwerks? Komm, wir besteigen den Förderkorb, der dir wie ein gewaltiger Fahrstuhl aus einem Warenhaus vorkommen mag. Der Anschläger gibt das Personensignal ins Maschinenhaus, ein Ruck, wir fallen. Im Augenblick ist das Licht des Tages entschwunden. Dunkel umhüllt uns, und nun erst wirst du eigentlich der Lampe gewahr, die du am Haken trägst. Schwach nur scheint ihr Licht. Der Wind pfeift zwischen dem fallenden Korb und dem Schachtgebälk. Es nimmt dir fast den Atem. Wir sind auf der 760 Meter tiefen Bausohle angelangt, steigen aus und werden mit einem Glückauf begrüßt.
Sofort wird das Fahrgestell mit Kohlenwagen gefüllt, ein kurzes Klingelzeichen, die Kohlenförderung ist wieder im Gange. Mit einer Geschwindigkeit von 18 Meter in der Sekunde saust nun der gefüllte Korb im Schacht in die Höhe, als würde er spielend leicht von Riesenfäusten emporgeschleudert, und mit derselben Schnelligkeit fällt oben vom Tage der Gegenkorb in die Tiefe. Gewöhnlich werden mit jedem Fördergang 4–5 Tonnen, also etwa 100 Zentner Kohle gehoben. Dazu kommt das Gewicht der eisernen Kohlenwagen, der schwere Förderkorb selbst und endlich das gewichtige, armdicke Stahlseil im Schacht. Unten ist rings um den Schacht eine geräumige Halle gebrochen, die von elektrischen Lampen erhellt wird. Von hier aus stechen Gleise in die Strecken, die sich nach allen Seiten in den Erdengrund verlieren. Ununterbrochen rollen aus denselben die gefüllten Kohlenwagen zum Schacht, wo der Förderkorb jetzt eben schon wieder gefüllt ist. Ein Klingelzeichen, er hebt sich blitzschnell in die Höhe, nach einer kurzen Pause erscheint wieder der herniedersausende Gegenkorb, und das Spiel beginnt von neuem.
Wir wandern nun in eine der dunklen Förderstrecken hinein. Hinter einer Biegung nimmt uns dumpfes Schweigen auf. Du bist erstaunt über das Leben in der geheimnisvollen Tiefe und rechnest aus, wievielmal unsere Stadtkirche übereinanderstehen müßte von hier unten bis hinauf an das Tageslicht. Lange Holzträgerreihen stehen zur Seite. Sie tragen die Deckbalken, die über dir das lastende Dach des hängenden Gebirges halten. Zwischen den blanken Schienen der Fahrbahn schreiten wir dahin. Dunkel und Stille umhaucht uns. Zur Seite murmelt ein

Bächlein im Gestein, das die Quellwasser zum Wassersammelort führt. Dort bei jener Tür verschwindet es plötzlich durch einen Kanal in die Tiefe. Werfen wir schnell einen Blick durch den Türspalt in den hellerleuchteten Raum. Schwarzglänzende Dynamos stehen dort, 3, 4 Rohre gehen in den Grund, Gestänge und Pumpengetriebe reckten sich im Raum. Ein Stoßen und Plunschen durchdringt die Luft, von einer strengen Energie erzittern die Felswände. Von hier werden in jeder Minute auf der Zeche, wo wir uns hier befinden, 7 Kubikmeter Grubenwasser in die Höhe über Tage geschleudert. Daran kannst du ermessen, wie groß die Gefahr ist, wenn die Pumpen einmal stehen.
Doch komm, ich führe dich weiter. Wir treten wieder unsere lange Streckenwanderung an. Ab und zu führt ein enger Gang seitwärts. Dunkel gähnt dir aus den Löchern entgegen, Wasser plätschert. Eine Grubenmaus huscht im Lampenschein vor uns her. Fern, ganz fern schimmert ein winziges Lampenlicht, nun noch eins, wie Sterne, die in der Finsternis schwanken und schweben. Gedröhn erwacht im Raum. Rollen und Grollen erfüllt die Luft. Tritt zur Seite! Der Lichtschein wird größer, Stampfen schüttert heran. Ein Kohlenzug, gezogen von einer Benzinlokomotive, kommt angebraust. Wie ein Donner rollt der schwere Eisenkasten seine Bahn, eine gellende Warnglocke schrillt, Erschütterung, Gebraus, vorbei und vorüber. Hinter der Maschine die Flucht von 30 bis 40 sausenden Kohlenwagen, eine tolle Jagd, dahin, dahin zum Schacht, bis das Gebrüll in der Ferne allmählich verhallt.
Du wunderst dich, nachdem ich dir erzählt habe, daß diese Grube etwa 4000 Arbeiter beschäftigt, über die Stille hier, die menschliche Verlassenheit. In weitverzweigten Gängen und Bauen sind alle die Grabenden verteilt. Du wirst kaum mehr als zwei Mann auf unserer Wanderung an einem Ort zusammen finden. Meist schafft jedoch der Bergmann allein in seinem Kohlenloch, fern von aller Welt. Sein Nebenmann ist so weit von ihm am Werke, daß er kaum etwas von ihm wahrnimmt. Absolute Stille und feierliche, dunkle Einsamkeit umgibt den Menschen bei seinem Tun in der Unterwelt. Das Alleinsein, diese Selbständigkeit bei seiner Arbeit in den Kohlengründen der Erdenschöpfungszeit macht den Mann still und ernst und besinnlich. Bei den westfälischen Bergleuten hat sich durch dies harte, entsagungsvolle Schaffen in der tiefen Abgeschiedenheit von Sonnenlicht und Tagesfreude im Laufe der Zeit eine harte Verschlossenheit herausgebildet, ein starkes Eigensinnen, ein schweigsames Beruhen in eigener Kraft.

Wir müssen nun um eine Gebirgsecke und treten in einen Abteilungsquerschlag hinein. Am Wasserrohr hängt eine Lampe. Ein Mann rumort weiter hinten, leere Wagen stoßen aufeinander, eine Tür wird zugeworfen. Plötzlich taucht aus einem Nebengang die dunkle Gestalt eines Grubenpferdes auf. Schwerfälligen, prüfenden Schrittes schreitet das Tier mit gesenktem Kopf dahin, ein kurzes Schnauben, es rasseln die Ketten des Geschirrs in der Dunkelheit. Hinterdrein der Pferdejunge mit Bindehaken und Zugschwengel. Er grüßt und schaut uns nach.

Vor uns steigt ein Bremsberg, in der Kohlenschicht stehend, dunkelgähnend schräg hinan. Flöz Mausegatt lesen wir auf einer Tafel. Ein anderes Schild belehrt uns: Fahren im Bremsberg verboten. Wir schauen nun im Verschlag in die Höhe. Schienenstränge steigen vor uns hinan. Ein Lichtschein geistert, irgendwo ganz oben rasselt und rumort Arbeit. Ein Ruf und ein Klopfsignal, horch, nun schnurrt und rollt es, da poltert es in die Tiefe hinab. Ein auf Rädern laufendes Fahrgerüst erscheint. Ein beladener Kohlenwagen steht darauf. Der Junge, der neben uns hantiert, zieht ihn hinab in die Bahn und schiebt einen leeren Wagen hinauf. Ein Hammerschlag, und das Gestell poltert im Flözberg wieder in die finstere Höhe. Dieser ansteigende Schacht im Gebirge verbindet die 8. mit der 100 Meter höher liegenden 7. Sohle, durchschneidet also im Bereich dieses Raumes von oben nach unten die in der Erde liegende flache Schicht des Kohlenflözes. Von diesem Berg aus stechen nun wieder enge Ortsstrecken in das seitlich aufgeschlossene Abbaufeld.

Jetzt heißt es klettern und kriechen. Vierzig Meter führe ich dich einen engen Fahrschacht hinan. Du fühlst dich bedrückt, eingemauert. Deine Augen streifen das hängende Gestein über und neben dir. Und die Trockenheit in deiner Kehle, oh, das Denken an eine frische Waldquelle, an rauschend Grün und windige Bergesgipfel. Und hier kriechst du wie ein Wurm im Innern der Erde, windest dich durch zusammengedrückte Gebirge, auf den Knien, auf dem Bauche rutschend.

Doch nun sind wir am Abbau. Eine Schlucht gähnt. Über uns, im schwachen Lichtkreis einer staubumschleierten Lampe, wühlt eine schweißschwarzglänzende Gestalt. So eng ist der Flözspalt. Der Hauer sieht uns nicht. Schwer reißt und wuchtet seine Keilhacke die Kohlenwand, Brockensturz und Staubgeriesel poltern in die Tiefe.

Wir wollen hier verweilen und lauschen. Wollen unsere Sinne pochend bohren lassen in den seltsamen Grund der Erde hinein. Wir

wollen hier auf den Schwung der sausenden Tiefe lauschen, auf das dumpfe Gestampf der geahnten, gestorbenen Welt und uns hineinsinnen in das nie endende, blutdunkle, inbrünstige Wesen der Bergarbeit in der Abgrundnacht.
Und damit nun: Glückauf zur Schicht!

Egon Erwin Kisch

Stahlwerk in Bochum

Auf dem Gipfel des Hochofens führt um das Maschinenhaus des Schrägaufzuges eine beängstigend enge Balustrade. Hier oben, wo's höher als auf Kirchturmspitzen ist, muß man nicht zwischen glühenden Stahlstücken, offenen Versenkungen und rollenden Radreifen balancieren, von fallenden Lasten und zischend emporlodernden Flammen erschreckt und vom Klirren und Hämmern entnervt. Und doch überblickt man die ganze Landschaft, die uns bewußte Laien tagsüber bewegt und begeistert hat, wir umfassen von höherer Warte die Plätze, auf denen uns heiße Eindrücke eingepreßt wurden; wir können auf diesem Prospekt den Weg voll verwirrender Schönheit und bitterer Reflexion rekapitulieren, den wir heute gingen und den alltäglich und allnächtlich das Erz geht, und die Arbeit in allen Stadien.
Allerdings: selbst hier oben ist kein Gottesfrieden, selbst da, auf dem höchsten Standpunkt der Stahlstadt, fahren uns Lasten über den Kopf. Ununterbrochen schweben auf ihrem Seil die Waggons der Hängebahn heran, öffnen sich genau über der Gichtschüssel des Hochofens, und in den sich im selben Momente klaffenden Ofen stürzt der Passagier: der Koks, der aus der fernen Kokerei der Kohlenzeche ankommt. Kaum ist der leere Waggon abgetänzelt, rasselt über uns ein Eimer von achttausend Kilogramm Gewicht. Er schleppt das Erz aus den Bunkern, in die es die Eisenbahnzüge aus den Erzbergwerken brachten, und erbricht sich gleichfalls in das Ofentürl.
Neben den fünf Hochöfen stehen fünfzehn geschlossene Röhren, die Winderhitzer, etwa in der Form gefüllter Kalodonttuben. Aber sie sind größer. Bedeutend größer sogar: jede ist fünfunddreißig Meter hoch, doppelt so hoch als ein dreistöckiges Haus, und hat einen Durchmesser von sieben Metern. Das Blech der Hülle dürfte ebenfalls stärker sein als das einer Tube mit Zahnpasta. Denn darin wird Wind auf 700–800 Grad erhitzt, das heißt, bis er eine grell leuchtende Flamme ist. Dieser brennende Wind strömt in den Ofen, wo Erz und Kohle gemeinsam zerschmelzen. Alle zwei Stunden wird jeder Hochofen geöffnet, und das Roheisen fließt (während die leichtere Schlacke oben anderswohin führt), wie ein flammender Bach in eine Riesenpfanne, auf dem Weg kaskaden-fröhlich in tausende silberne Tröpfchen zerstäubend und den Winterrock des allzu nahe herantretenden Beschau-

ers mit Silberflitter besäend. Wird nicht auch die Lunge der Arbeiter hier mit diesem eisernen Konfetti überschüttet? Ist er unempfindlich gegen den Schwefeldampf, den uns eben ein Windstoß in die Nase geblasen hat, daß wir tränen und husten müssen? Ist das Gichtgas für ihn kein Gift? Stört es ihn nicht, wenn er aus dieser tödlichen Hitze unmittelbar ins Freie muß, um für das überschüssige Roheisen im Gießbett Rinnen zu graben? In drei Schichten arbeiten die Leute am Hochofen, der jahraus, jahrein, Tag und Nacht nicht erlöschen darf, und an jedem dritten Sonntag haben sie sechzehn Stunden Dienst. Vom vierzehnten Lebensjahre an bis zum Tode, der vielleicht schon kommt, während sich andere noch mit dem Studium «abplagen». – Was hier ein Arbeiter Lohn habe, fragen wir den blutjungen Ingenieur, der Stulpenstiefel und Schmisse hat und die Arbeit beaufsichtigt. – «Na zweiundfünfzig bis fünfundfünfzig Pfennig pro Stunde – der Beste kommt schon auf hundertzwanzig Mark im Monat», antwortet er, «eine Zeitlang standen sich die Kerls besser als wir. Aber jetzt geht's schon einigermaßen in Ordnung.» Dann lenkt er ab und zeigt auf den lichterlohen Bach von Roheisen, der noch immer aus dem Loch strömt. «Das sind fünfzig bis sechzig Tonnen; genau zwölf Millionen Mark ist dieses Wässerchen wert und neun solcher Abstiche werden täglich an unseren fünf Hochöfen vorgenommen.»

Endlich ist die Pfanne voll, die Aufzugsmaschine ergreift sie und führt sie in die Stahlgießerei, wo aus dem Eisen in achtzehn riesigen Martinöfen Stahl gemacht wird. Überdimensionale Krane chargieren das Rohmaterial in die Schmelzen, Roheisen, Ferromangan und vor allem «Schrott», altes Stahlmaterial – darunter noch immer viele stählerne Kanonenrohre, Granaten, Torpedos – und ausrangiertes eisernes Hausgerät, das einst in der Küche oder in der Rumpelkammer wie eine Pfütze war, dann im Magazin des Hausierers zum Tümpel ward, in Bächen zum Alteisenhändler floß, in Strömen in die Schrottverkleinerungswerke und hierher, wo es ein Meer ist, der Verdunstung harrend. Nicht lange währt diese Rast der unvergänglichen Materie an dieser Kurve, an die sie wahrscheinlich alle hundert Jahre kommt. Schon geht die Rundfahrt weiter durch die Ewigkeit, schon entleert sich der Greifer mit Schrott über dem Ofen. Ihm nach fallen allerhand Chemikalien.

Mit einer blauen Brille kann man in den Ofen hineinschauen. Was man sieht, ist nichts als ein ungeheures Brodeln flüssigen Feuers, das alles ergreift und alles verzehrt. Und öffnet sich der Herd, um den Stahl abzulassen, dann speit und raucht in seinem Gefäß der neugeborene

Stahl und scheint emporschlagen und die Welt verschütten zu wollen, unheimlich lodernder Vesuv! Habt Ihr nicht Angst, Ihr Herren der Fabrik, daß diese aufgeregte, kochende Masse doch einmal ihren Kerker sprengt? Ihr lächelt: «Divide et impere», und zeigt dem Warner mit überlegener Miene das Ventil, das sich bereits öffnet. Und aus dem großen einheitlichen Höllenkessel beginnt die Masse herauszuströmen nach allen Richtungen in hundert Formen von verschiedener Größe und Gestalt. In den «Coquillen» strahlt der blaue Stahl noch immer wie ein Symbol, noch immer ist er im Flusse der Bewegung und noch immer ist er von vernichtender Hitze. Aber bald muß er zu Blökken erstarren, die irisierend blau und matt sind.

Eisenbahnzüge rollen heran und schleppen sie von dannen, man kann aus ihnen Kanonen und Geschosse machen, wie es im Kriege war, man kann sie zu nützlichem Werk verwerten. Die Züge fahren davon, in andere Städte und andere Länder, Bochumer Stahl; als Kirchenglokken enden die Stahlmassen oder als Fahrräder, Rasiermesser, Schreibfedern, Taschenuhren, Dolche. Andere Blöcke aber bleiben noch hier. Auf kleineren Waggons rollen sie in die Bezirke des Betriebes, ins Schmiedewerk zu den unheimlichen Hämmern, wo man sie zu Kurbelwellen für Maschinen und zu Schiffssteven, zu Lokomotiv- und Waggonradsätzen schmiedet, oder ins Walzwerk, wo zumeist Schienen und Stahlschwellen und Räder und deren «Bandagenringe» (Radreifen) daraus werden für fast alle Eisenbahnen Europas und Asiens, in den verschiedensten Durchmessern, Lokomotivräder bis zu zweieinhalb Metern. Langwierige Prozeduren vollenden dieses Werk, und so angeregt der Geist von der Fülle dieses Raffinements und von der aufgewandten Geschicklichkeit ist, so müde wird man, wenn man das Erz auf seinem Entwicklungsgang begleitet, bis zu den Leidensstationen des Stahls in den mechanischen Werkstätten, wo es gedreht wird, gehobelt, durchstoßen. Armer, gequälter Stahl, – man wünscht sich nicht einmal, was man gerade hier stärker als anderswo oft gewünscht hatte: Nerven aus Stahl zu haben.

Eben kamen wir an zwei Arbeitern vorbei, die eine Schiffswelle an die Hebekette legten. Wir sind ein paar Schritte weitergegangen, als uns ein sogar in diesem steten Lärm hörbares, ungeheures Krachen innehalten läßt: die Kette ist gerissen, die Welle herabgestürzt, und eine Kurbel abgebrochen. Zum Glück hing sie noch nicht hoch, und niemand stand darunter. Einige Arbeiter sammeln sich aufgeregt, untersuchen den Kran und murren, daß noch immer keine Taue statt der Ketten eingeführt worden sind.

«Tausend Mark Schaden», brummt der Betriebsleiter.
Aber selbst die Erschütterungen solcher Zwischenfälle sind in ihrer Intensität nichts gegen den Eindruck zauberischer Vorgänge, deren staunender Zeuge man ist. Ins Schienenhaus kommt ein kurzer Stahlblock und schon huscht er, windet er sich, in eine Schlange verwandelt, aus der Maschine. Aber welch eine Schlange ist das! Fünfundsechzig Meter mißt ihr Leib und ist rotglühend, und so schiebt sie sich durch das Zwielicht der endlosen Halle, dreht sich auf die andere Seite, hebt sich an einem Ende in die Höhe und rutscht in die Maschine zurück, die sie auch auf der anderen Seite plattwalzt und wieder preisgibt, um sie nochmals aufzunehmen und nochmals – bis sie viereckig geworden ist. Und schon wird sie von einer Säge zerschnitten, in Stükke von zehn Metern Länge. Das Schlangenblut ist heißes Gold und spritzt empor in Garben und Funken, ein unbeschreibliches Feuerwerk.
Im Hof liegen die zerschnittenen Teile der Schlange, fertige Schienen. Der Laufkran fährt über sie hin, die beiden Magnete an seinen Enden senken sich ein wenig und waagrecht schweben sieben Schienen ihnen entgegen in die Höhe, frei in der Luft. Sie saugen sich fest an den Magneten, kein Tau, keine Kette hält sie, und doch stürzen sie nicht herab, der Hebezug bewegt sich weiter mit seiner Last von zwanzigtausend Kilogramm, er hält über einem Eisenbahnzug, der Strom wird ausgeschaltet und die Schienen legen sich behutsam in den Waggon.
Jeder neue Eindruck läßt den vorhergehenden verblassen. Verstört ist man von den vielen Wundern und tut gut daran, nicht gleich in den Alltag hinauszugehen, der alles verwischt. Man muß alle Müdigkeit überwinden und nochmals hinauf auf den Aussichtspunkt des Hochofens, wo man sich einigermaßen sammeln kann, und beim Leuchten des fließenden Roheisens stehend all das niederschreiben, was man gesehen.

I. Wan

Das sind so Ansichten

I. Der Arbeitgeber

Sprach ich da neulich mit einem Metallindustriellen über Arbeiterfrage, Sozialpolitik und ähnliches. Der Mann verbraucht im Monat für sich Zehntausend, seine Arbeiter erhalten selbstverständlich Tariflöhne.
«Was wollen Sie eigentlich», sagt er mir, «mit Ihren Arbeitern? Die Leute bekommen doch Arbeit von mir, kriegen pünktlich auf den Pfennig ihren Lohn und haben also zu essen und zu leben. Sie können doch nicht verlangen, daß ich jedem Mann ein Auto schenke?»
«Nein, gewiß nicht», sagte ich zu ihm, «aber die Leute haben doch ein zu klägliches Dasein. Das reicht nicht hin, nicht her. Fleisch im Hause vielleicht am Sonntag, sonst nicht. Sie wissen doch selbst, was Sie dem Arbeiter an Lohn zahlen! Könnten Sie vielleicht davon leben?»
«Sie wollen mich doch nicht etwa mit den Leuten auf eine Stufe stellen», erwiderte er mir. «Die Leute kennen unser Leben doch gar nicht. Sie fühlen sich doch so ganz wohl, die sind es doch nie anders gewöhnt gewesen!»
Da ging ich denn still fort. Denn das sind so Ansichten!

II. Fridericus rex

Mittagszeit. Vom Brandenburger Tor tönt es dumpf heran. Tschingbum, tschingbum! Wache zieht auf. Schmale, graue Schlange. Vorweg auf hohem Roß der Herr Hauptmann. Auf der Männerbrust der Wilhelmische Klempnerladen. Eisernes Gesicht, Augen geradeaus. Hinterher die Kompanie.
Junge Burschen zumeist, die Spaß am Soldatenhandwerk fanden, stolz hinter ihrer Musik hermarschieren. Am Bürgersteig laufen die Spießer mit, fassen Tritt, ihre Ohren trinken die Töne glorreicher Armeemärsche, Fridericus rex, unser König und Herr ...
Zwei Herren stehen am Damm. Schmißgeziert der eine, auf hundert Schritt nach Staatsanwalt aussehend. Servil, betulich, mit Vollbart verziert, der andere, oberlehrerhaft.
«Tja, mein Lieber», meint der Beschmißte «es geht wieder aufwärts

mit uns! Helle Freude, das zu sehen. Ordentlich Zuck in der Kolonne. Und wie den Kerlen die Augen blitzen. Die sollen noch mal übern Rhein marschieren, alte Herrlichkeit aufrichten!»
«Wirklich erhebend!» meint der andere. «Das Heldenblut der Väter ist noch nicht verloren, am deutschen Wesen soll die Welt genesen! Wie sagte doch unser armer Kaiser bei der Rekrutenvereidigung in Kiel, als ...»
Ich verdrückte mich sacht um die Ecke, um schnell einen Kognak zu trinken. Denn das sind so Ansichten! ...

III. Der Geist von Potsdam

Fuhr ich da an einem schönen Tag mit dem Autobus von Potsdam nach Nedlitz-Römerschanze. Der Wagen proppenvoll. Viele Frauen mit Kindern, Badezeug, ein paar junge Männer. Draußen auf der Hinterplattform ein paar Leute mit höchsten Stehkragen und Stromlinienstirn, taxierbar auf Gerichtsassessoren mit Reserveleutnantsvergangenheit.
Der Wagen fährt um die Ecke. Ein wenig zu scharf herumgenommen in der Kurve. Schleudert, stampft schwer in den Achsen. Von draußen tönt wohllautende helle Kommandostimme: «Unerhörrrt wie der Kerl fährt! Saumäßig! Ist wohl total besoffen! Schweinerei! Mit dem muß man Schlitten fahren, jawohl!» Kamerad von ihm stimmt zu.
«Nie möjlich jewesen früher. Novemberschweinerei! Na, wird ja bald wieder anders werden! Haben Sie schon jehört, der kleine Bredow ist Adjutant jeworden bei Division Roßbach.[1] Habe jratuliert. Sekt aufjefahren. Erstes Jlas auf Seeckt[2] jetrunken!»
«Ne, was Sie sagen, hat er ja Schwein. Armer Kerl wär wohl sonst

1 Die Division Roßbach, ein Freikorps, entstand auf Betreiben ihres Führers Gerhard Roßbach und schloß sich nach Kämpfen gegen die Polen 1918–19 den Baltikumtruppen an. 1920 Beteiligung am Kapp-Putsch, an der Niederwerfung des Arbeiteraufstandes im Ruhrgebiet und am Hitlerputsch 1923 in München. Nach 1945 war G. Roßbach am Wiederaufbau der Bayreuther Festspiele beteiligt.

2 Generaloberst Hans von Seeckt (1866–1936), von März 1920 bis Oktober 1926 Chef der Heeresleitung der Reichswehr, erhält 1923 die vollziehende Gewalt zur Niederschlagung des Hitlerputsches und verbietet alle Organisationen der KPD, der NSDAP und der Deutschvölkischen Freiheitspartei; 1930 jedoch spricht er sich für eine Regierungsbeteiligung der NSDAP aus und stellt sich 1931 der «Harzburger Front» zur Verfügung.

noch janz verhungert, ein Bredow kann doch nicht Sand schippen jehn! Nur durchhalten! Ich hab aus bester Quelle, daß die ‹Vaterländischen› in die Rejierung treten. Dann hört die janze Schweinerei auf. Dann werden wir die Sozis schon zu Paaren treiben!»
«Jewiß doch», sagte ein Arbeiter draußen, der bis jetzt nur zugehört hatte, «jleich an die Wand stellen, die Brüder, was?»
«Erlauben Sie mal, Sie», sagte der Erste, «mischen Sie sich nicht in unsere Unterhaltung. Was verstehen Sie denn davon? Sie sind wohl auch so einer von denen? Merken Sie sich mal, hier sind Sie in Potsdam und nicht in Berlin. Hier herrscht noch Ordnung!»
«Det sind so Ansichten», sagte der Mann, «aber det was Wahres dran ist, det merkt man!»
Und spuckte einmal ganz kräftig seinen Tabaksaft aus.

Hans Siemsen

Kurfürstendamm am Vormittag

Man kann nun wieder draußen sitzen. Die Cafés, die eine Terasse haben, haben ihre Tische und Stühle auf die Straße gesetzt. Und da stehen sie nun und warten auf Gäste. Aber die kommen nicht, denn es ist Vormittag. Und wer in Berlin hat schon am Vormittag Zeit, ins Café zu gehen? Ich habe auch keine Zeit. Aber ich nehme sie mir.

Das kleine Café, in das ich zuweilen gehe, um einen Tee oder einen Wermut zu nehmen, liegt ganz weit draußen am Kurfürstendamm, dort, wo Berlin schon Halensee heißt. Die kleinen Tische, die man auf die Straße gesetzt hat, sind rot und haben kleine bunte Decken, die immer wegfliegen wollen, wenn ein Auto vorbeifährt. Die Stühle sind lila. Lila ist die Lieblingsfarbe des Kurfürstendamms. Der Wermut ist rot und süß, und der Tee ist braun und warm. Aber das ist auch alles, was man von ihm sagen kann.

Hier draußen ist Berlin noch nicht Berlin. Viele Autos und Fußgänger kommen vorbei. Aber nicht soviel, daß man nicht Zeit hätte, jeden einzelnen anzusehen.

Eine alte Frau hat eine Haarnadel verloren und bückt sich, um sie aufzuheben. Ein Laufbursche bringt Gummischläuche nach Halensee. Er hat sie sich um die Schultern gehängt, wie einen Kranz, und sieht aus wie der Prince of Wales in einem seiner Phantasie-Kolonialkostüme. Ein junger Vater trägt seinen kleinen Jungen zum Arzt. Der Junge brüllt aus vollem Halse. Er hat sich in den Finger geschnitten und hält nun den Finger wie eine blutige Trophäe verzweifelt gen Himmel. Der Vater ist teils mitleidig-besorgt, teils böse und geniert. Ein paar Schlosserlehrlinge haben Frühstückspause und spielen Fußball in der Mittelallee, die für die Reiter reserviert ist. Aber Reiter gibt es hier wenig.

Statt dessen gibt es Autos. Vor allem Geschäfts- und Lastautos. Sie bringen alles, was der Kurfürstendamm hier draußen zum Leben nötig hat. Fleisch und Bier und Kuchen. Und eines ist ganz vollgepackt mit Korbsesseln. Ein Wagen bringt Wäsche nach Halensee. Auf den hochgetürmten Körben und Säcken liegen ein paar Jungens und schlafen. Der Bolle-Wagen hält an der Ecke und rechnet ab. Die Milchjungen zählen ihre leeren Milchflaschen und das Geld in ihren Ledertaschen. Sie haben ihr Tagewerk schon hinter sich. Frühmorgens um fünf hat es angefangen. Ein grünlackierter Kastenwagen vom Bezirksamt Wilmersdorf fährt Akten spazieren. Und ein ebenso eleganter kleiner Wagen macht Reklame für Hefter-Würstchen. «Erst einmal, dann öfter, dann immer: A. Hefter!»

Alle Wagen machen Reklame für ihre Firma. Wo eine freie Stelle ist, leuchten schwarze, weiße, gelbe, rote und lila Buchstaben. «Die neue Zigarette heißt ‹Lulu›.» «Ein auf neu geplättetes Oberhemd kostet 60 Pfennig.» «Lehmanns Baumkuchen sind die besten.» Ein Kohlepapier heißt «Greif». Und auf einem Wagen steht ganz einfach: «Eier-Rutsch». «Ein jeder soll's dem andern sagen –». Aber was er dem andern sagen soll, das kann ich nicht mehr entziffern, da ist das Auto schon vorbei.

Nun kommt ein kleiner Wagen mit einem Pferdchen davor. Der hat kein Reklameschild. Dafür fängt nun der Kutscher auf dem Bock an, zu rufen: «Buluhmärde!» ruft er. «Buluhmärde! Die schöne, fette Buluhmärde!» Blumenerde will er verkaufen, schöne, fette Blumenerde.

Vor dem kleinen Kino in der Nebenstraße hält ein Wagen an und bringt den neuen Film. Die ganze Familie steht draußen und breitet die großen, bunten Plakate aus, die der Wagen mitgebracht hat. Ein Liebespaar steht am Wasser. Es sieht sehr aufgeregt und traurig aus, als ob es wohl fähig wäre, in das wilde, blaue Meer zu springen, über das am Horizont ein feiner, weißer Dampfer zieht. «Die da sterben, wenn sie lieben ...» steht mit riesigen roten Buchstaben quer über den gelben Himmel geschrieben.

Auf der andern Seite der Straße liegen ein paar Schrebergärten. Da ist Frühling. Ein Aprikosenbaum blüht rosa, ein Birnbaum weiß. Die Stachelbeersträucher, die Linde und der Ahorn sind grün geworden. Und der Portier von nebenan macht einen neuen Lattenzaun um sein Salatbeet.

Ein kleiner Junge, der an der Hand seiner Mutter vorübergeht, sagt plötzlich mit einer hellen, lauten Kinderstimme: «Ich möchte gerne mal Schlagsahne essen!» Das Fräulein, das in der Tür steht und auf Gäste wartet, lächelt freundlich. Aber die Mutter hat keine Lust oder keine Zeit oder kein Geld, um Schlagsahne zu essen. Sie lächelt nicht und zieht den Jungen weiter, der sich sehnsüchtig umsieht. An seiner Stelle bestellt sich ein dicker Herr, der aussieht wie ein etwas billiger Kommerzienrat, eine große Portion Schlagsahne mit Apfelkuchen. Und auch er bekommt ein Lächeln von dem Fräulein, das auf die Gäste wartet.

Neben mir entspinnt sich ein Gespräch. Zwei Frauen stehen auf der Straße. Sie kommen vom Markt, ihre Einkäufe im Arm. «Wir haben auch Hindenburg jewählt», sagt die eine. «Nee, wissen Se, der Marx, wenn der jewählt wäre, der wollte ja in 'ner joldenen Kutsche in Berlin einziehen. Wo der woll det Geld hätte hernehmen wollen?!» Und dann lächeln sie beide sehr überlegen über den armen Marx, von dem ja niemand weiß, wo er wohl das Geld für seine goldene Kutsche hätte hernehmen sollen. Da ist es schon besser, daß Hindenburg gewählt ist. Bei dem weiß man doch, woher er kommt.

Es ist Mittag geworden. Die Straßen werden stiller. Die Leute sind essen gegangen. Der junge Mann aus dem Zigarettenladen an der Ecke holt sich eine Weiße mit Schuß. Max Adalbert kommt und bestellt sich zwei Eier im Glase. Und ein Schinkenbrot. Guten Appetit!

Ihre Sorgen möcht' ich haben!
Und dazu noch Rothschilds Geld!

Das bin aber nicht ich, der das zu Adalbert sagt. Es ist, umgekehrt, Adalbert, der das jeden Abend dem Publikum in «Monsieur Troulala» vorsingt.

Es ist also tatsächlich Frühling? Auch über Berlin ist der Himmel blau. Und die Sonne scheint. Und die Straße wird immer stiller ...

Paul Körner

Nachtarbeit

Eine Stunde nach Mitternacht. Alle Straßen liegen ruhig da. Das Getöse des Tages ist wie verbannt. Keine Autohupe ist zu vernehmen. Kein Wagen rasselt vorüber. Kein hastender Menschenstrom flutet daher. Die dunklen Fenster schauen wie einer, dem man die Augen ausgestochen hat, in das Finster der Nacht. Alle Türen und Tore sind verschlossen. Nur hier und da kriecht ein Lichtreflex einer offenstehenden Kneipentür über den Damm. Die letzten, die dort das Gift Alkohol einschlürften, gehen taumelnd heimwärts. Die Straßenbeleuchtung wird immer geringer, damit die Nacht ihr Recht behält. Ein leichter Wind weht über das Pflaster, als wolle er die Pflastersteine von der täglichen Marter etwas abkühlen.

Jetzt wird die Ruhe unterbrochen durch eine Schar Männer, die aus der noch dunkleren Nebenstraße treten. Sie tragen allerhand Gerät auf den Schultern, daß man denken könnte, es wäre eine Bande, mit Mordwerkzeug bewaffnet. Es sind aber Arbeiter, die ihr *eigenes* Mordwerkzeug tragen, und es gegen sich selber anwenden. Sie gehen zum Straßenbau, zur Nachtarbeit. In kurzer Zeit beginnt die Arbeit. Alle werden gleichmäßig verteilt, und es beginnt ein Kratzen und Schürfen, ein Pochen und Hämmern. Brechstangen werden in die Rippen des Pflasters gestoßen, und Stein um Stein wird aus seiner alten Lage herausgebrochen. Die Straßenbahnschienen, die gleich einem Nerv den Boden durchziehen, werden bloßgelegt. Hebezeug wird angesetzt. Auf Kommando legen sich die Körper der Arbeiter auf die Stangen. Das knirscht und dröhnt. Wenn die Eisenzange der Kraft der Schienen weichen muß, speit sie Funken. Die Schrauben der Laschen und Verbindungsstücke fühlen sich zu verwachsen mit den Schienen und trotzen aller Gewalt. Doch die Technik ist grausam. Ein Sauerstoffgebläse wird sie bald zerfleischen. Ein blauer Feuerstrahl schießt aus dem Apparat hervor, in dessen Licht die halbbekleideten Arbeiter wie lebendige Leichen aussehen. Ein Zischen und Knattern erfüllt die Luft und von den hohen Häuserfronten schallt es wider. Sinfonie der Arbeit. Immer wenn der blaue Feuerstrom aus dem Schlund des Schweißapparates hervorschießt, sieht man auf der anderen Straßenseite die abgelegten Röcke und Blusen der Arbeiter auf den Sperrböcken hängen. Wie an den Galgen Gehängte baumeln sie. Wenn ein neu-

er Windstoß kommt, flattern die armseligen Kleidungsstücke wie Fahnen der Armut und des Todes über der Arbeitsstelle, während die schweißigen Körper weiterarbeiten.
Ein Auto kommt angefahren. Darin sitzt ein betrunkener gemästeter «Herr». Als er sieht, daß der Chauffeur den Wagen umlenkt, weil er nicht durch die aufgerissene Straße fahren kann, schimpft er: «Solche Schweinerei. Nun muß man noch einen Umweg machen. Daß die auch gerade in dieser Nacht die Straßen aufreißen. – Gesindel.»

Kurt Kläber

20000 ausgesperrte Metallarbeiter

Die breite Hauptstraße. Autos fahren vorbei. Ein- und Zweispänner kommen. Menschen, weiß, bunt, in Seide, im Frack, sitzen darin, lachen, winken, beugen sich heraus. Die anderen – Fußgänger, Damen mit Hunden auf den Armen, Herren mit Aktenmappen und Spazierstöcken, gemessen, langsam – sehen nach den Autos, den Kutschen, grüßen, bleiben stehen, sprechen.
«Maschinenaktien auf achthundert gestiegen!»
«Kohlenaktien stehen noch besser!»
Man notiert, geht in Bars und Cafés, unterschreibt – der Tag ist finanziert!
Es ist die Stunde der vornehmen Welt. Sie beherrscht die Straße, begrüßt den Tag, amüsiert sich und macht ihre Geschäfte.
Aus der Nebenstraße kommt ein *Takt* – langsam – aber er kommt näher.
Die Menschen horchen auf. Lorgnetten fliegen hoch, Kutschen halten, elektrische Wagen klingeln, Autos hupen rasend.
Alles stockt, nur der Takt bleibt. Er wird fester, bestimmter, schwillt an. Aus der Nebenstraße biegt ein Zug von zwanzigtausend ausgesperrten Metallarbeitern.
Einer geht voran. Er hat eine weiße Binde am Arm. Seine großen, glanzlosen Augen sehen in die stauenden Menschen hinein. Er sieht durch alle hindurch.
Die Stauenden sind wie gebannt von seinem Blick. Sie fassen um ihre Stöcke, in ihre Steuerräder, in ihre Zügel. Sie ducken ihre Schädel, ihre Körper liegen zurück wie zum Sprunge, aber es fehlt ihnen irgendeine Kraft.
Der erste ist vorbei. Er biegt in die Hauptstraße ein. Hinter ihm kommen die anderen. Sie kommen in breiten Reihen, vier und sechs zusammen. Sie kommen wie ein Strom, der sich plötzlich in ein neues Bett gießt. Nur nicht überschäumend, langsam – müd – gezwungen.
Es sind Junge und Alte, Männer, Frauen, Mädchen, Kinder. Aber sie haben alle *ein* Gesicht, sie sind ausgesperrt. Ihre Körper sind nach vorn gebeugt. Ihre Augen sehen geradeaus. Die Arme pendeln steif und schief zwischen ihnen.
Die Menschen mit den seidenen Blusen und den Aktenmappen stehen

Spalier. Manche rufen Schimpfworte. Die in den Autos, Kutschen und elektrischen Wagen bekommen verkrampfte Gesichter.
Es ist ein langer Zug. Sie tragen keine Fahnen. Sie singen nicht. Keiner sagt ein Wort. – Sie gehen nur.
Sie haben einen eigenen Schritt. Die Füße heben sich hastig hoch, schlürfen über das Pflaster und fallen langsamer wieder nieder.
«Ein komischer Schlag!» sagt ein Herr. «Die Hälfte läßt sich aus Sympathie aussperren!»
Es sind jetzt fast alles Frauen. Sie hasten vorbei. Ihre schmalen, zerfallenen Körper stecken in verwaschenen Blusen, in grauen, alten Röcken. Sie haben große, ausgetretene Schuhe an ihren Füßen. Ihre Gesichter sind ängstlich. Sie halten sich an den Händen fest. Auf den Rücken tragen sie ihre Kinder. Das Spalier wird dichter.
«Vater, was ist mit den Leuten?» fragt ein Kind.
«Sie wollen nicht arbeiten, Mariele!»
«Sie sehen alle so traurig aus. Ist denn ihre Arbeit so schwer?»
«Ach, es ist eine faule Blase!»
Ein Polizeileutnant taucht auf, stürzt sich durch die Gaffenden auf den Zug. Brüllt: «Schweinerei! Elektrische Wagen durchfahren lassen! Zug sofort auflösen!»
Er faßt eine von den Frauen am Arm.
Die Menge triumphiert. Schreit: «Bravo!» Drängt vor!
Die Frau macht sich los. Sieht den Leutnant an. Groß, ernst! Der Leutnant tritt zurück, stammelt ein paar Worte, der Zug geht weiter.
Auch die Bravoschreier sind erschrocken. Ein paar verschwinden. Ein Mann schreit: «Menschlichkeit!» Eine Frau schluchzt.
Männer kommen wieder. Fremde Gesichter sind darunter. Blasse, feine! Menschen, die gezwungen Arbeiter wurden, die in die Fabriken schleichen, einsam, allein. Die nie streiken. Die nur ihren Hunger stillen. Sie starren auf das breite Asphaltpflaster. Sind verlegen. Voll Scham! Aber sie gehen weiter.
An der Straßenbiegung blicken sie hoch. Sehen die anderen. Hunderte, Tausende! die sich wie ein Keil durch die Straße zwängen. Sie spüren ihre Kraft, ihr Schritt wird fester, ihr Blick offener!
Die Zuschauer stauen sich immer dichter. Über allen liegt eine drükkende Stille. Nur der Takt der Ausgesperrten schwingt über das Pflaster. Schaufenster, Balkone, Giebel, alles schwingt mit. Hebt und senkt sich in seinem Rhythmus und wird zu schiefen, grotesken, gewaltigen Gebilden!

Der Takt faßt auch die Gaffenden. Greift in ihre Körper. In ihre Hirne! Sie verziehen ihre geschminkten Gesichter. Werden nervös. Ein paar fallen in Ohnmacht.
«Ich will durch!» schreit eine Frau aus einem Auto. Der Chauffeur läßt den Motor laufen. Die Hupe heult.
Sie kommen nicht weit. Reihe um Reihe schieben sich die Ausgesperrten über die Straße. Zwanzigtausend ist eine endlose Zahl – eine *endlose* Zahl . . .
Immer mehr Ausgesperrte kommen!
Ganze Kolonnen von Autos und Wagen haben sich gestaut. Die elektrischen Bahnen stehen in langen Reihen hintereinander. Keine kommt vorwärts. Keine kann zurück. Alle haben ihre großen gelben Blechgesichter auf den Zug gerichtet.
Wann kommen die Letzten!
Auch der Tag steht still. Grell und heiß stiert Sonne und Himmel unbeweglich in die Straße.
Sie kommen!
Es sind ein paar Alte. Auf Stöcken humpeln sie hinter den anderen. Mühselig, eilig, mit verzogenen Gesichtern.
Jeder atmet auf!
Nun sieht man nur noch Rücken, gramgebeugte Rücken.
Alles – Autos, Straßenbahnen, Kutschen, Menschen – schwankt langsam hinter ihnen her.

Heinrich Holek

Vom Elend der Textilarbeiter

Wer denkt wohl beim Anblick der Schaufenster der großen Warenhäuser, die ihre Sommerneuheiten an Geweben aller Art und in allen Farben recht dekorativ zur Schau stellen, an die Menschen, die diese zarten, duftigen Gewebe herstellen? Und wer weiß gar, wie sie leben?

Es ist wahr: das Weberelend ist ja sprichwörtlich seit jeher gewesen. Aber solange man es nicht mit eigenen Augen gesehen hat, macht man sich keine Vorstellung von ihm. Man kann sich keine machen. Da ging kürzlich eine kleine Notiz durch die Presse, in der es hieß, daß in der Tschechoslowakei das Drama von Gerhart Hauptmann als unzeitgemäß und nicht mehr zutreffend auf die gegenwärtigen Verhältnisse erklärt worden ist. Vielleicht ist dem so. In der Tschechoslowakei. In Österreich aber sicher nicht. Leider!

Da ist vor den Toren Wiens, eine knappe Stunde Bahnfahrt mit der Pottendorfer Linie, ein kleines Dorf, in welchem eine große mechanische Weberei ist, die mehr als dreihundert Arbeiter beschäftigt. Nämlich die Firma Nagler & Opler in Weigelsdorf. Bis zum vergangenen Samstag saßen diese Arbeiter an den Webstühlen und haben gehungert. Seit Montag dieser Woche sind sie ausgesperrt und hungern noch mehr. Denn sie haben sich, wie der Direktor dieser Weberei den Arbeitern in einer vom 21. Mai 1925 datierten Kundmachung mitgeteilt hat, «als entlassen zu betrachten». Warum? Weil die Arbeiter in den steiermärkischen Baumwollspinnereien und Webereien im Kampf um einen besseren Kollektivvertrag[1] stehen! Aber die Firma Nagler & Opler hat nicht einmal den bisherigen Vertrag eingehalten. Sie hat ihren Arbeitern und Arbeiterinnen Hungerlöhne in des Wortes wahrster Bedeutung gezahlt. Und so leben die Arbeiter dieser Firma in größtem Elend.

Die Werkshäuser der Firma stehen außerhalb des Dorfes. Zwischen wogenden Getreidefeldern und Wiesen, auf denen der Klee blüht. Der «Böhmische Hof» werden sie geheißen, weil früher viele tschechische

1 Es gehört zur Praxis der Unternehmer, im Falle eines Lohnstreikes in der gleichen Branche und selbst in einer anderen Region aus «Solidarität» die eigene Fabrik zu schließen und die Arbeiter auszusperren.

Arbeiter dort gewohnt haben. Und jetzt noch. Es sind schmucklose, trostlos-einfache Häuser. Zum Teil einstöckig, nur das rückwärtige Objekt ist zweistöckig. Aber überall die gleichen elenden «Wohnungen», in denen die Arbeiter mit ihren Familien hausen.

Sie gleichen einander wie ein Ei dem andern. Ein einziger Raum, etwa vier Meter im Geviert und zweieinhalb Meter hoch. Das ist die «Wohnung», in der eine fünfköpfige Familie «wohnt». Zwei Betten, eine Kommode, ein Tisch und eine Pritsche. Das ist die ganze Wohnungseinrichtung. Und ein Kinderwagen, in welchem ein Säugling wimmert. Die Luft in diesem Raum ist stickig. Es riecht nach Windeln und allerlei menschlichen Ausdünstungen. Der Mann liegt halbangekleidet auf dem elenden Bett. Er ist zum Nichtstun gezwungen. Solange er arbeiten konnte, verdiente er 20 Schilling[2] in der Woche.

Und wie die anderen Wohnungen gleich sind, so auch das Leben dieser Leute, die in ihnen wohnen. Ärmlicher Hausrat, kaum die notwendigsten Wäschestücke in den Betten. Weberwohnungen! Wohnungen von Menschen, die jahraus, jahrein am Webstuhl schaffen.

Im nächsten Objekt sind die Wohnungen größer und bestehen aus Zimmer und Küche. Vom Hof kommt man direkt ins Zimmer und durch dieses in die dahinter befindliche Küche. Ein schmaler Darm, ohne Fenster. Das Licht erhält der Raum durch die Tür, deren obere Hälfte verglast ist. Von den Wänden trieft das Wasser. Familien mit zwei, vier und noch mehr Kindern wohnen in diesen Löchern. Und sie unterscheiden sich in nichts voneinander, in welchem Objekt sie sich auch befinden mögen; ob zu ebener Erde oder im ersten oder zweiten Stock: immer dieselben Elendshöhlen.

Ich frage die Leute nach ihrem Verdienst.

«Ja, das ist verschieden: zehn, zwanzig oder vierzig ...»

«Täglich?»

Die blassen Gesichter verzerren sich zu einem bitteren Lächeln: «Nein, in der Woche.»

«Ja, wie könnt ihr da leben?»

Ein resigniertes Zucken mit den Schultern ist die Antwort. Und aus dem Hintergrund ruft jemand: «Hund fressen tan m'r halt.»

«Was?»

2 Die Ernährung eines vierköpfigen Arbeiterhaushalts «verschlang» rund 65 % des Wochenlohnes. So mußten für 1 kg Rindfleisch S 3,40, für 1 kg Schweinefett S 3.60, für 1 kg Kartoffeln S 0,18, für 1 kg Brot S 0,56 und für 1 l Milch S 0,52 aufgebracht werden.

«Na ja, Hundefleisch müssen wir essen. Sonst haben wir nur Brot und Kartoffeln, und die nicht einmal zum Sattessen.»
«Ja, und betteln gehn auch welche, damit sie ihr Kostgeld zahlen können. Am vergangenen Sonntag waren (es folgen dann die Namen der Betreffenden) betteln. Es sind ledige Leut', die in Kost sind.»
Im Weitergehen erzählt mir ein Genosse, daß wohl die Spitzenweber an den breiten Webstühlen mehr verdienen. Wenn es gut geht, bis zu 38 Schilling in der Woche. Aber wenn das Material schlecht ist, was in der letzten Zeit der Fall war, dann verdienen auch sie weniger. Mitunter nicht einmal zehn Schilling in der Woche.
Und ein anderer berichtet mir, daß am vergangenen Samstag eine aus fünf Personen bestehende Familie, Vater, Mutter, zwei Töchter und ein Schwiegersohn, die in der Weberei beschäftigt waren, zusammen 27 Schilling verdient haben. Damit nicht zufrieden, gingen sie zum Direktor, um ihren Lohn zu reklamieren. Weil sie ihrer Erregung über diesen «Lohn» in Worten Luft machten, entließ sie der Direktor auf der Stelle und verständigte die Gendarmerie, die sofort, sechs Mann hoch und zu Rad, herbeieilte, um gegen die Leute einzuschreiten, weil sich der Direktor an seinem Leben bedroht fühlte.
Ich sah schon viele Elendsgestalten. Aber Menschen mit solchen eingefallenen Wangen und tiefliegenden Augen, aus deren Gesichtern der Hunger und die Entbehrung geradezu schrien, habe ich noch nie so viele beisammen gesehen, wie in dem «Böhmischen Hof» in Weigelsdorf.
Gerhart Hauptmanns Weberdrama ist leider noch immer zeitgemäß in Österreich. Die Weber sitzen am Webstuhl und – gehen Sonntag betteln oder auf Hundefang, um trotz Arbeit nicht zu verhungern.

Wenzel Jaksch

Die Heerschau der zerstörten Existenzen

Im Saazer Land [1] tagt alljährlich zur Zeit der Hopfenpflücke ein großer deutsch-böhmischer Armeleute-Kongreß. Wenn in den Spätsommermonaten die Hopfendolden reifen, rollen aus allen Teilen des Landes Lastwagen vollgepfropft mit Menschenfracht heran. Da kommen die Ärmsten der Armen zusammen: die Proletarier der westböhmischen Dörfer und der Prager Vororte, die Notstandsbürger des dunkelsten Böhmerwaldes und der höchsten Kämme des Erzgebirges. Dem aufmerksamen Beobachter kann nicht entgehen, daß in den letzten Jahren die soziale und territoriale Gliederung der nach Zehntausenden zählenden Hopfenpflückerarmee gewaltige Änderungen erfahren hat. In den Krisenjahren der Nachkriegszeit sind es nicht mehr die Stammgäste der Landstraßenherbergen allein, nicht nur die Alten und Siechen, für die der normale Arbeitsprozeß keinen Platz hat, und die verarmten Frauen, die mit ihren Kindern jeden Gelegenheitsverdienst aufgreifen müssen, welche zur Hopfenpflücke ziehen. Halbwüchsige Mädel, vollkräftige junge Burschen, Männer in rüstiger Arbeitskraft sind in stattlichen Scharen zu dieser Elendstruppe gestoßen. Da begegnen wir in den Trupps der Hopfenpflücker arbeitslose Porzellandreher und Instrumentenmacher aus dem Karlsbader Bezirk, Glasarbeiter aus dem nordböhmischen Industriegebiet, deren Fabriken seit Jahr und Tag feiern (stillgelegt), die Frauen und Söhne der auf Feierschichten gesetzten Bergarbeiter, arbeitslose Textilarbeiterinnen aus Teplitz und Bodenbach bis zum Warnsdorfer Gebiet hinauf ... Wenn sonst kein Anzeichen dafür sprechen würde, könnte man es aus dem sozialen Bodensatz, der zur Hopfenzeit im Saazer Land zusammenfließt, herauslesen, daß in unseren Tagen ein folgenschwerer gesellschaftlicher Umschichtungsprozeß im Gange ist, der ganze Schichten arbeitender Menschen ins Lumpenproletariat hinabstößt.

«Da bleibt uns halt nichts übrig, als Hopfenpflücken zu gehen», das ist die Redensart in allen Familien, denen Not und Sorge alle Auswege zum menschlichen Fortkommen verrammelt haben. Auf den kargen Verdienst einiger Wochen konzentrieren sich die Hoffnungen der im

1 Saaz, Bezirksstadt an der Eger, Zentrum des böhmischen Hopfenbaus

sozialen Ozean Gestrandeten. Die einen wollen damit die seit Monaten schuldige Miete bezahlen, damit sie nicht vor Eintritt des Winters auf die Straße gesetzt werden. Die anderen, denen das letzte Hemd schleißig und das letzte Paar Schuhe unheilbar krank geworden ist, wollen damit ihre leiblichen Blößen dürftig zudecken. Der seit vielen Monaten stellenlose Angestellte will sich um den Pflückerverdienst abgetragene Kleider kaufen, die ihn wieder in Stand setzen, auf Postensuche zu gehen. Ein tschechisches Häuslerehepaar aus der Tauser Gegend ist mit drei arbeitslosen Söhnen angerückt, weil der Wall neuer Staatsgrenzen den Weg zu den alten ausländischen Arbeitsplätzen versperrt und weil das Problem gelöst werden muß, wie in den vielen langen Tagen zwischen November und März Brot ins Haus geschafft werden soll. Dabei muß jede Krone Hopfenpflückerlohn sauer erworben werden.

Vom Morgengrauen bis zum letzten Lichtstrahl der Sonne sitzen die Akkordpflücker gebückt in den Gärten, bis zum Unwohlsein gepeinigt von dem scharfen Geruch der wertvollen Frucht. Die Nahrung besteht aus einer Früh- und Abendsuppe, tagsüber aus trockenem Brot. Geschlafen wird in kalten Scheunen, Schüttböden oder auf den Dielen ausgeräumter Kammern. Wäre dieses traurige Leben nicht eine Abschreckung für viele noch mit einem Rest von Kulturansprüchen erfüllte Arbeitslose, wäre nicht die Furcht vor Erkrankung und Verlausung damit verbunden – die Armee der Hopfenpflücker würde sich mit einem Schlag verdoppeln!

Wohin geht es nach der Hopfenpflücke? Ganze Trupps fahren wieder heimwärts. Viele aber zieht es nicht mehr in die Heimat. Der Porzelliner[2] aus Schlackenwerth meint mit Recht, daß seine Familie allein Elend genug daheim habe. Aber wohin, wenn man auf dem Saazer Bahnhof steht und die wenigen Spargroschen schon der Post anvertraut hat? – Im Auschaer Hopfengebiet soll es noch was zu verdienen geben, sagen die Pflücker-Veteranen. Ohne Anschluß an eine «Partie» ist aber die Fahrt nicht zu wagen. Der Gutsbesitzer hat gemeint, sie sollen noch über den Drusch[3] dableiben. Er zahlt 1 Krone 10 Heller[4]

2 Damals gebräuchliche Sammelbezeichnung für alle in der Porzellanindustrie Beschäftigten.

3 Dreschzeit (Dreschen des Getreides mit Maschine oder Flegel)

4 Wie minimal dieser Stundenlohn war, geht vergleichsweise daraus hervor: 1 Tasse Milchkaffee kostete damals in der Tschechoslowakei 2 Kronen 45 Heller, 1 Kilo Schweinefett 14 Kronen 8 Heller, ein Leintuch 30 Kronen!

per Stunde. Wie sollen sie mit einem Taglohn von 12 Kronen leben und für die hungernde Familie sorgen? Wie soll ein Prolet, der für den Großagrarier Mehrwert schafft, mit der Hälfte des Lohnes auskommen, den anderswo ein Bauhilfsarbeiter bekommt? Die besten und willigsten Leute könnten die über die Landflucht klagenden Agrarier heute bekommen, wenn sie einsehen würden, daß auch der Arbeiter ein Mensch ist, der menschlich leben will!
«Mach dir keine Sorgen», tröstet der Kamerad Instrumentenmacher den Porzelliner, «wir werden uns schon durchschlagen.» Bald geht das Rübenputzen los, und darauf setzen die wandernden Proleten ihre nächste Hoffnung. Ein, zwei Jahre solches Leben noch zwischen Rübenarbeit und Hopfenpflücke und die Vagabunden in den Straßenherbergen haben zwei neue Zunftgenossen gefunden, die Bezirksarreste zwei neue Stammgäste, weil es eine gottgewollte Gesellschaftsordnung will, daß aus rechtschaffenen Arbeitsleuten – Lumpenproletarier werden ...

Streift man durch die Bauerndörfer des Saazer Bezirkes, so tritt in der Äußerlichkeit der Gebäude und Siedlungen überall das Bild blühenden Wohlstandes entgegen. Die gute Hopfenkonjunktur der letzten Jahre hat reichen Goldsegen über das Land gebracht. Die Umsatzziffer von 500 Millionen Kronen, die die Saazer Hopfenbörse im letzten Jahr verzeichnet, sagt mehr als Schätzungen. Da nun das vielbegehrte Edelprodukt seit Kriegsende (mit Ausnahme eines einzigen Jahres) einen «schönen Preis» hat, sind dermalen die Hopfenmillionäre – steinreich gewordene Händler, Großbauern und Gutsbesitzer – im Saazer Bezirk keine Seltenheit.
Man kann jedoch nicht finden, daß die Löhne der Dienstboten und Taglöhner den glänzenden Verdiensten ihrer «Brotgeber» auch nur halbwegs angepaßt wären, ja es wurde in einer reichen Gemeinde der Fall einer Witwe berichtet, die zu «ihrem» Bauern um sage und schreibe drei Kronen im Tag arbeiten geht.
Noch schlimmer ergeht es den Landarbeitern auf den anläßlich der Bodenreform verschacherten Gutshöfen. Während nach Schätzung Eingeweihter die neuen tschechischen Besitzer aus dem Hopfenverkauf einer einzigen Ernte den Preis des ganzen Restgutes herausholen, während bestimmte Günstlinge, die auf bestem Hopfenboden «Baugründe» zugeteilt erhielten, davon in zwei Jahren das Baukapital für ein schönes Landhaus erwirtschaften – verdienen die von früh bis spät schuftenden Landarbeiter kaum soviel, daß sie sich sattessen können.

Ans Kleideranschaffen ist nicht zu denken. Dabei schwebt über allen das Damoklesschwert, daß sie gekündigt und aus den kahlen, kasemattenartigen Wohnungen hinausgeworfen werden. Die früheren Besitzer haben auch elend gezahlt, aber sie haben ihre Leute wenigstens das Jahr über recht und schlecht beschäftigt. Die neuen «Edelinge» von Gnaden Vischkofskys[5] haben die Ausbeutung rationalisiert. Sie beschäftigen die Leute nur soweit, als dringende Arbeit da ist, lassen die Landarbeiter und ihre Frauen auch in den Sommermonaten wochenlang Kurzarbeit üben und kündigen heute schon an, daß sie im Winter für den größten Teil überhaupt keine Verwendung haben werden.
Abseits vom Taumel der Hopfengewinner und Restgutschacherer steht der Landproletarier in Gram und Verzweiflung und starrt einer düsteren Zukunft entgegen.

5 Dr. Karel Vischkofsky, tschechischer Bodenamtspräsident, ab 1922 Justizminister und ab 1929–33 zugleich Verteidigungsminister. Bezeichnete die 1929 abgeschlossene Bodenreform als ein «Werk der politischen Vergeltung und Wiedergutmachung des den Tschechen nach der Schlacht am Weißen Berg (1620) zugefügten Unrechts». In Böhmen allein wurden 1068601 Hektar landwirtschaftlichen Bodens enteignet und an 270966 tschechische Bewerber verteilt. Die sogenannten 1282 Restgüter wurden zu Spottpreisen an die Günstlinge Vischkofskys verkauft.

Karl Grünberg

Ford Motor Company

Was die deutsche Automobilindustrie voller Bangen kommen sah, ist bereits Tatsache geworden. Seit Anfang des Jahres befindet sich in Berlin eine Automontagefabrik der Fordkompagnie, dic Anfang Mai die Produktion aufgenommen hat und zur Zeit täglich zwanzig bis fünfundzwanzig Kraftwagen auf den Markt wirft. Nur wenige Schritte vom Bahnhof Putzlitzstraße entfernt befindet sich das Eingangsportal zum Westhafengelände, in dessen Gebäuden eine ganze Reihe Privatfirmen, die Wert auf unmittelbare Nachbarschaft eines Zollhafens legen, ihr Domizil gefunden haben. Hierzu gehört auch dic Ford-Motor-Kompagnie[1], die in zwei ursprünglich zu Lagerspeichern bestimmten, langgestreckten Schuppen mit etwa achttausend Quadratmeter Nutzfläche ihren Montagebetrieb aufgenommen hat.

Arbeitslose umlagern das Tor

Jeden Tag bis zur Mittagspause drücken sich zahlreiche Arbeitslose vor dem Tor herum. Starren wie hypnotisiert auf das kleine unscheinbare Schildchen mit obiger Firmenaufschrift und vertreiben sich die Zeit mit Erzählungen über die Wunderdinge, die dahinter vor sich gehen sollen. Dort arbeiten zur Zeit dreihundert Arbeiter und Angestellte. Neueinstellungen finden vorläufig nicht statt. Aber es ist schon vorgekommen, daß beim Fehlen eines Arbeiters man schnell einen vom Tor her einstellte. Allerdings sehr selten, denn es fehlte sehr selten einer, zumal ja Ford erst ein halbes Jahr hier in Berlin besteht. Aber auf diesen seltenen Zufall warten die hier draußen trotz Wind und Wetter. Dieser und jener hat einen Bekannten da drinnen, der bringt pro Woche nette siebenundsiebzig Mark fünfundsiebzig[2] nach Hause.

1 Die Details für diese Reportage wurden vom Autor bei einem illegalen Besuch dieses Betriebes aufgenommen.

2 Der tarifmäßige Wochenlohn für einen gelernten Arbeiter betrug 1926 in der Metallindustrie im Durchschnitt 46 Reichsmark. Im Jahresdurchschnitt betrugen 1926 die Preise in Berlin für 1 kg Brot 0,38 RM, 1 kg Kochfleisch 2,17 RM, 1 kg Schweineschmalz 1,84 RM, 1 kg Butter 3,98 RM, 1 Ei 0,14 RM.

«Aber dafür muß er sich auch einen absuchen!» – «Mußt du dir in der AEG nicht auch einen absuchen und verdienst kaum in drei Wochen soviel!» – «Aber Gewerkschaften und Betriebsräte gibt's hier nicht!» – Dreißig Paar zornfunkelnde Augen wollen den Sprecher zerreißen. «Sch ... in die Organisation! Haben die uns was geholfen? Die Hauptsache ist, daß ich mal wieder anständiges Geld verdiene, dann können sie mir alle ...»

So ist die Stimmung hier draußen. Und die Direktion der Ford-Motor weiß ganz genau, warum sie kein Schild «Arbeiter werden nicht eingestellt» aushängt.

«Das von Arbeitslosen umlagerte Tor gehört zum Fordsystem, und es ist in Amerika genauso! Ich habe in Detroit auch vier Monate vor dem Tor gestanden! Außerdem ist das ein guter moralischer Faktor für diejenigen, die drinnen arbeiten!» – So argumentierte Herr Direktor Heine, ein geborener «gemütlicher Sachse».

Das laufende Band

Es werden hier offene und geschlossene Zwei- und Viersitzwagen sowie 1½– Tonnen-Lastkraftwagen fertigmontiert. Die Einzelteile werden ebenfalls am laufenden Band, aber drüben in Amerika, fabriziert und kommen per Schiff mit einmaligem Umladen aus Hamburg an, wo sie verzollt und dann in den Rohlagern ausgepackt werden. Neuerdings bezieht man ganze Teile – viel billiger – auch schon fix und fertig in Deutschland. Ford spart bei dieser Methode dreierlei: Erstens ist der Zoll für die Einzelteile niedriger als für fertige Autos, zweitens ist die Fracht für die verpackten Teile billiger, und drittens sind auch die Löhne in Deutschland, trotz ihrer relativen Höhe, natürlich niedriger als die in Amerika. So kann Ford trotz Fracht und Zoll immer noch billiger als irgendein deutscher Unternehmer liefern. Jeder Fordarbeiter muß, gleich einem Sträfling, eine Kontrollnummer sichtbar auf der Brust tragen. (Verlust der Marke kostet einen Dollar Strafe.) Auf einer durch den ganzen Raum führenden Doppelkette bewegt sich das Arbeitsstück weiter. Rechts und links davon, auf dreirädrigen Transportkarren oder an Deckenschienen hängend, sind die verschiedenen Arbeitsstücke stationiert. Jeder Arbeiter hat daran eine bestimmte Handlung vorzunehmen: Schrauben festzuziehen, Nieten einzuschlagen, Teile zu lackieren und dergleichen, bis es auf das Band gelangt. Am Anfang liegen auf dem Band nur ein paar Achsen. Wenige Meter weiter befinden sich schon Federn dran. Motor und Kühler werden

eingebaut, Räder anmontiert, Reifen aufgezogen, und am Ende fährt das fertige Untergestell auf das Prüffeld.
Aus der oberen Montage kommt mittels Aufzug die auf ähnliche Weise entstandene Karosserie herunter. Alle zwanzig Minuten verläßt ein fertiger Wagen die Halle.

Die «hohen» Löhne

Für die Arbeiter ist die Hauptsache das Mitkommen. – Das Arbeitsstück fließt weiter, schneckengleich langsam zwar – aber es fließt! Die Verzögerung des einen bringt den ganzen Betrieb in Unordnung, lenkt sofort die Aufmerksamkeit aller Kollegen und Vorgesetzten auf den «Bummler». Kommt ein Arbeiter an einer Stelle nicht recht mit, wird er stillschweigend an eine andere versetzt. Versagt er auch dort, fliegt er ohne jede Formalität! Das weiß auch jeder und setzt daher den letzten Hauch daran, dem Tempo des nach der gegipfelten Einzelleistung laufenden Bandes zu folgen. Da gibt's keinen Raum für nebensächliche Gedanken. Keine Zeit etwa, eine Zigarette anzuzünden, ein Wort mit dem Nachbar zu reden oder gar auszutreten. Kaum daß man aus dem kleinen Springbrunnen sich etwas Wasser auf den trockenen Gaumen sprudeln lassen kann; denn das neue Arbeitsstück steht schon wieder in drohender Nähe, an dem dieselben Handgriffe vorzunehmen sind.
Es erscheint durchaus glaubhaft, wenn man erzählt, daß hier alte Bekannte tagelang in dichter Nähe gearbeitet haben – ohne sich zu sehen. Ford braucht weder das Sprechen noch das Austreten zu rationalisieren. Das alles besorgt das Laufband! Der Kollege wird zur toten Nummer, die höchstens mal als Hemmnis, dann aber auch recht unangenehm in Erscheinung tritt.
Soweit überhaupt Raum für irgendeine Vorstellung bleibt, kreist diese um den Lohn, den man für diese hirn- und knochenerweichende Tätigkeit erhält. Anfänger erhalten ohne Rücksicht darauf, ob sie was gelernt haben, pro Tag dreizehn Mark. Nach der «Anlernung» oder richtiger gesagt Abrichtung, die ungefähr acht Wochen dauert, gibt es fünfzehn Mark. Für besonders schwierige Posten gibt es Leistungszulagen. Zum Beispiel für den Mann, der mit einer Gasmaske vor dem Gesicht den Lack auf die Bleche spritzt. Der Höchstlohn beträgt zwanzig Mark pro Tag! Das ist die Summe, die zahlreiche Akkordarbeiter der Berliner Metallindustrie für die ganze Woche erhalten.
Hier liegt das Geheimnis, warum sich die ausgehungerten Berliner

Metallarbeiter zu Ford drängen und sich dort unter Zurückstellung aller menschlichen Würde zu seelenlosen Arbeitsautomaten degradieren lassen.
Warum es bei Ford keine Diebstahlskontrolle, wie in den VBMJ-Betrieben, gibt? – Bei fünfzehn Mark Tagelohn hat es keiner nötig, einiger Pfennige halber seinen «guten Posten» aufs Spiel zu setzen.

«Fordleichen»

Bei Ford herrscht die 44-Stunden-Woche! Überstunden sind ein unbekannter Begriff. Gearbeitet wird von halb acht bis halb zwölf und von zwölf bis vier Uhr. Die Wirkung dieses Systems tritt am besten bei der halbstündigen Mittagspause in Erscheinung. Mit schmutzstarrenden Händen und Gesichtern stürzt alles im Marsch-Marsch-Tempo zur Kantine des Westhafens, wo sogar die Kellner schon vom Fordsystem angesteckt sind. Auf den Tischen befinden sich bereits an den bestimmten Plätzen die bestimmten Gläser und Bestecke. Während die Leute ihre Mahlzeiten hinunterschlingen, haben wir Zeit, ihre Physiognomien zu studieren. Es gibt einen Fordtypus. Wo haben wir doch diese aschgrauen Gesichter, in denen Nase, Kinn und Backenknochen spitz hervorstehen, diese fiebrig starren Augen und nervösen Bewegungen schon gesehen?
Das Essen ist schnell hinuntergeschlungen. Der Rest der Pause reicht gerade, um ein Bedürfnis zu verrichten oder, eine Zigarette rauchend, ins Leere zu starren. Niemand liest eine Zeitung! «Fordleichen», sagen die Arbeiter des Westhafens ...

Was ein Fordarbeiter erzählt

Er war früher in der Neuen Automobil-Gesellschaft, verdiente als Bohrer knappe dreißig Mark die Woche, wurde wegen «Arbeitsmangels» entlassen. Drei viertel Jahre lang lag er draußen, bis es ihm durch einen Bekannten gelang, in das Fordparadies zu schlüpfen. Jetzt ist er im siebenten Himmel! Er hat schon die Schulden abzahlen können, sich einen Anzug angeschafft, Frau und Kinder haben was für den Winter. Man kann sich mal was leisten, jeden Tag ein halbes Pfund Schabefleisch – «aber das muß man auch haben», setzt er hinzu, «sonst hält man den Betrieb nicht aus!»
Früher war er politisch und gewerkschaftlich organisiert, bis vor kurzem noch in der Weyer Union.[3] Jetzt hat er alles verfallen lassen. Zei-

tunglesen besorgt für ihn seine Frau; mit der «Morgenpost» natürlich. «Ich bin zufrieden, wenn ich mich beim Nachhausekommen eine Stunde hinlegen kann!»
Betriebsräte und dergleichen gibt's hier nicht. Einige, die's versucht haben, sind sofort rausgeflogen. Wenn wir mit deutschen Methoden anfangen, zahlt er auch deutsche Löhne, sagt der Direktor.
Auf die Frage, wie lange er das mitzumachen gedenkt, zuckt er die Achsel. «Vorläufig halte ich Stange. Die Arbeitslosigkeit hätte ich auch nicht lange mehr durchgehalten. Aber, Herrgott, ich muß rennen!» – Fort ist er. Im Augenblick hat sich der Saal völlig geleert. Und wie wir sie so davonstürmen sehen, fällt uns ein, wo wir solche Gesichter schon gesehen haben. An der Somme nach dreißigstündigem Trommelfeuer!
Nebenan, an weißgedeckten Tischen, erscheinen jetzt die Angestellten. In sauberen, sogar eleganten Kleidern, aber ein ähnlicher Typ wie die Arbeiter. In den Büros gibt's natürlich kein Fließband. Dafür aber lauter kleine Glaskäfige und eine Arbeitsteilung, die ebenfalls das Letzte an Kraft herausholt. Die Gehälter schwanken zwischen dreihundert und sechshundert Mark.
An der Spitze des Berliner Betriebes steht Generaldirektor Carson, ein Amerikaner; Mitdirektoren sind der Däne Frideriksen und der Deutsche Heine, die aber beide in Detroit ihre Qualifikation zur Fabrikation von Fordwagen und «Fordleichen» erworben haben. Bei diesen Herren ist der Arbeiter nur eine Nummer, die bei Versagen rücksichtslos ausgewechselt wird. Urlaub ist ein unbekannter Begriff, Krankheit bedeutet sofortige Entlassung. Wiedereinstellung erfolgt nur, wenn ein Platz freigeworden. Als infolge einer Betriebsumstellung die Fabrik vierzehn Tage stand, mußte alles aussetzen. Unfälle haben sich bei der Einrichtung sehr viele, bei der zunehmenden Abrichtung der Arbeiter aber immer weniger ereignet. Von den durch Fordschwärmer so viel gepriesenen Fürsorgemaßnahmen ist hier nichts zu spüren. Wer seine vierundvierzig Arbeitsstunden in dieser mörderischen Tretmühle heruntergerissen hat, dürfte auch mehr Neigung zum Schlafen als zum Fußballspielen haben.
Einstellungsalter ist fünfundzwanzig bis fünfunddreißig Jahre. Nach «Verbrauch» des Arbeiters, was je nach der Konstitution drei bis zehn Monate dauert, fliegt dieser aufs Pflaster, dieweil schon neue hereindrängen. Schließlich darf nicht unerwähnt bleiben, daß der amerikanische Autokönig einer der wärmsten Protektoren der deutschen Faschisten ist.

Joseph Roth

So traurig ist keine Straße der Welt

Die Hirtenstraße ist eine Berliner Straße, gemildert durch ostjüdische Einwohner, aber nicht verändert. Keine Straßenbahn durchfährt sie. Kein Autobus. Selten ein Automobil. Immer Lastwagen, Karren, die Plebejer unter den Fahrzeugen. Kleine Gasthäuser stecken in den Mauern. Man geht auf Stufen zu ihnen empor. Auf schmalen, unsauberen, ausgetretenen Stufen. Sie gleichen dem Negativ ausgetretener Absätze. In offenen Hausfluren liegt Unrat. Auch gesammelter, eingekaufter Unrat. Unrat als Handelsobjekt. Altes Zeitungspapier. Zerrissene Strümpfe. Alleinstehende Sohlen. Schnürsenkel. Schürzenbänder.

Die Hirtenstraße ist langweilig vororthaft. Sie hat nicht den Charakter einer Kleinstadtstraße. Sie ist neu, billig, schon verbraucht, Schundware. Eine Gasse aus einem Warenhaus. Aus einem billigen Warenhaus. Sie hat einige blinde Schaufenster. Jüdisches Gebäck, Mohnbeugel, Semmeln, schwarze Brote liegen in den Schaufenstern. Ein Ölkännchen, Fliegenpapier, schwitzendes.

Außerdem gibt es da jüdische Talmudschulen und Bethäuser. Man sieht hebräische Buchstaben. Sie stehen fremd an diesen Mauern. Man sieht hinter halbblinden Fenstern Bücherrücken. Man sieht Juden mit dem Talles unterm Arm. Sie gehen aus dem Bethaus Geschäften entgegen. Man sieht kranke Kinder, alte Frauen.

Der Versuch, diese Berliner langweilige, so gut wie möglich sauber gehaltene Straße in ein Ghetto umzuwandeln, ist immer wieder stark. Immer wieder ist Berlin stärker. Die Einwohner kämpfen einen vergeblichen Kampf. Sie wollen sich breit machen? Berlin drückt sie zusammen.

Ich trete in eine der kleinen Schankwirtschaften. Im Hinterzimmer sitzen ein paar Gäste und warten auf das Mittagessen. Sie tragen die Hüte auf dem Kopf. Die Wirtin steht zwischen Küche und Gaststube. Hinter dem Ladentisch steht der Mann. Er hat einen Bart aus rotem Zwirn. Er ist furchtsam.

Wie sollte er nicht furchtsam sein? Kommt nicht die Polizei in diesen Laden? War sie nicht schon einige Male da? Der Schankwirt reicht mir auf jeden Fall die Hand. Und auf jeden Fall sagt er: «Oh, das ist ein

Gast! Sie sind schon lange nicht dagewesen?» Niemals schadet eine herzliche Begrüßung.
Man trinkt das Nationalgetränk der Juden: Meth. Das ist der Alkohol, an dem sie sich berauschen können. Sie lieben den schweren dunkelbraunen Meth, er ist süß, herb und kräftig.

Manchmal kommt nach Berlin der «Tempel Salomonis». Diesen Tempel hat ein Herr Frohmann aus Drohobycz getreu nach den genauen Angaben der Bibel hergestellt, aus Fichtenholz und Pappmaché und Goldfarbe. Keineswegs aus Cedernholz und echtem Gold wie der große König Salomo.
Frohmann behauptet, er hätte sieben Jahre an diesem Miniaturtempelchen gebaut. Ich glaube es. Einen Tempel wiederaufzubauen, genau nach den Angaben der Bibel, erfordert ebensoviel Zeit wie Liebe.
Man sieht jeden Vorhang, jeden Vorhof, jede kleinste Turmzacke, jedes heilige Gerät. Der Tempel steht auf einem Tisch im Hinterzimmer einer Schenke. Es riecht nach jüdischen zwiebelgefüllten Fischen. Sehr wenige Besucher kommen. Die Alten kennen den Tempel schon und die Jungen wollen nach Palästina, nicht um Tempel, sondern um Landstraßen zu bauen.
Und Frohmann fährt von einem Ghetto zum andern, von Juden zu Juden und zeigt ihnen sein Kunstwerk, Frohmann, Hüter der Tradition und des einzigen großen architektonischen Werkes, das die Juden jemals geschaffen haben und das sie infolgedessen niemals vergessen werden. Ich glaube, daß Frohmann der Ausdruck dieser Sehnsucht ist, der Sehnsucht eines ganzen Volkes. Ich habe einen alten Juden vor dem Miniaturtempel stehen gesehen. Er glich seinen Brüdern, die an der einzig übrig gebliebenen Mauer des zerstörten Tempels in Jerusalem stehen, weinen und beten.

Das Kabarett fand ich zufällig, während ich an einem hellen Abend durch die dunklen Straßen wanderte, durch die Fensterscheiben kleiner Bethäuser blickte, die nichts anderes waren, als simple Verkaufsläden bei Tag und Gotteshäuser des morgens und des abends. So nahe sind den Juden des Ostens Erwerb und Himmel; sie brauchen für ihren Gottesdienst nichts als zehn Erwachsene, das heißt über dreizehn Jahre alte Glaubensgenossen, einen Vorbeter und die Kenntnis der geographischen Lage, um zu wissen, wo Osten ist, der Misrach, die Gegend des heiligen Landes, der Orient, aus dem das Licht kommen soll.

In dieser Gegend wird alles improvisiert: der Tempel durch die Zusammenkunft, der Handel durch das Stehenbleiben in der Straßenmitte. Es ist immer noch der Auszug aus Ägypten, der schon Jahrtausende anhält. Man muß immer auf dem Sprung sein, alles mit sich führen, das Brot und eine Zwiebel in der Tasche, in der anderen die Gebetsriemen. Wer weiß, ob man in der nächsten Stunde nicht schon wieder wandern muß. Auch das Theater entsteht plötzlich.
Jenes, das ich sah, war im Hof eines schmutzigen und alten Gasthofes etabliert. Es war ein viereckiger Lichthof, Gänge und Korridore mit Glasfenstern klebten an seinen Wänden, und enthüllten verschiedene Intimitäten der Häuslichkeit, Betten, Hemden und Eimer. Eine alte, verirrte Linde stand in der Mitte und repräsentierte die Natur. Durch ein paar erleuchtete Fenster sah man das Innere einer rituellen Gasthofküche. Der Dampf stieg aus den kochenden Töpfen, eine dicke Frau schwang einen Löffel, ihre fetten Arme waren halb entblößt. Unmittelbar vor den Fenstern und so, daß es sie zur Hälfte verdeckte, stand ein Podium, von dem aus man direkt in den Flur des Restaurants gelangen konnte. Vor dem Podium saß die Musik, eine Kapelle aus sechs Männern, von denen die Sage ging, daß sie Brüder sind und Söhne des großen Musikers Mendel von Berdyczew, an den sich noch die ältesten Juden aus dem Osten erinnern können und dessen Geigenspiel so herrlich war, daß man es nicht vergessen kann, weder in Littauen, noch in Wolhynien, noch in Galizien.
Die Schauspielertruppe, die hier bald auftreten sollte, nannte sich «Truppe Surokin». Surokin hieß ihr Direktor, Regisseur und Kassierer, ein dicker, glattrasierter Herr aus Kowno, der schon in Amerika gesungen hatte, Vorbeter und Tenor, Synagogen- und Opernheld, verwöhnt, stolz und herablassend, Unternehmer und Kamerad zu gleichen Teilen. Das Publikum saß an kleinen Tischen, aß Brot und Wurst und trank Bier, holte sich Speise und Trank selbst aus dem Restaurant, unterhielt sich, schrie, lachte. Es bestand aus kleinen Kaufleuten und deren Familien, nicht mehr orthodox, sondern «aufgeklärt», wie man im Osten Juden nennt, die sich rasieren lassen (wenn auch nur einmal wöchentlich) und europäische Kleidung tragen. Diese Juden befolgen die religiösen Bräuche mehr aus Pietät als aus religiösem Bedürfnis: sie denken an Gott nur, wenn sie ihn brauchen, und es ist ihr Glück, daß sie ihn ziemlich oft brauchen. Unter ihnen finden sich Zyniker und Abergläubische, aber alle werden in bestimmten Situationen sentimental und in ihrer Gerührtheit rührend. Sie sind in Dingen des Geschäftes rücksichtslos gegeneinander und gegen Frem-

de – und doch braucht man nur an eine bestimmte verborgene Saite zu rühren, um sie opferwillig, gütig und human zu machen. Ja, sie können weinen, besonders in einem solchen Freilufttheater, wie es dieses war.

Die Truppe bestand aus zwei Frauen und drei Männern – und bei dem Versuch zu schildern, wie und was sie auf dem Podium aufgeführt haben, stocke ich. Das ganze Programm war improvisiert. Zuerst trat ein dünner kleiner Mann auf, in seinem Gesicht saß die Nase wie ein Fremdes, sehr Verwundertes; es war eine impertinente, zudringlich fragende und dennoch rührende, lächerliche Nase, eher slawisch als jüdisch, breite Flügel mit einem unvermutet spitzen Ende. Der Mann mit dieser Nase spielte einen «Batlen», einen närrisch-weisen Spaßmacher, er sang alte Lieder und verulkte sie, indem er ihnen überraschende komische widersinnige Pointen anhängte. Dann sangen beide Frauen ein altes Lied, ein Schauspieler erzählte eine humoristische Geschichte von Scholem Alechem, und zum Schluß rezitierte der Herr Direktor Surokin moderne hebräische und jiddische Gedichte lebender und jüngst verstorbener jüdischer Autoren; er sprach die hebräischen Verse und gleich darauf ihre jüdische Übersetzung, und manchmal begann er zwei, drei Strophen leise zu singen, als sänge er so für sich, in seinem Zimmer, und es wurde totenstill, und die kleinen Kaufleute hatten große Augen und stützten das Kinn auf die Faust und man hörte das Rauschen der Linde.

Ich weiß nicht, ob Sie alle die jüdischen Melodien des Ostens kennen und ich will versuchen, Ihnen eine Vorstellung von dieser Musik zu geben. Ich glaube sie am deutlichsten gekennzeichnet zu haben, wenn ich sie bezeichne als eine Mischung von Rußland und Jerusalem, von Volkslied und Psalm. Diese Musik ist synagogal-pathetisch und vollkommen naiv. Der Text scheint, wenn er nur gelesen wird, eine heitere, flotte Musik zu erfordern. Hört man ihn aber gesungen, so ist es ein schmerzliches Lied, das «unter Tränen lächelt». Hat man es einmal gehört, so klingt es wochenlang nach, der Gegensatz war ein scheinbarer, in Wirklichkeit *kann* dieser Text in keiner anderen Melodie gesungen werden. Er lautet:

«Ynter die griene Beimelach
sizzen die Mojschelach, Schlojmelach,
Eugen wie gliehende Keulalach» (Augen wie glühende Kohlen)

Sie sitzen! Sie tummeln sich nicht etwa unter den grünen Bäumen. Tummelten sie sich – dann wäre der Rhythmus dieser Zeilen so flott,

wie er es auf den ersten Blick zu sein scheint. Aber sie tummeln sich nicht, die kleinen Judenknaben.
Ich hörte das alte Lied, das Jerusalem die Stadt singt, so wehmütig, daß ihr Schmerz über ganz Europa weit hinein nach dem Osten weht, über Spanien, Deutschland, Frankreich, Holland, den ganzen bitteren Weg der Juden entlang. Jerusalem singt:

«Kim, kim, Jisruleki I aheim (nach Hause)
in dein teures Land arain ...»

Diesen Sang verstanden alle Kaufleute. Die kleinen Menschen tranken kein Bier und aßen keine Würste mehr.

Herta Zerna

Berlin-Moabit, Rostockerstraße 28

Es ist ein Haus wie tausend andere Häuser, es ist auch nicht «das graue Haus» zum Unterschied von anderen weißen und bunten Häusern, ich habe nur ganz zufällig gerade dieses herausgegriffen aus den vielen anderen Häusern, die ebenso grau sind, ebenso hoch und ebenso alt. Die Wohnungen sind alle gleich: Stube und Küche und Korridor, und die gleichen Möbel stehen darin und alle auf dem gleichen Fleck, so daß man sich, wenn man ein Haus und eine Wohnung kennt, in allen anderen wie im Schlaf zurechtfindet. Nur, daß manchmal zehn Menschen in einer Wohnung hausen und manchmal zwei, manchmal ein Kuhstall auf dem Hofe ist und manchmal ein Pferdestall, manchmal ein Kastanienbaum, der es alle zwei Jahre zum Blühen bringt, und manchmal ein Rotdornstrauch. Aber diese Unterschiede sind nicht groß, und so sind auch die Menschen gleich in diesen Häusern.

Es werden Menschen geboren in dem grauen Haus, aber das geht am geräuschlosesten vor sich. Denn es werden viel Menschen geboren in dem Haus, es fällt nicht sehr auf, wenn ein Kind mehr auf dem Hofe umherkrabbelt, nur rein zufällig zählt einmal jemand nach und sagt: «O, Müllers haben jetzt schon sechs?» Es ist kein freudiges Ereignis in dem Hause, wenn ein Kind geboren wird, denn wieder ist weniger Platz – in der Wohnung, auf dem Hofe. Und wieder ist weniger zu essen. So spricht man nicht viel darüber. Auch der Tod ist geräuschlos in dem Hause: Es verschwindet jemand plötzlich, und eines Tages hört man, er sei gestorben. Dann seufzt man ein wenig, weil sich das so gehört, ist aber doch, wenn auch nicht gerade erfreut, so doch ein wenig erleichtert: «Die arme Frau, es war doch eine rechte Last für sie.» Nur wenn ganz plötzlich jemand stirbt, ein Familienvater von der Arbeit nach Hause gebracht wird, geht für einen Tag ein Schreck durchs Haus: «Morgen geht es dir vielleicht ebenso», und man sammelt für einen Kranz. Aber auch das ist bald vergessen, es hat jeder mit sich zu tun. Nein, Geburt und Tod sind sehr nebensächlich in diesem Hause.

Und doch ist das Leben in diesem Hause nicht das Leben derer, «an denen das Leben vorübergeht», das Leben unnützer, abgestorbener Geschlechter. Bei denen ist Geburt und Tod Hauptsache, Pomp mit

Anzeigen und Reisen und Festen, und dazwischen liegt ein leeres Leben, hier muß das Leben entschädigen dafür, daß es sich zu Beginn böse und verachtend von einem gewandt hat.

Es ist immer Krach in dem Hause, das ist seine hauptsächlichste Lebensäußerung. Wieso soll auch kein Krach sein? Die Männer trinken und die Frauen haben kein Geld, und dann schlägt man sich. Und die Kinder schreien dazu. Auf einem Flur wohnen vier Familien, davon ist in dreien Krach, manchmal abwechselnd, manchmal in allen zugleich. Die vierte gehört zur Heilsarmee. Aber dafür kommen hier noch mehr Kinder; die sitzen, während die Eltern den ganzen Tag singen und beten gehen, noch blasser und verkrüppelter als die anderen auf der Treppe und singen: «Ich bin so froh, mein Jesus liebt mich so.» Über all diese Dinge redet man aber nicht im Hause, die sind alltäglich. Nur wenn der Mann im dritten Stock drei Stunden lang gebrüllt hat, beginnt man sich zu beschweren, schreit über den Hof um Ruhe. Aber dann hat er sowieso bald ausgetobt. Oder wenn eine Frau eine Stunde auf der Treppe gesessen hat und geheult hat, kommt eine Nachbarin, holt sie zu sich herein und kocht ihr einen Topf Kaffee. Oder wenn ein Mädchen, das man hat aufwachsen sehen mit den anderen, mit den anderen in die Fabrik gehen sehen, plötzlich geschminkt und im Auto nach Hause gefahren kommt, tuschelt man ein wenig. Aber dann kommt sie bald gar nicht mehr.

Zwei junge Menschen aber wohnen in dem Haus, die schlagen sich nicht, die trinken nicht. Die wandern sonntags hinaus und träumen davon, daß aus dem grauen Haus ein weißes, helles werden wird.

Erich Gottgetreu

Aufregende Fahrt ins beruhigte Wien

Der Schnellzug Berlin-Budapest hatte in Bodenbach die Nacht hinter sich, in Prag den Morgen, in Brünn beinahe den Mittag. Als die lange Wagenkette endlich gegen vier Uhr nachmittags in Bratislawa einrollte, war die Spannung der Reisenden, die fast sämtlich nach Wien wollten, aufs Höchste gestiegen: wird man durchkommen oder nicht?
Es kam fast keiner durch.
Die streikenden österreichischen Eisenbahner sahen keine Veranlassung, die Strecke von Wien nach Bratislawa, die allerkürzeste bis zur Auslandsgrenze, zu befahren.
Die Hotels der kleinen Stadt sind heute Nacht überfüllt.
Nach langen Bemühungen gelingt es mir, zusammen mit einem englischen Journalisten, ein Auto zu kapern, der Chauffeur verlangt für die siebzig Kilometer lange Strecke einen horrenden Preis, es bleibt nichts anderes übrig, als ihn zu bewilligen – Donnerwetter, was hindert uns denn da an der Abfahrt?
Ein junges Mädchen. Eine Schönheit. Sie spricht tschechisch, uns unverständlich. Junges Mädchen immer Ja, Schönheit immer Ja, aber jetzt wollen, müssen wir doch weg! Der Chauffeur kurbelt an, antwortet nicht, schaltet ein, jene redet weiter, er reagiert nicht, hat die Füße schon auf den Hebeln, wir fahren los – ja, was denn??
Das Mädchen hat sich hinten an den Wagen gehängt, an den Träger geklammert, Gott, wenn der Koffer auf sie fällt – anhalten, Chauffeur, anhalten! Der fährt weiter, zehn Meter noch, uns scheinen's hundert, endlich ziehen wir die Erschöpfte, was sagt sie denn, wir verstehen doch kein Wort!? Die Aufklärung: Der Geliebte arbeitet in Wien, ist Kommunist, sprach empört vom Schattendorfer Prozeß,[1] sicher, sicher hat er mitdemonstriert, sicher ist er tot.

1 Der Freispruch jener Frontkämpfer (Verband ehemaliger Kriegsteilnehmer, reaktionär eingestellt), die am 23. 1. 1927 aus dem Hinterhalt einen Aufmarsch des sozialdemokratischen Schutzbundes in Schattendorf beschossen und dabei einen Kriegsinvaliden und ein Kind tödlich getroffen hatten, löste am 15. Juli einen Protestaufmarsch der Wiener Arbeiterschaft aus: Der Justizpalast wurde in Brand gesteckt, die eingreifende Polizei machte von der Schußwaffe Gebrauch – 89 Tote (85 Arbeiter und 4 Polizisten) und 1100 Verwundete.

«Mit nach Wien!», schreit das Mädchen auf einmal auf Deutsch, «Mit nach Wien!»
Natürlich muß sie mit nach Wien. Der Chauffeur hätte uns gleich sagen können, daß es sich nicht um eine Irre handelt, sondern um eine Liebende, Sorgende. Was hätte passieren können, wenn sie weiter mitgeschleift worden wäre!
Die Schönheit sitzt hinten im Wagen, bequem und weich, weint. Sie sieht nicht, was wir im Fluge des Siebzigkilometertempos aufnehmen: diesen sich in vielen Äußerlichkeiten zeigenden Wechsel zwischen Tschechischem und Österreichischem, die Dreiländerecke und die Grenze bei Berg, das entzückende und furchtbar historisch tuende Städtchen Heimburg, Berge, Berge, rechts die Donau, links, meist genau parallel mit uns, die Schnellbahn, das lustige Dahinschießen so vieler Autos mit Journalisten, die nur ab Preßburg ihre Nachrichten weitergeben können: eine wilde Straße, eine wilde Fahrt. Die Marterln wundern sich, die Madonnen staunen, zartrote Blumen decken sich vor Scham mit Staub.
Heiter wirkt dieses Land in der Sonne und dieses auftauchende Wien im Glast; aber die Schönheit weint. Es floß Blut. Vielleicht auch das ihres Geliebten. Schmerz macht das Mädchen zur Frau. Weint die Frau? Das Knattern des Motors übertönt alles, die Luft trocknet die Tränen, es geht ja alles durcheinander, auch in den Gefühlen, Hoffnung blüht auf.
Wir sind gleich am Ziel. Straßenbahnen fahren schon? Ja, seit heute Mittag. Also ist Ruhe eingetreten. Es gibt auch schon, außer den üblichen Aufrufen an Säulen und Mauern, was Gedrucktes: das Mitteilungsblatt der Sozialdemokratischen Partei. Tausende promenieren in Sonntagskleidern in den Straßen, debattieren in kleinen Gruppen, das kennen wir, das ist das typische Bild des Hinterher. Das Auto folgt dem Strom der Spaziergänger, hält also bald vorm Justizpalast. Hier arbeitet im Innern noch die Feuerwehr. Man hört Krachen. Bläulich kräuseln Brandwolken den Abendhimmel. Das Haus ist nicht «bis auf die Grundmauern niedergebrannt», wie man's morgens und vorabends noch in den reichsdeutschen Blättern las, aber doch ziemlich ausgebrannt. Traurig hängt ein Streif Dachblech von oben herunter, wie eine Fahne, angeschwärzt, der Abendwind entschüttelt ihr eine kleine Blechmusik, fast Gespenstermusik – die Bürger gehen zu Bett, Nacht wird es und Stille um die Ruine. Das war ein Palast?
«So fahrt doch weiter!» ruft, auf deutsch, in unserem Wagen der seltsame Gast. Wohin denn? Die Frau setzt sich neben den Chauffeur,

sagt ihm, wie er fahren soll. Gott, diese Frau! Wo halten wir? Vorm Allgemeinen Krankenhaus. «Wenn irgendwo, so muß er hier liegen...» Das war nicht gesprochen, das war nicht geschluchzt, das war – in der deutschen Sprache fehlt ein Wort.

Jetzt, Bruder Reporter, sollte es auch an uns sein, weich zu werden. Nein?

Wir bleiben draußen.

Und warten.

Warten eine halbe Stunde, warten eine Stunde. Dann gehen wir hinein. Die Frau sucht noch immer. Der Geliebte ist nicht da. Oder ist er doch da? Was liegen in diesem Keller, in diesem «Einsatz», wie seine heute grausigste Abteilung heißt, für unidentifizierbare Leichen auf den Pritschen? Wer ist denn das alles? Wer??

«Genossen, schickt doch den Buben da raus?» «Aber er hat doch eben seinen Vater gefunden ...»

– – – Unsere fand ihren Geliebten noch nicht. Daß ihre Ahnung sie doch trog!

Frauen schreien.

Um Mitternacht wird der Keller geräumt.

Übrig bleibt eine Totenkompanie von 42 Mann, bleibt Blut, bleiben gebrochene Augen, bleibt Elend, bleibt der unbekannte Soldat des Proletariats.

Bleibt Reaktion?

Else Feldmann

Jute in Simmering

Und da stehen diese furchtbaren Gebäude, bei deren Anblick man ähnliche Beklemmung spürt wie beim Anblick von Strafhäusern. Steinkäfig an Steinkäfig, eine lange Reihe. Die übereinanderragenden Schlote, die vom weiten wie ringende Hände aussehen, haben heute keine schwarzen Wolken zu entsenden – es riecht heute nicht nach Rauch, Schweiß und Blut wie sonst, nur nach Jute und Staub; das vergeht wohl nicht so rasch.

Vor den Toren lagert Feiertagsstille. Ernste, schweigsame Menschen halten Wacht. Sie stehen da, obwohl sie wissen, daß es nicht nötig gewesen wäre: in ihren Reihen gibt es keine Verräter. Niemand wird den Streik brechen.

Fünfhundertvierzig Juteweber und -spinner stehen seit fünf Wochen im Streik. Es sind meist Frauen aller Altersstufen, vom vierzehnjährigen schulentlassenen Mädchen, das, klein und schwach, wie zehnjährig aussieht, bis zur Greisin, deren hungergehöhlte Wangen und Schläfen sie zum Gespenst machen, und junge Burschen. Wenn ein Simmeringer Proletarierkind arbeitsloser Eltern die Schule verläßt, hockt sein Schicksal auf der Schwelle der Jutefabrik – zeigt ihm den Weg ins unentrinnbare Dunkel.

Acht Stunden Arbeit – aber ohne Überstunden geht es nicht, sonst gäbe es nicht Margarine aufs Brot und hie und da ein Stück Pferdewurst. Bei Grippe, Spitzenkatarrh und Verkühlungen gibt es keine Schonung – aus Angst, die Arbeit zu verlieren –, es kommen ja immer so viele Junge nach, die vom Hunger getrieben vor die Tore gelaufen kommen, Einlaß begehren; so viele Alte sinken ermattet um, müssen ersetzt werden. In vielen Familien ist der Jugendliche der einzige Ernährer; Vater, älterer Bruder sind arbeitslos, die Mutter, im letzten Stadium der Tuberkulose, hat endlich Ruhe in einem Spitalbett gefunden. Muß es gesagt werden, daß all diese Menschen an ihrer Gesundheit schweren Schaden erlitten haben? Einige Jahre in der Jutefabrik, und die gesündeste Lunge zerfällt. Natürlich fiebern die Kranken, sie schwitzen, sind gereizt, haben erhöhtes Hungergefühl, gesteigerten Geschlechtstrieb; diese Merkmale gehören mit in die Verdammnis der Proletarierkrankheit. Siebzig von Hundert sind krank. Die Fürsorge der Gemeinde hat in Simmering wie in ganz Wien ihre Hilfsstellen, wo die Kranken ärztlich behandelt und beraten werden. Heilstätten stehen zu ihrer Verfügung – aber was nützt es: nach einiger Zeit, kaum ein wenig erholt, müssen sie zurück in die Fabrik – und hier vollenden Staub, Unterernährung und skandalöse Raumverhältnisse das Werk. Die Luftverhältnisse in der Fabrik sind im Winter und Sommer gleich unerträglich. Ein Raum, in dem fast hundert Menschen arbeiten, besitzt nur drei Lüftungsklappen – zwei davon sind verrostet und zerbrochen und können nicht benützt werden, eine einzige Lüftungsklappe sorgt für frischen Luftzutritt für hundert Menschen. Der Staub liegt dicht wie dichtester Nebel, so daß einer den andern nicht sehen kann! Im Sommer helfen sie sich gegen Dunst und Bruthitze, indem sie den Boden mit Wasser besprengen, was dann das Atmen noch quälender macht. Nach Arbeitsschluß hat jeder seine Maschine zu putzen; dies dauert eine halbe Stunde und wird nicht bezahlt. Um diese halbe Stunde für die Akkordarbeit nicht zu verlieren, wagen es viele, während der Arbeit, während der Riemen läuft, die Maschine zu putzen und in Gang zu halten. Da der Rohstoff, den sie zu spinnen und zu weben bekommen, immer schlechter wird, ist es auch nötig, die Maschine häufiger zu putzen. Unfälle sind zahlreich – fast kein Arbeiter, der nicht einmal Verletzungen erhielt, manche haben Finger verloren. Nervenkrisen und Hysterie bei Frauen, die diese schwere Arbeit leisten, sind das Alltägliche.

Und was sie verdienen? – Die Erwachsenen ohne Überstunden 17 Schilling die Woche, mit Überstunden 20 Schilling[1] die Woche. Davon Abzüge für Krankenkasse usw.

Die Jugendlichen ohne Überstunden 12 bis 14 Schilling die Woche, mit Überstunden 13 bis 15 Schilling die Woche.

Für eine Überstunde Jute weben oder spinnen in den oben erwähnten, Gesundheit und Leben gefährdenden Räumen zahlt die Gesellschaft den Erwachsenen 50 Groschen, den Jugendlichen 30 bis 40 Groschen. Im wahrsten Sinne des Wortes Hungerlöhne.

Das Mittagmahl aus der Fabrikküche – meist Suppe und Gemüse –

1 Da die durchschnittliche Monatsmiete für eine Zimmer-Küche-Wohnung 6,30 Schilling und die Lebensmittel für eine vierköpfige Familie pro Monat 159,09 Schilling ausmachten, mußten zu ihrer Deckung 2 Familienmitglieder in Arbeit stehen und Überstunden machen – für Kleidung, Waschmittel u. a. blieben für 4 Personen nur mehr 0,91 Schilling im Monat oder 3 Groschen für einen Tag übrig.

kann sich nur ein Teil von ihnen leisten; die nicht soviel für sich verwenden können, bringen sich Kaffee und Brot mit. Aber viele sitzen während der kurzen Mittagsrast da, ohne zu essen, warten darauf, daß ihnen die Kameraden etwas geben. Eine alte Frau, die Auskehrerin der Fabrik, die mit acht Personen Zimmer und Küche bewohnt und für drei Enkelkinder zu sorgen hat, lebt von Tee und Brot, seit langer Zeit hat sie keine andre Nahrung gehabt.

An warmen Tagen kann man sie um die Mittagszeit alle am Wiesenrand sitzen und Mahlzeit halten sehen, viele haben nur ein Stück Brot und einige nicht einmal das – sie, die Jute spinnen und weben.

Wenn sie *immer* gehungert haben, in diesen Tagen müssen sie *nicht* hungern. Sie erhalten Lebensmittel, die Kinder täglich Milch. Die große Solidarität der gesamten Arbeiterschaft ist mit ihnen, darum werden sie auch in guter, kampfesfreudiger Stimmung bleiben bis zuletzt.

Streiklokal ist das Simmeringer Orpheum. Dort finden sie sich täglich ein – zu belehrenden Vorträgen und zu Musik. Schubert wird ihnen vorgespielt.

«Komm nur mein Hühnchen!» sagte der Fuchs zum Huhn und fraß es auf. – Kommt erst wieder zurück an die Maschinen, sagt die Gesellschaft zu den Jutearbeitern.

Erst erfüllt unsere Forderungen! – Wir wollen weniger hungern, wir wollen den Kollektivvertrag, der uns seit Jahren verweigert wird, wir wollen, daß alle Lüftungsklappen funktionieren, damit unsere Lungen nicht zerfallen, wir wollen besseren Rohstoff, damit wir uns nicht so furchtbar schinden.

Darauf hat ihnen der Herr Generaldirektor Lederer sein Achselzukken und sein Nein zur Antwort gegeben ...

Erik Reger

Entdeckung einer «Exotin»

Es ging auf den Frühling des Jahres 1928 zu. Die Stadt war nach der Aussperrung der Metallarbeiter ruhig.

Das Industriegebiet hieß jetzt «Gigant im Westen», und ein vierdimensionaler Schornstein, den der Kameramann von unten, mit dem Rücken auf der Erde liegend, photographiert hatte, war seine Schutzmarke.

Es war der Inbegriff alles dessen, was eine neue, durch das Erlebnis des Krieges und der Inflation sonderbar geläuterte Menschheit als grandios empfand, abgöttisch liebte und unter verzückten Schauern anbetete. Es wurde nicht mehr gemieden, jedermann suchte persönlichen Kontakt mit ihm; war es möglich, da lag in Deutschland noch ein unbekannter Erdteil? Mit Blitzlicht und Botanisierbüchse zogen die Entdecker aus, die Reisebüros leiteten die Touristenströme hierher, denn die ernährenden Landschaften rangierten jetzt auf einer Stufe mit den ergötzlichen Landschaften, und die Augen der Reisenden, welche die Schönheit der Zechentürme und Hochöfen tranken, waren die gleichen, die die Schönheit der Almen im Hochgebirge getrunken hatten.

Wieder war es, wie ehedem in der «Waffenschmiede des Reiches», die Fassade, an der die Menschen in den Himmel ihrer Träume kletterten, wieder waren es die zackigen Konturen, mit deren Besichtigung sie sich zufrieden gaben. Was ihnen neu und eigenartig vorkam, das hielten sie schon um dessentwillen für wichtig. Die Reisegewandtheit, die sie sich allmählich erworben hatten, reichte aus, um für den eigenen Bedarf ein ungelöstes Geheimnis mit einem zweiten ungelösten Geheimnis zu enthüllen. Ihr Erkundungstrieb verleitete sie dazu, vulgären Gegenständen spezifische Unterschriften zu geben: in jeder Straßenbuddelei erblickten sie ein wirtschaftliches Symptom, in jeder ungeschneuzten Kindernase eine soziale Affäre; kurz, sie waren der Undurchsichtigkeit dieses Landes, das zu belagern und zu umlauern sie keine Geduld hatten, dermaßen ausgeliefert, daß sie eine Phantastik der Fabriklandschaft erfanden, ohne sich bewußt zu werden, welche Konsequenzen diese Erscheinungen hätten nach sich ziehen müssen, wären sie wahr und nicht nur erschaut gewesen.

In den Ohren der einen sangen die Maschinen mystische Chöre, in ihren Augen war der Maschinist der Prototyp eines modernen Parzival; die anderen setzten phantastische Klischeevorstellungen von der «Knochenmühle des Proletariats» und der «Elendskirchweih der Wirtschaft» in Umlauf, die bei allen Vorzügen der Eindeutigkeit und der bequemen Orientierung den Nachteil hatten, nicht stichhaltig zu sein – weder trafen sie allgemein zu, noch erreichten sie an jenen Stellen, aus deren Dunkelheit sie abgeleitet waren, das Grauen und Entsetzen des tatsächlichen Bildes. Die einen wallfahrteten zu den Industriekapitänen, liefen mit Superlativen der Bewunderung hinter Zahlengrößen her und beugten sich vor einem säuberlich auf Flaschen gezogenen Unternehmergeist, ohne je zu bemerken, daß diese Produktivität zu einem erheblichen Teil auf einem Geschenk der Natur beruhte und zum anderen auf einer Taktik, die immer erst einsetzte, nachdem ein Kampf begonnen hatte, somit die Waffen nie aus der Hand gab und den Gebrauch aller Dinge gelernt hatte, mit denen sie umging. Die anderen wallfahrteten zum Proletariat, ließen sich von den Gewerkschaftsbeamten einige Arbeiter vorführen, die entweder auf hochgemuten Intellekt oder auf stumpfe Verzweiflung dressiert waren, entdeckten eine oberflächliche Übereinstimmung mit ihren vorgefaßten Meinungen und rechneten mit Idealen und Gefühlen, statt mit den unverfälschten Tatsachen, die nicht einfarbig und nicht zweifarbig, sondern gefährlich schillernd waren.

Was die einen niederschmetternd fanden, fanden die anderen erhebend. Verstiegen sich die einen zur Verkündung eines «Siedlungsstaats der Arbeiter und Maschinen», eines schweren, ernsten, düsteren Landes, gewißermaßen eines negativen Idylls mit wenig Bäumen, wenig Feldern, wenig Wiesen, und von einer dunklen Strenge –: so beschrieben die anderen inmitten schwarzer, versumpfender Strecken die anheimelnde Flucht grüner Triften und Parks mit jahrhundertealten Eichen, die zu ehemaligen Herrensitzen und Fideikomissen[1] gehörten und Volkserholungsstätten geworden waren – denn der westliche Adel war allezeit agrarisch geblieben und konnte daher jetzt seine Geschäfte mit der Grünflächenpolitik der Industriestädte machen. Aber alle, sie alle wurden von dem Pittoresken angezogen, genau wie die Menschen jener Tage, als die Natur sich in das «Revier» verwandelt hatte und die Maler die ersten Walzwerke malten: ungestüm, abenteu-

1 Ein Vermögensobjekt, zumeist Land- oder Forstgut, das nach dem damaligen deutschen Familienrecht für alle Zeiten unveräußerlich und bei Erbfolge unteilbar im Besitze einer Familie bleibt.

erlich, der Rauch schießt wild zum Himmel, die Arbeiter sind in ungeheurer Aufregung. So war es auch jetzt nichts als der barocke, suggestiv wirkende Begriff von Tempo und Betrieb, der sich mit den Fortschritten der Technik verband.

Alle trafen sich unter dem Zeichen «Gigant im Westen». Wo drei Leute zusammenstanden, da sahen sie schon eine Belegschaft; wo ein Teich war, einen Hafen; wo ein Bach war, einen Kanal; wo eine Straßenbahnweiche war, einen Verkehrsknotenpunkt. Wenn sie eine Brücke in ländlicher Flußgegend auffanden, notierten sie: «Wird täglich von zwanzigtausend Menschen begangen»; und wenn sie halb auf freiem Feld einen gepflasterten Platz mit Rettungsinsel und Bogenlampen sahen, notierten sie: «Hier wird eine Stadt gegründet» –, als ob hier mit jedem Tag die Welt neu erschaffen worden und Städtegründung eine Art Sport gewesen wäre. Nicht nur das wirklich Riesenhafte war riesig, nein, viel mehr noch das Winzige, das Gepreßte, das Vorstädtische, das Größenwahnsinnige. In einer Gegend, wo schon mit bloßem Auge die Wirklichkeit wie durch ein Vergrößerungsglas gesehen wirkte, wandten sie noch ein Doppelprismenfernrohr an. Alles war Masse, alles war Bataillon, alles war *Gigant im Westen.* Bitte, bitte, geben Sie mir doch auch ein Bildchen davon, ich rechne es mir zur Ehre an, mit darauf zu sein.

Es war ein Land von gewaltiger Gegensätzlichkeit und Weitmaschigkeit, wo seit hundert Jahren alles ein Anfang war und in hundert Jahren noch nichts abgeschlossen sein konnte; ein Land, nicht schön, nicht häßlich, bloß nützlich, ein unfleischliches Land, an dem alle Geld verdienen wollten, die einen, um ihr Leben zu fristen, die anderen, um ihr Leben zu genießen, ein Land, das leicht kümmerlich und leicht wertvoll zu machen war. Große, breite, komfortable Verkehrswege neben engen, krummen Geschäftsstraßen. Moderne Landhäuser neben uralten Notbaracken, wo hölzerne Stiegen von außen wie Hühnerleitern zum ersten Stock hinaufführten. Kinopaläste neben Elendsvierteln. Beflaggte Schwimmbäder und Stadien neben betriebsamen Häfen und Kanälen. Blühende Staudengärten neben Aschenbergen. Es war nicht leicht, die großgewordenen Städte zu einer Großstadt zu machen. Es war auch jetzt noch ein planloses, achsenloses, zielloses Durcheinander, eine naive Ansammlung barbarischer Gegensätze, ein von hundert widerspruchsvollen Fluchtlinienfestsetzungen ineinandergeschachteltes Straßendickicht, ein von hundert widerspruchsvollen Ideologien überschwemmtes und von den Heuschreckenschwärmen sogenannter Kulturträger heimgesuchtes Menschenmaterial.

Nirgends sonst saßen die Menschen so dicht zusammen, nirgends sonst lagen so viele Städte von solcher Größe und Wichtigkeit und dabei doch so verschiedenen Antlitzes nebeneinander. Aber nirgendwo sonst waren die Menschen so isoliert in Gruppen, und nirgendwo sonst die Städte einer Provinz so weit entfernt von einer wirtschaftlichen, kulturellen, verwaltungs- und verkehrstechnischen Einheit. Sah man von einer Anhöhe hinab, so schienen nur Ansätze zu Städten dazuliegen; es liefen die alten Landstraßen hindurch, sie liefen weiter durch Siedlungen, bei den Zechen lag es wie Ameisenhaufen, sie strahlten ein paar Nebenstraßen aus, die mitten im Feld abzubrechen schienen – und dann fing es wieder von vorn an, es war kein Strom, es war eine Überflutung.

Georg Schwarz

So wohnen sie im Kohlenpott

Außer den wenigen Paradewerkswohnungen und Kolonien, mit denen die Industrie bei Besichtigungen protzt, um zu zeigen, daß sie sich auch um das Wohl der Arbeiter kümmert, gibt es in endlosen Reihen die unabsehbaren, trostlosen Mietshäuser der Arbeiterviertel. Allzu langsam entstehen die neuen Wohnviertel im Vorgelände der Städte. Die Treuhandstelle für Bergmannswohnstätten und andere Heimstätten-Organisationen bemühen sich um gesunde Wohnungen außerhalb der luft- und sonnenlosen Fabrikstraßen; der Siedlungsverband für den Ruhrkohlenbezirk macht sich um den Bau von modernen Kleinwohnungen außerhalb des Stadtkerns verdient: leider fehlen allen diesen Strebungen ausreichende Mittel. Durch die paar tausend Wohnungen, die jährlich erstehen, wird die Frage von der Speisung der 5000 «Was soll das unter so vielen?» leider nicht so befriedigend gelöst, wie das Jesu mit den Fischen und Broten gelang. Die Zahl der Familien im Ruhrbezirk, die dringend einer neuen Wohnung bedürfen, soll, niedrig geschätzt, an die 600000 sein. Die Einwohnerzahl des Industriegebietes ist eben in den letzten fünfzig Jahren um das Fünffache gestiegen, wogegen sich die Einwohnerschaft Preußens in der gleichen Zeit knapp verdoppelte. Leider sind auch die Mieten in den neu entstehenden, von den Bauvereinen errichteten Wohnvierteln, die die Stadtverwaltungen finanzieren, so hoch, daß kein Arbeiter sie erschwingen kann. Wer vermag einen ganzen Wochenlohn dreinzugeben, um einen Monat zu wohnen? Und so hausen die Kumpels und Metallproleten in den Städten immer noch in den verelendeten, verkommenden Etagenhäusern mit den blinden Scheiben, vor denen vom Fabrikrauch grau verschmutzte Gardinenfragmente hängen. Gerade sie, denen nach der auspowernden Schicht im dunklen Stollen Wohnräume wohl zu gönnen wären, in die nicht nur Sonne, sondern auch der Ozon naheliegender Wälder freien Zutritt hat ...

Der Zuzug der Industriehungrigen aus Polen, aus dem Osten und aus anderen Agrargebieten Deutschlands ließ in den Gründerjahren jene Zechenkolonien entstehen, die heute noch, trotz allem, den Typ für stark Dreiviertel aller Arbeiterwohnungen im Ruhrbezirk darstellen. In diesen Kolonien, die von den Schachtgerüsten der Zechen drohend überschattet werden, sieht ein Haus wie das andere aus. Höchstens

daß der Schweinestall im Hof, das kümmerliche Gärtchen und die kleine Holzbude mit der Tür, aus der ein Herz herausgeschnitten ist, ein wenig Abwechslung in das Ganze bringen.
Das einzige, was schmuck an diesen Wohnstätten ist, ist die recht oft frisch gescheuerte Steintreppe vor dem Haustor. Sie spielt hier die Rolle der Bank vor dem Bauernhaus. Hier sitzen in ihren Freistunden die Bewohner und halten einen Plausch über ihre kleinen und großen Sorgen; über die Winterkartoffeln, die von der Zeche bezogen werden können, über die Qualität des Hausbrandes, das alte Deputatsrecht der Bergleute, und über das Kinderkriegen ...
Dabei ist der Kinderreichtum dieser Leute ohnedies erdrückend, und um so erdrückender, weil er wirklich und wahrhaftig ihr einziger Reichtum ist. In den Höfen, im Straßenstaub, auf den Treppen wimmeln, krabbeln, quärren, plantschen und kreischen diese kleinen Menschenwesen. Es ist dafür gesorgt, daß der Beruf des Bergmanns nicht ausstirbt! Trotzdem es eigentlich überflüssig ist, gerade darauf so über die Maßen viel Fürsorge zu verschwenden, denn es gibt erwachsene Bergmänner schon viel zu viele. Und was einmal aus all den kleinen Bergmannssprößlingen werden soll, das mag der Stahltrust wissen. Sogar dem mag aber manchmal Angst werden vor so reichlichem Rekrutenersatz für seine Erwerbslosen-Armee. Oder denkt er doch noch an eine andere Armee?
Es ist abendlich kühl geworden, und die Einladung, ein Glas Bier mitzutrinken, wird von so vielen Seiten und mit so aufrichtiger selbstverständlicher Gastlichkeit vorgebracht, daß man sie gerne annimmt.
Drei Generationen wohnen in dem Haus, das ursprünglich für eine gedacht war. Und das älteste Mädel der jüngsten Generation sieht so aus, als ob auch sie bald Frauenglück und Frauennot auf sich nehmen müßte. Die schmalen Kammern sind mit vielen Betten vollgeräumt, Schlafburschen hat man in dieser Familie keine, weil von den drei arbeitsfähigen Männern immerhin sogar zwei wirklich Arbeit haben. Es gibt aber auch Haushaltungen, in denen in den Betten umschichtig geschlafen wird. Wenn es mit den Wechselschichten der Männer gerade so paßt, ist sogar auch das noch für den Junggesellen heimeliger und bequemer, als das Hausen in den trostlosen nüchternen Ledigenheimen, die man hier bloß Bullenklöster nennt.
Im täglichen Nahkampf um die nackteste Lebensnotdurft hat das Proletariat noch keine Zeit gehabt, eigene Geschmackskultur zu entwikkeln. Wo Ansätze zu Wohnkomfort zu sehen sind, streben sie nach der falschen, bürgerlichen Seite. Auch meine Gastgeber führen mich

in ihr «gutes» Zimmer, mit dem Umbau-Sofa und dem Vertiko auf Abzahlung, in das Zimmer, das der Illusion eines bürgerlichen Wohlanstandes und der dazugehörigen bürgerlichen Lebenssicherheit dient und sonst kaum einem anderen Zweck.

Was hängt an den Wänden? Ein Bild von Vater Bebel und auf imitierter Ebenholzplatte Lenin, in Neusilber gestanzt, für zwölf Mark auf Stottern. Man hat dem großlinigen Tatarenschädel dabei eine Kartoffelnase verpaßt. Dafür klebt Bebel handtellergroß in der Mitte eines Formats von Küchentischgröße. Rundherum ranken sich – wie sinnig – gepreßte Edelweiß, rote Fähnchen und der Spruch: «Nicht betteln, nicht bitten, nur mutig gestritten! Es kämpft sich nicht schlecht für Freiheit und Recht.»

Warum sollte der Arbeiter, der seine Führer liebt, sich ihre Porträts nicht an die Wand hängen? Obgleich es vielleicht besser wäre, wenn auch hier mit der Heroisierung von Autoritäten Schluß gemacht würde. Was dem einen sein Trotzki, ist dem andern Wilhelm eins oder zwo. Aber warum können es nicht eindrucksvoll klare Drucke sein? Nun, die Geschmacklosigkeit der Fabrikanten hält eben nur mit ihrer Geschäftstüchtigkeit Schritt, und alle diese Hausgreuel sind zu Tausenden und Tausenden vertrieben worden, genau so, wie der nicht minder geschmacklose Haussegen der von frommen Eltern erzogenen Frau, dem auch der anders orientierte Ehemann den Ehrenplatz nicht strittig machen mag oder kann ...

«Und wegen Wohnen haben Sie gesagt, und daß es hier nicht so schön ist wie in dem Herrn Zechendirektor seiner Villa», wandte sich der abgebaute Bergmann, der sich ganz in Hitze geredet hatte, an mich. «Da sollten Sie mal sehen, wie die Leute wohnen, die ihre Miete nicht mehr aufbringen können und die man auf die Straße setzt. Ja, buchstäblich auf die Straße setzt! Und wie die sich dann in Erdlöchern einnisten oder in einem Keller von einem Haus mit Bergschaden, oder wie sie ihre Betten auf dem Trottoir aufschlagen, als wär's noch eine Stube; und Wind und Wetter machen ihnen ihre elenden paar Plünnen kaputt, und die Arbeiterzeitungen müssen oft den Behörden erst die Nase draufstoßen, daß für die Leute was geschehen muß. Und was ist's, was dann für sie geschieht? Sie kommen ins Barackenlager. Und das sehen Sie sich am besten morgen bei Tage selbst mal an, sonst glauben Sie mir doch nicht, daß es so was gibt.»

Und so tat ich denn auch am nächsten Morgen ...

In Frankreich deportiert man Schwerverbrecher in die Hölle von Guayana. Hier ist das Guayana für die erwerbslosen und darum zahlungsunfähigen Mieter. Da Erwerbslosigkeit im Ruhrgebiet ein un-

ausweichliches, unwiderrufliches Fatum ist, hat jede Stadt ihre Teufelsinsel, und all diese Marterstätten sind dicht bevölkert. Ja, man muß sogar noch Miete zahlen, um zugelassen zu werden.
Schon in den Gängen umfängt einen der undefinierbare Gestank, der treue Begleiter der Not. Er legt sich ätzend und hart auf die Brust und erschwert das Atmen. Es sind die Ausdünstungen von über hundert Menschen, die da in einem Bretterkäfig zusammengepfercht sind, Säuglinge und Greise und Kranke und Wöchnerinnen. Ein Koksofen verbreitet übelriechende Wärme, die die Luft spröde und trocken macht. Männer rauchen aus kurzen Mutzpfeifen einen Tabak durchaus unedlen Wachstums. Frauen, mit verhärmten, scharfen Zügen und ins Bittere verzogenen Mundwinkeln, starren wie somnambul ins Leere. Was bleibt einem noch zu hoffen übrig nach jahrelangem Wohnen in einem Raum, der aus der Baracke mit Militärschränken abgeteilt wurde, ohne Fenster, ohne direktes Tageslicht, ohne frische Luft? Dennoch gibt es selbst unter diesen Ärmsten der Armen, die die grausamste Not hier zusammensperrte, noch beneidete Glückliche: jene, die eine Wohnecke am Fenster haben.
Die aus Brettern ineinandergefugten Wände haben Astlöcher, fingerhutgroß oder größer; solche Löcher gibt es viele an den Wänden. In ihnen wimmelt dunkelbraunrotes Leben – unzählbare Wanzen! Die einzigen Genießer in diesen Räumen. Auch an kleinen und kleinsten Kindern herrscht Überfluß. Der Zeugungstrieb des Menschen ist wohl auch dann noch stark, wenn die Lebensbedingungen nicht mehr menschlich sind. Was will Moral, Vernunft, Wohlanstand, wenn als letzte Daseinsfreude nur allein der Geschlechtsgenuß übrigbleibt? Wer ist pharisäisch genug, Maß, Beherrschung, Überlegung zu erwarten? Der Mensch läßt sich in stumpfer Gleichgültigkeit weitertreiben, wenn ihm kein besseres Blickfeld bleibt. Was hinterher kommt, ist Gebären in grauenvoller Not, hinter einem schmutzigen, durchlöcherten Vorhang, in Pestluft, inmitten schweratmender Menschen, die durch die Schreie der sich in Wehen windenden Mütter aus dem Schlaf geweckt werden, ist ein kleiner Sarg, oder ein neues kleines armseliges Menschenwesen, für das kein Brot und kein Raum da ist. Den Kindern, die hier aufwachsen, bleibt keine Qual und kein Schmutz mitleidig verhüllt. Kein Bettchen ist ihnen eigen. Auf Bänken und Kisten bereitet man ihnen allabendlich das Lager. Sie wissen, was das Leben für sie in Bereitschaft hat. Wundert man sich, daß zwischen verzweifelnden Erwachsenen und in so hoffnungslosem Elend Menschen heranwachsen, die für jede Art menschlicher Gesellschaft zur Gefahr zu werden drohen?

Walter Hasenclever

Tageskino

Berlin wird eine Sehenswürdigkeit. Ich kannte es vor zwanzig Jahren, als die lichtdurchflutete Friedrichstadt den Lebenshungrigen verschlang. Hier waren die ersten Kämpfe, die ersten Entscheidungen. Kurt Hiller[1] ließ im Kabarett «Gnu» die jungen Dichter auftreten. Vor schwarzen Vorhängen las Werfel seine frühen Gedichte; die Lasker-Schüler, verzaubert als Prinz von Theben, sprach zwischen bewegten Kerzen. Im damaligen Café des Westens lasen wir stolz und zukunftsgewiß die ersten Verrisse. Es war eine schöne Zeit.
Ich kannte Berlin im Krieg. Die Butterkarte wurde zum Heldengedicht. Für zwei Eier konnte man eine Luxusausgabe eintauschen. Wer, als gemeiner Soldat verkleidet, über die Tauentzienstraße ging, wurde angehalten, weil er unvorschriftsmäßige Handschuhe trug. Das war die große Zeit.
Ich kannte Berlin in der Revolution. Liebknechts Rückkehr, Verschwörung im Salon Cassirer, Spielklubs, Straßengefechte, Kokainrausch.
Ich kannte es in der Inflation, als man für einen Dollar die Siegesallee kaufen konnte. Aber keiner wollte sie haben. Deshalb steht sie heute noch da.
Ich lebe seit Jahren in Paris, habe manches erzählt, was mir dort sehr gefallen hat. Aber wenn ich drei Monate die sanfte Luft der Boulevards geatmet habe, wo die Männer noch Zeit haben, die Frauen zu lieben, bekomme ich plötzlich Sehnsucht nach Berlin. Ich weiß nicht, warum. Ich möchte auf der Brücke in Halensee stehen, die grünen Vorortbäume sehen, den Lindenduft im Grunewald atmen, am Alexanderplatz Zeitungen lesen. Ich möchte fünfzigmal am Tage angerufen werden und keine Nacht schlafen. Schlagt mich tot. Ich liebe Berlin.
Heute war ich in einem Tageskino. Das gibt es. Am Stettiner Bahnhof. Beginn 10 Uhr 30. Parkett kostet 60 Pfennige.
Wer geht, fragen Sie, frühmorgens ins Kino? Wissen Sie etwas vom

1 Kurt Hiller 1885, Berlin, politischer Schriftsteller, versammelte als Gründer des Aktivismus die Autoren des Expressionismus um sich. 1926–33 Präsident der Gruppe revolutionärer Pazifisten. Mußte als Antifaschist und Jude 1934 Deutschland verlassen und kehrte 1955 aus dem Exil zurück.

Stettiner Bahnhof? Natürlich, Sie kennen den Gare du Nord. Begeistert lesen Sie, was der Feuilletonist von fremden Städten berichtet. Kennen Sie eigentlich Berlin?
Invalidenstraße. Hier beginnt eine neue Stadt. Vielmehr es beginnt die alte. Berlin vor vierzig Jahren, überklebt mit modernen Emblemen. Da sind noch dieselben Kellerläden, die gleichen Hinterhöfe, und die nämlichen Frauen stehen an den Ecken. Sämtliche Absteigequartiere mit den Namen der deutschen Provinzstädte laden zum Vorübergehen ein. Eiswagen und Trödlergeschäfte. Mittendrin eine Pferdehandlung.
Wahrhaftig, ein schwindsüchtiger Leierkasten orgelt im Hof unter vergilbten Kastanien. Wäre nicht gegenüber ein Radiogeschäft, schiene die Sonne nicht gleichzeitig auf Autos und Stehbierhallen, die einem vergangenen Jahrhundert angehören, man könnte glauben, diese Straße habe die Zeit verschlafen.
Tageskino. Wer rettet sich um elf Uhr morgens in den Scheintod eines Filmromans? Da sitzen Arbeitslose und Eisenbahnbeamte, Ferienschüler, Obdachlose und Straßenmädchen in billiger Seide. Da tönt Musik, da hängen hungrige Augen an den zufallsreichen Einfällen der Filmindustrie, da wird das wahre Leben gekostet.
Der längliche Raum ist voll. Für sechzig Pfennige rollt auf der Leinwand die Welt vorüber, von der man nur sagen kann, daß sie nicht so ist. Dazu schluchzt die Geige: «Es muß ein Wunderbares sein ums Lieben zweier Seelen ...»
Das muß es wohl. Um elf Uhr morgens. Aktschlüsse nahen, durch Gefühl gestreckt. Manchmal fällt durch den Vorhang ein Sonnenstrahl erbarmungslos auf die Leinwand. Und die Akteure, gespenstig erleuchtet von diesem Licht der Wirklichkeit, das ihr unwahrscheinliches Spiel durchkreuzt, treten einen Augenblick aus dem Reich des Honorars und der Schminke auf die Straße, wo das wahre Leben vorbeigeht ...
Einen Augenblick nur. Es wird wieder dunkel. Meine Nachbarin setzt ihren Hut auf. Der Stettiner Bahnhof, halb Festung, halb Gefängnis, brütet im Mittagsdunst. In Frühstücksstuben schillern Schinken und Sülze. Draußen donnert Berlin.

Max Barthel

Im Eulengebirge

Schömberg[1] ist eine kleine, alte Stadt, und ihre größte Sehenswürdigkeit sind die alten Holzhäuser, die «Zwölf Apostel» heißen. Diese zwölf Apostel sind eine phantastische und romantische Flucht windschiefer Bauten. Das eine Haus, das unser Freund besucht, war von einem arbeitslosen Weber bewohnt. Die einzige Fabrik in der Stadt war stillgelegt. Als sie noch nicht stillgelegt war, verdiente der Mensch – er war in der Blüte seiner Jahre – in der Woche 25 bis 30 Mark.[2] Seine Frau war dreißig Jahre alt. Die Sorge um das tägliche Brot, die Sorge um die drei Kinder hatte sie mürbe gemacht.
Die Abhängigkeit der Weber im Gebirge ist grauenvoll. Der Weber ist abhängig von der Konjunktur. Jede Veränderung der Mode, die Kaufunlust des Marktes, der Kampf um die Zölle und Absatzgebiete, die Konkurrenz neuer Konzerne und neuer Maschinen, das Entstehen gewaltiger Textilzentren in Asien: all das spüren der einfache Weber und die arme Weberin am eigenen Leibe. In jenen Dörfern und Städten da unten liegt meistens nur eine Fabrik oder ein Konzern, und wenn die Fabriktore geschlossen wurden, schließt sich auch automatisch die Tür zum Brotschrank und Kartoffelkeller der Proletarier. Es gibt ja fast keine andere Industrie als Textil und Glas, und so wandern von Jahr zu Jahr immer mehr Weber in das Waldenburger Kohlenrevier ab. Aber auch die Steinkohle kann die willigen Hände nicht alle beschäftigen. Auch die Steinkohle legt viele Gruben still. Und was ist die Steinkohle im Waldenburger Gebiet? Eine Hungerhölle, ein Elendsrevier.
Die Weberfrau im Holzhaus der Apostel antwortete, als man sie befragte, ob sie keine Angst vor einer Feuerbrunst habe: «Nein, wir haben keine Angst. Die zwölf Apostel werden schon ihre Häuser schützen.» Der Weber lächelte über diese Antwort. Er hatte sich schon vor Jahren mit dem irdischen Vertreter des Heiligen Florian bekannt gemacht und das Gebäude gegen Feuer versichert. Die Reisenden lächel-

1 Stadt in Schlesien (Regierungsbezirk Liegnitz)
2 Im Durchschnitt kostete 1929 im Kleinhandel 1 kg Brot 0,41 Reichsmark, 1 kg Kochfleisch 2,40 RM, 1 Ei 0,19 RM und 1 kg Kartoffeln 0,16 RM.

ten auch und fuhren weiter. Sie fuhren nach Landeshut[3], der Kreisstadt, in der sich Textil und Kohle treffen, und wo die Weberin den Bergmann heiratet. Sie bekamen vom zweiten Bürgermeister – er ist ein Genosse – statistisches Material, die Senkbleie grausamer Zahlen, um die Tiefe des Elends auszuloten. Landeshut knapp 14000 Einwohner und etwas über 1100 Schulkinder. Von diesen Kindern kamen 129 ohne Frühstück zur Schule, sie stiegen aus ihren armen Betten, es gab keinen Kaffee, keine Milch, kein Brot, höchstens einen Gutenmorgengruß der Mutter – der Vater war schon auf der Arbeit. Ja, die 129 gingen hungrig zur Schule, falteten die Hände, beteten, lernten Geschichte und Gesang, Rechnen und Physik und wurden nicht satt davon. Von den 1100 hatten 290 nur ein Paar Schuhe, 147 keinen Mantel und beinahe die Hälfte kein eigenes Bett. 34 Kinder hatten nur ein einziges Hemd in der Leinwandstadt Landeshut, und im Winter fehlten 22 Kinder, weil sie keine warme Kleidung besaßen. Auch von Schömberg notierte sich unser Freund einige Zahlen, die alle Kulissen niederrissen und den nackten Jammer zeigten. Die Stadt mit den 12 Aposteln hat 530 Wohnungen. Ein einziger Raum: das war die Mehrzahl der Heime, nämlich 454! In 50 Wohnungen befanden sich kranke Leute, 20 Wohnungen hatten kein Licht, 100 Wohnungen waren feucht. Auch das ist Deutschland: die verlassenen kleinen Städte, in denen das Elend wie ein Sumpf stagniert und keinen Ausweg findet. Und hier, in diesen Dörfern und Städten, wächst die junge Weberin auf, die einmal den jungen Bergmann heiratet. Die junge Weberin sah Sommerschuh an einem frühen Morgen. Vorher hörte er viele Geschichten von ihr. Die Betriebe haben meistens eigene Krankenkassen mit eigenen Ärzten, und Betriebskrankenkasse heißt meistens Arbeit bis zum Zusammenbruch aus Angst vor Entlassung. Auch von einem Portier war die Rede, der die Frauen und Mädchen auf den Leibesumfang hin beobachten und melden mußte. Und diese Fabrik entließ, um die Krankenkasse zu entlasten, ab und zu eine Schwangere. Das Proletariat ist ärmstes Proletariat, und viele Männer und Frauen gehen schon eine halbe Stunde vor Arbeitsbeginn in die Fabriken, um die Maschinen zu richten, um dann, wenn die Sirene ruft, sofort mit der Arbeit beginnen zu können. Die Arbeit ist Akkordarbeit, und Akkord ist Mord, sagt ein alter Arbeiterspruch.

3 Kreisstadt im Regierungsbezirk Breslau im Bereich des Eulengebirges, einer Gebirgskette der Sudeten in Schlesien. Zentrum der Steinkohlen-, Steingut-, Porzellan- und Glasindustrie

Akkord ist Mord, und jeder frühe Morgen schwemmt viele tausend Frauen und Mädchen aus den Arbeiterzügen in die Stadt Landeshut. Sie kommen aus nahen und fernen Dörfern, und wenn die guten Bürger noch schlafen, sind sie schon lange wach und auf dem Wege zur Arbeit, damit die guten Bürger weiterschlafen können. Der Reisende sieht in den noch dämmernden Stunden schöne Mädchen und häßliche Mädchen, verblühte Frauen und blühende Frauen, ein phantastisches Bild: die verschlafene Stadt wird in der halben Stunde von den Frauen und Mädchen erobert. Aber dann erobert die Stadt die Frauen und Mädchen und sperrt ihre eisernen Fabriktormäuler auf. Dann wird nicht mehr gelacht und geplaudert: dann wird gearbeitet, dann krachen die Webstühle, dann klappern die Spulen.

Landeshut lag im Mittelalter an der großen Handelsstraße, die durch die tiefen Wälder von Breslau nach Prag führte. Mit der Tuchmacherei begann das Handwerk in dieser Stadt, aber das Tuch wurde, wie in vielen anderen Städten, schnell durch die Leinwand verdrängt. Schlesische Leinwand war berühmt und eroberte sich die ganze Welt und deckte viele Blößen. Aber die Leineweber an den Stühlen wurden keine reichen Leute. Das Land war arm und steinig, in den gerodeten Flächen wuchs wohl ein wenig Getreide und viel Flachs, aber das Land gehörte den Gutsherrschaften, die kleinen Bauern und die kleinen Handweber waren im Grunde weiter nichts als Leibeigene.

Die Leibeigenschaft, die entsetzliche Armut und der quellende Kinderüberschuß: das waren die drei Hauptströme, aus denen der Reichtum der Gutsherrschaften, der Leinewarenhändler und Kaufleute kam, die Leibeigenschaft, die Armut und die vielen Kinder, das waren aber auch die drei Hauptfesseln, die das arme Volk verschnürten. Auch heute noch sind die Spuren jahrhundertelanger Ausbeutung zu sehen. Ja, die klappernden Handwebestühle spannen viele, viele Jahre das Gold für die Grundherren, die Kaufleute, die Zwischenhändler und auch nur für die Fabrikanten. Im Schatten der Berge saß und schwitzte das Volk. Die Weberaufstände von 1844 mußten erst aufheulen, ehe ein wenig mehr Licht, Freiheit und Brot in die dunklen Hütten kam. Aber bis beinahe in das neue Jahrhundert galt der alte Weberspruch:

Dein Tagwerk beginnt im Morgenrot,
des Mittags iß vergnügt dein Brot,
des Abends denk an deinen Gott,
des Nachts verschlafe deine Not.

Die irdische Korrektur hatte ein unbekannter Mann aus dem Eulengebirge gedichtet:

Hier wird der Mensch langsam gequält,
hier ist die Folterkammer
als Zeugen von dem Jammer!
Hier werden Seufzer viel gezählt.

Nicht nur die längst verhallten Seufzer, die vergossenen Tränen, die erbitterten Flüche, die verzweifelten Gebete waren Seufzer von dem Jammer: jeder Weber und jeder Bergmann ist auch heute noch ein lebendiger Seufzer. Das Proletariat ist Proletariat seit ungefähr 300 Jahren. Zehn Geschlechter haben gesponnen und geschuftet, gebetet und rebelliert. Die schlesischen Weber und die Bergleute im nahen Waldenburg sind im Wuchs zurückgeblieben, sie reichen nicht über das Mittelmaß. Die Kindersterblichkeit ist sehr groß, das elende Glück der Elenden, der Schnaps, muß noch heute den Jammer verklären. Die Wälder ringsum sind schön, die Lüfte vom nahen Gebirge sind berauschend klar, aber die Arbeit an den Stühlen ist Hundearbeit, die auch heute nicht mehr als 20 bis 30 Mark in der Woche einbringt, den Mann von der Frau reißt und ins nahe Grubengebiet wirft, damit die Familie leben kann, wenn man dieses Leben noch als Leben bezeichnen will.

Eine bekannte Berliner Firma hat in Landeshut eine Musterfabrik aufgestellt. An den Fenstern blühen Blumen. Die Arbeitssäle sind licht und sauber. Die jungen Bürgermädchen in der Konfektion verdienen sich ein hübsches Taschengeld, die 150 Weber sind gut entlohnt, aber wie zum Ausgleich läßt die Firma auch in den Bruchbuden arbeiten und holt die Auslagen für die Blumen und für die höheren Löhne dadurch doppelt und dreifach wieder ein.

Das Landeshuter Gewerkschaftshaus heißt «Die Sonne» und ist ein unwürdiger, verwahrloster Bau. Es müßte eigentlich: «Mond von der anderen Seite» heißen und verdiente den Abbruch. Es wird Zeit, daß sich die Arbeiter, die durch ihre Vertreter in den Regierungen sitzen, endlich die Gebäude errichten, die ihrer Kraft und Größe würdig sind. Das notierte sich Sommerschuh und auch das: jeder simple Konzern hat ein schöneres Verwaltungshaus als die geschlossene Arbeiterbewegung in einer großen Stadt.

Am frühen Morgen also fuhren die Kameraden nach Waldenburg hinüber, kamen zuerst in das Randgebiet der Zechen und durch viele

Dörfer, die sozialistische Mehrheiten haben, ließen sich von den Straßenreihen neuer Siedlungen entzücken, sahen hinter sich im goldenen Dunst das Riesengebirge und vor sich die spitzen und runden Berge, die Waldenburg umkränzen. Vor den Bergen aber rauchten die Koksöfen der Gruben. Auch in Rothenbach erlebte Sommerschuh den Jammer der Zeit. Das Dorf hat rund 5 500 Einwohner. Es lebt von der Kohle. Und wie es lebt, notierte sich der Journalist: es gibt hier 1 410 Wohnungen. Einzimmerquartiere sind 430. In den Einzimmerhöhlen, und zwar in 322 leben mehr als sechs Menschen. Die Statistik bezeichnet 180 dieser Quartiere als moralische Fäulnisherde. Die Liebesleute, die Eheleute, die jungen Kinder, die alten Männer, die Schlafburschen, all das wimmelt und lebt, liebt, ißt, haust und hockt eng beieinander. Das Bett oder das Lager auf der nackten Diele wird niemals kalt. Das alles sagt die Statistik und hat damit ihre Schuldigkeit getan. Der Jammer ist registriert. Die Kurve der Moral aufgezeichnet. Es kann so bleiben, wie es ist ...

Der Waldenburger Kreis ist ein dicht besiedelter Industriebezirk. Fast lauter Arbeiter wohnen da. Nur 5 Prozent der Bevölkerung leben von der Landwirtschaft. Über ein Drittel des Gebietes ist bewaldet, die größte Hälfte gehört dem Fürsten Pleß. Neben der Kohle hat sich eine große Textilindustrie angesiedelt. Aber ob nun Kohle gebrochen oder Baumwolle versponnen wird: das Elend der Bergleute und das Elend der Textilproletarier ist grauenvoll. «Mit einer schlechten Wohnung kann man genausogut einen Menschen umbringen wie mit einer Axt», sagte einmal Heinrich Zille: und im Waldenburger Kreis werden viele Menschen durch schlechte Wohnungen ermordet.

In Bochum, der schwarzen Stadt des westfälischen Industriereviers, ist auch Jammer und Elend, aber dort wohnen nur 2,6 Prozent der Arbeiter in den berüchtigten Einzimmerwohnungen, in Weisstein aber dicht bei Waldenburg sind es 44 Prozent und in Oberwaldenburg 48 Prozent! Und wie zum Hohn entfaltet sich eine zauberhafte Landschaft um die schwarzen Dörfer, wie zum Hohn lagert sich das liebliche Bad Salzbrunn dicht an die verrußten Klagemauern der Industrie. Da ist ein Bergarbeiterdorf, das heißt Oberhermsdorf, und sein Ruhm ist der, 58 Prozent aller Proleten in einem einzigen Zimmer wohnen zu lassen. Aber noch mehr Ruhm häuft die Textilgemeinde Zedlitzheide auf ihre schmutzigen Hütten, in denen 78 Prozent aller Familien in einem einzigen Loch leben und sterben.

Dieser Kohlenarbeiter- und Textilproletenkreis hat eine sozialistische Mehrheit und Verwaltung, und der Oskar Schütz, den Sommerschuh in Wüstewaltersdorf besuchte, war hier fünf Jahre Landrat gewesen. Er hat viel getan, der alte Schütz, aber er war allein, und das Budget durfte nicht überschritten werden. Waldenburg müßte allen Hurrapatrioten gezeigt werden, allen Schreiern nach Kolonialland, allen Schwärmern von Deutschlands Herrlichkeit. Sie sollten vier Wochen nur in die heißen Bergwerke einfahren oder vier Wochen nur in den Textilbuden sitzen und in den Einzimmerhöhlen kampieren, sie würden bald still sein und nicht mehr schreien.

Erich Weinert

Waldenburg

Vor einigen Tagen fuhr ich mit dem Zuge von Breslau nach Waldenburg, wo ich in einer Versammlung sprechen sollte.
In meinem Abteil saß ein junger Mann in Forstbeamtenuniform, der auf seinem Schoß ein kleines exotisches Hündchen hielt, das trotz der Wärme erheblich zu frieren schien.
Ich fragte ihn, was dies für ein Hündchen sei, und ob es krank wäre.
«Ja», sagte der Mann, «das ist ein Pekineser. Die sein sehr empfindlich. Ich war beim Tierdukter in Breslau, da muß das Viecherl alle Woche zweemal behandelt werden. Det is ni etwa krank, aber der verträgt halt's Klima ni.»
«Ist das Ihrer?»
«Nee, der is der Fürstin Pleß!»
«Sie sind wohl da angestellt?»
«Ja. – Die Herrschaft hat noch drei Hundel von der Surte.»
«So. Das sind wohl kostbare Tiere?»
«Das Stück tausend Mark. Da fährt die Firschtin perseenlich nach Paris, wenn sie sich eens koofen will. Es sein ihr schon verschiedene krepiert. Die missen immer die richtige Temperatur haben. Die fraßen ock keen gewehnliches Fraß, die kriegen kleengehacktes Hühnerfleisch mit weechen Reis, in Butter. Ja, die kosten ne Stange Geld!»
In Waldenburg suchte ich den Veranstaltungsleiter auf. Er wohnte in einer finsteren Straße, die aus trostlosen, baufälligen Mietskasernen bestand. Die zerfallene Treppe wurde von einem Grabeslichtchen kleiner Gasflammen bedämmert. Von jedem Treppenflur laufen nach beiden Seiten Gänge, wie in einem Zuchthaus, ein Hotel des Todes. Ich suchte die angegebene Zimmernummer 172.
Ich trat in einen düsteren Raum, der viermal acht Meter groß sein mochte. Ein Geruchgemisch schlug mir entgegen von Rauch, Zwiebeln, verpinkelten Strohsäcken, Windeln, Tabak und faulen Dielen. Ich nannte meinen Namen. Der Kumpel, der eben von der Schicht gekommen war, streckte mir müde die Hand hin. Die Frau rührte in einem Suppentopf und sprach gar nichts. Fünf abgerissene bleiche Kinderchen starrten mich an.
«Du bist auch Kumpel?» fragte ich den Mann.
«Ja, schon dreißig Jahr. Ich bin da drunten uff da Hitte.»

«Gehört die auch dem Fürsten?»
«Was geheert dem ni hier im Bergland!»
«Verdienst du gut?»
«Mir kenna ni klag'n. Ich brings uff zweeunddreißig Mark de Wuche.»
«Das ist aber wenig.»
«Na, geh ock! Ich bin ganz gutt bezahlt. Da im obern Stocke haust eena mit seiner Ahlen und zwee Bälgern, der hat Kurzarbeit und bringt's bloß uff neun Mark de Wuche.»
«Wie kann der davon leben?»
«Nu, seine Ahle kucht in der Frihe an Tupp Quetschkartoffeln, die streicht sie ihm halt als Belag uffs Brot. Das is ähm Friehstick, Mittag und Veschper. Daheeme gibt's ooch nischte weiter. Nee, mir kenn ni klagen. Uns geht's noch gutt!»
In einem Stilappartement auf dem fürstlichen Schlosse räkeln sich vier winzige Pekineser, die von Hühnerfleisch, Reis und Butter Sodbrennen haben und alle Woche zum Tierarzt gebracht werden müssen, damit ihre Kostbarkeit der gelangweilten Arbeitgeberin als süßes Spielzeug erhalten bleibe. In einem verpesteten Menschenstall stopfen sich vier tuberkulöse Kreaturen Tag für Tag einen widerlichen Fraß aus Brot und Kartoffelbrei in den Bauch, damit die übersättigte Arbeitgeberin nach Paris reisen und sich mit rührenden Schoßlieblingen versorgen kann.
In der deutschen Republik gibt es eine Verfassung, die man soeben gefeiert hat, und die den schönen Satz enthält: «Die Arbeitskraft steht unter dem besonderen Schutz des Reiches!»

Walter Bauer

Zur Schicht

Zur gleichen Stunde, früh, mittags, zur Schichtzeit, erheben sich einige tausend Männer in Arbeitssachen von Tischen, an denen sie aus groben Töpfen oder henkellosen Tassen etwas getrunken haben, rükken den Stuhl beiseite, nehmen eine Mappe oder stecken das Brot für die Schicht in die Jackentasche und gehen. Von vielen Stellen der Stadt gehen sie aus und rinnen wie Tropfen dem Bahnhof zu. Erst sind sie vereinzelt, dann sind es einige aus benachbarten Straßen, die in gleicher Bewegung und wie in stummem Gehorsam der Station zustreben. Zuletzt ist es ein Strom, der durch die schmalen Türen des Bahnhofes drängt, die Vorplätze überfüllt und Reisende nur widerwillig durchläßt, als wehre er sich, etwas anderes anzuerkennen als die Gleichförmigkeit seiner Bewegung, die Müdigkeit und Unlust, die in den Falten der Augen, in den Sachen sitzt.

Zur gleichen Stunde wie sie alle, die im Sinne eines unverschuldeten Leidens meine Kameraden sind, stehe ich auf, esse wie sie und trinke, schließe mich der großen Kolonne an, ein Tropfen, der für sich allein den Versuch aufgegeben hat, der Gefangenschaft zu entgehen.

Zur gleichen Stunde ... Meine schweigsamen Kameraden, ich fühle wohl, wie wunderbar es ist, daß wir jetzt gemeinsam leiden und daß meine Finsternis ja nur ein Teil der großen Verzweiflung ist, mit der wir unsere ewigen Tage beginnen, – mein ermüdetes Herz ahnt aber den Feiertag der Gerechtigkeit.

Der Zug fährt und gelangt an sein Ziel, das nie ein anderes gewesen ist als die schmale Tür des Werkeinganges. Der Strom stürzt aus den Türen des Zuges, und einen Augenblick sieht es aus, als sei dies die stürmische Vorbereitung zur Eroberung des Werks. – Nichts geschieht. Der Strom quillt durch die Tür, dann zerteilt er sich, ein Fluß von hundert rinnt nach rechts und ein Fluß nach links. Sie tragen keinen Namen, es sind Flüsse von Menschenherzen. Und hier und da und immer mehr fallen ab von dem großen Strom, der in die Straße D einlief.

Ich, der namenlos unter deinen Augen in den Zug einstieg und vom Pförtner bespäht in das Werk kam, weiß, daß auch ich an einem bestimmten Punkte den Strom verlassen muß, in dem ich mich warm und aufgehoben fühlte; ich finde den Weg zu der Maschine.

Und zur gleichen Zeit, in Werkstätten und Bauten und auf Gerüsten begeben sich Männer mit den gleichen Gebärden zur Arbeit, ziehen langsam die Jacken aus, hängen sie auf, legen das Brot in den Kasten und ziehen den Rock an, der wie trockenes Blut die Spuren vergangener Arbeit trägt. Wer sagt, daß es kein Blut sei?
Aber zum Tor gelangt keiner, und noch der letzte biegt kurz davor nach links ab, um sich in die Gefangenschaft des Werks zu begeben.

Kurt Huhn

Der Kalkulator

Der Kalkulator hat's mir angetan. Der Mann, der die Zeit beherrscht. Der für uns die Minuten macht, die für den Betrieb zu Dividenden werden. Dieser kleine Mann mit den funkelnden Brillengläsern, der immer im Hintergrund lebt, brütet unter seiner Glatze das Tempo des Arbeitsganges aus, die Geschwindigkeit des laufenden Bandes.
Dreiundzwanzig Kupfernieten stecke ich in die Bleche des Rotors. Mein Hammer trommelt. Die Nieten haben blanke, runde Glatzköpfe, von denen jeder in hundertfacher Vergrößerung meinem Kalkulator gehören könnte.
Acht Stunden geht das so. Dreiundzwanzig Nieten in die Bleche – weiter – weiter, die Rotoren rollen in den Lötraum. Im Staub, Gestank und Getöse der Arbeit stehen wir, Männer hinter Frauen, Frauen hinter Männern. Alte, junge – Augen brennen, müde vor Erregung. Zähne malmen aufeinander. Fäuste packen fester die Hebel, das Werkzeug. Vor mir knallen die Stanzen. Neben mir singen die Schleifmaschinen. Und dort hinter der Presse glaubt sich unbeobachtet – mein Kalkulator.
Der Transportarbeiter hat's mir zugepfiffen. Mit Stoppuhr und Rechenschieber versucht er ein Attentat auf mein Kräfteverhältnis. Er schielt durch die Speichen des rotierenden Triebrades der Presse. Zu meiner eigenen Gesunderhaltung hatte ich mir erlaubt, den Abort aufzusuchen. Diese unproduktiven Arbeitsgänge will man aber in die kurzen Pausen verlegen. Natürlich kostet das meine Zeit. Ich hätte, wüßte ich nicht, daß er dort hinten stände, versucht, meine Zeit durch ein beschleunigtes Tempo einzubringen. Damit rechnete er die Möglichkeit aus, mir die Minutenzahl zu kürzen. Gleichzeitig treffen sie mich auf einer ganz anderen Seite. Sie versuchen, die Abhängigkeit der Belegschaft, ihr Vertrauen zu mir zu erschüttern. Meine Kollegen wollen sie gegen mich aufbringen, weil ich Unordnung in die Ruhe der Bürogehirne bringe. Die Belegschaft soll mir den Sack in die Hände zwingen. Sie wollen mich unmöglich machen.
Den Kalkulator erwischte ich dabei, daß er aus der Preisliste Seiten entfernte, um neu kalkulieren zu können. Den Paß habe ich ihm verhauen. Die Kollegen faßten nicht eher ihre Arbeit wieder an, bis sich die «verlorengegangenen» Seiten wieder einfanden.

Mein Hammer saust. Mit jedem Hieb ducken sich die Nieten in die Bleche, geben ihnen Halt und Festigkeit. Ich hebe den Rotor gegen das Fenster, messe ihn im Sonnenlicht, das über die Dächer und Schornsteine mit den grauen Rauchschwaden flutet. Wiege prüfend sein Gewicht. In einer bodenlosen Sinnlosigkeit prügle ich dem nächsten Rotor die Nieten ein.

Bis auf den tausendsten Teil der Minute soll der Handgriff immer wieder auf Verbilligungsmöglichkeit geprüft werden. Und der Kalkulator ist da wie ein Regen, den ich nicht am Eindringen in meine zerlöcherten Schuhe hindern kann. Ist er der Ausdruck des Systems, das er vertritt, ist er selbst System? Ist er geborener Haß oder nur anerzogener?

Ein Groll fliegt von mir zu ihm, gegen seine haarlose Hirndecke. Ich nehme mir vor, mich nicht mehr um ihn zu kümmern. Doch er kommt immer wieder, bei der Arbeit, in der Pause. Sei es nur leiblich oder nur visionär: Er ist da. Ich esse ihn mit jedem Happen Brot auf. Soviel ich auch seine Anwesenheit aus meinem Hirn zu radieren suche: Er ist da mit Rechenschieber und Stoppuhr, bestimmt meine Existenz.

Er äfft mich bis in meine Teller Erbsen hinein, den ich zu Hause löffle. So geht es vom Montag zum Samstag, Woche um Woche. Sonntag abend, wo man schon mit halbem Bein in der Werkstatt steht, vergrämt er mir die Freude.

Das Gesicht im rotierenden Schwungrad der Presse starrt unverwandt auf meine Hände. Ich kann das Tempo nicht halten, niet noch wütender, aber unsicher geworden. Der Wochenlohn hängt vom Schwung des Schlages ab. Und dieser Mann stellt mich zwischen meine Familie und die Belegschaft.

Ich kann nicht mehr die Hände rühren. Die Luft schmeckt bitter. Es wird eng in den Arbeitsbänken. Die Buckel der Kollegen runden sich über der Arbeit. Ich möchte einen ansehen. Es scheint, sie haben sich alle versteckt.

Ruhig liegt der Hammer in meiner Hand. Die dreiundzwanzig Nieten warten auf seinen Hieb. Unverwandt läuft ein rotes Rad vor mir. Die Treibriemen klatschen, Laufketten singen, Preßluft heult auf: «Das rote Rad ist unsere Kalkulation!»

Das Gesicht des Kalkulators verzerrt sich in den Speichen zur eckigen Grimasse. Sein trockenes Auge, der stumpfe, düstere Ausdruck wird immer größer.

Kann man denn alles aushalten? Metallstaub zwischen den Zähnen? Das Blut geht aus den Fäusten, Brust und Rücken werden schwer. Die

Haare kleben feucht in der Stirn und – immer billiger, billiger wird der Mensch. Drückt die Kilowattstunde unter seine Muskel.
Mit kaltem Gesicht schiebt sich der Kalkulator an meinen Arbeitsplatz. Sein rasierter roter Nacken kriecht aus den Schultern. Die Augensäcke hängen dick und blau herab. Wir sehen uns in die Augen und lesen dort: Ich oder du!

Willi Bredel

Reichstagswahl

Früh am Morgen schon setzte die Wahlarbeit ein. Sprechchöre zogen von Terrasse zu Terrasse. Radfahrer fuhren mit rotgeschmückten Rädern durch die Straßen. In einem Trupp hatte jeder Fahrer einen großen Buchstaben an der Seite und zusammen ergab das den Aufruf: WÄHLT KOMMUNISTEN. Über die ganze Rosenhofstraße hingen rote Transparente mit der Aufschrift: Wählt Sozialdemokraten! Ähnliche Aufforderungen hingen aus den Fenstern und auf den Balkonen. Dazwischen aber leuchteten knallrote Fahnen und Aufforderungen zur Wahl der KPD. Auf einem Balkon stand sogar ein großer Panzerkreuzer mit dem Schriftsatz dazu: «Wer Kinderspeisung statt Panzerkreuzer will, muß Liste 1, Sozialdemokraten, wählen.»

Kurz vor Mittag setzte dann der richtige Wahlbetrieb ein. Die Wähler standen vor den Wahllokalen Schlange. Lastautos mit den verschiedensten Parteianhängern fuhren durch die Straßen. Die Insassen sangen oder schrien im Sprechchor Parolen. Einmal kam eine ganze Lastautokarawane mit uniformierten Reichsbannermitgliedern durch die Rosenhofstraße. –

Etwas nach elf Uhr fand sich Fritz im Agitationslokal der Partei ein. Einige Genossen organisierten hier Propagandatrupps. Zwei Trupps hatten geliehene Sprechapparate. Die Platten mit Reden von Reichstagsabgeordneten wurden unter ihnen verteilt. Fritz sollte kontrollieren, ob vor jedem Wahllokal Standartenträger standen und ob sie pünktlich abgelöst wurden. Als er auf die Straße trat, fuhr gerade ein Lastauto mit Nazis vorbei. Zwei riesige Hakenkreuzfahnen flatterten vom Wagen. Junge, blasierte Bourgeoissöhne brüllten im Chor: «Nieder mit den Marxisten, wählt Nationalsozialisten!»

Die Antwort der Rosenhofstraße hieß: «Nazi verrecke!» – – –

Inzwischen setzte der Schlepperdienst ein. Arbeiter gingen von Haus zu Haus, von Tür zu Tür und forderten die Säumigen auf, noch zur Wahl zu gehen. Einige brachten alte, gebrechliche Proletarier am Arm ins Wahllokal. Die Werber der bürgerlichen Parteien fuhren zu gleichem Zweck mit gemieteten Autos umher.

In den Abendstunden wogten riesige Menschenmassen durch die Straßen. Alle öffentlichen Lokale im Innern der Stadt waren überfüllt und polizeilich gesperrt. Eine fiebernde Unruhe, eine gespannte Erwar-

tung lag über den Hunderttausenden. Bald sollten die ersten Resultate kommen. –
Fritz inspizierte bald dieses, bald jenes Lokal. Trotzdem ihm die Glieder vor Müdigkeit schwer am Körper hingen, fieberte er vor Ungeduld. Etwas vor 7 Uhr wußte man die ersten Teilresultate, und bald darauf lag auch das Endresultat für die Rosenhofstraße vor. Fritz und die Genossen gebärdeten sich wie toll, faßten sich an, hüpften wie Indianer herum, lachten und schrien. Die KPD war in den vier Lokalen der Rosenhofstraße die stärkste Partei. Die Rosenhofstraße hatte rot gewählt. Die Sozialdemokratie, bisher die weitaus stärkste Partei, war auf den zweiten Platz gedrängt. Die Nazis hatten in der Rosenhofstraße auch gewonnen, aber nicht erschütternd. Die kommunistische Stimmenzahl hatte sich, gemessen an der vorigen Reichstagswahl, verdreifacht. Übermütig vom Siegesjubel zogen die Genossen gemeinsam zum Lessingplatz. Dort stauten sich bis in die umliegenden Straßen hinein die Menschenmassen. Vor dem Zeitungshaus der Generalanzeiger-Presse war ein Lichtbild-Projektionsapparat aufgestellt, der die Resultate auf eine provisorisch an der Hausfront befestigte Leinwand werfen sollte.
Vor der Großschlachterei Roderich war der Treffpunkt der Genossen. Man drängte sich durch die Menschenmassen dorthin. Aus der einen Ecke des Platzes schrien die Nazis: «Deutschland erwache!» und als Antwort darauf kam aus der Gegend der Großschlachterei der Ruf: «Heil Moskau!» Die Sozialistische Arbeiterjugend und die Roten Falken standen mit ihren Wimpeln in der Mitte des Platzes und sangen: «Wann wir schreiten Seit' an Seit'!» Es war eine dauernde Unruhe auf dem Platz. Das Sturmband unterm Kinn standen mehrere Hundertschaften Sipo rund um den Platz. – – –
Da erschienen die ersten Resultate auf der Leinwand und ein murmelnden «Aaaooh» ging durch die Menschenreihen. Es waren die Ergebnisse aus einigen unbedeutenden ländlichen Gebieten, aber sie wurden mit gieriger Aufmerksamkeit aufgenommen. Ein brüllendes «Heil Hitler!» und «Deutschland erwache!» dröhnte über den Platz. Neue Resultate kamen. Die sozialdemokratischen Zahlen schrumpften zusammen, die nationalsozialistischen blähten sich auf. Und immer wieder donnerten Heilrufe über den Platz.
Die Genossen waren erst bestürzt. Nicht einmal das Resultat der Rosenhofstraße konnte sie aufmuntern. In ohnmächtiger Wut wurden die Ziffern der Nazis betrachtet, denen man zunächst einfach verständnislos gegenüberstand.

«Was sind das für Stimmen?» fragte der Schauermann.
«Alle die, die nicht wissen, was sie woll'n!» rief ein anderer.
«Mittelstand!» antwortete Fritz.
Dann kam das vorläufige Stadtresultat. Die Nazis folgten als drittstärkste Partei den Kommunisten auf dem Fuß. Die Sozialdemokratie hatte unheimlich verloren, war aber immer noch die stärkste Partei.
«Tatsächlich, verstehst Du das mit den Nazis?» fragte einer den Schauermann. Der brummte etwas Unverständliches.
«Die Rosenhofstraße aber steht so!» brüstete sich Heuberger.
«Was müssen das in den anderen Straßenzellen bloß für Scheißkerle sein!» polterte der Schauermann heraus.
Dann aber gab's einen Umschwung in der Stimmung auf dem Platz. Resultate aus den Industriegebieten wurden bekanntgegeben. Ruhrstädte, Mitteldeutschland, Schlesien, Sachsen. An vielen Orten war die Kommunistische Partei die stärkste Partei geworden. Es klangen Rot-Front-Rufe über den Platz, jedes neue Resultat wurde mit «Heil Moskau» begrüßt.
Plötzlich verstummte alles und eine ungeheure Spannung lag über den Menschen. Gleich sollten die ersten Resultate aus Berlin bekanntgegeben werden. Keiner getraute sich, laut zu sprechen. Alle blickten wie hypnotisiert auf das Stück weiße Leinwand. Dann kamen die Teil-Resultate aus der Reichshauptstadt und zugleich setzte ein orkanartiges Jubelgebrüll ein, das überhaupt nicht mehr abzureißen schien. Die Kommunisten waren allen anderen Parteien an Stimmenzahl weit voraus.[1] Johlen, Klatschen, Rot-Front-Rufe, Gesang, ein ungeheurer Jubel raste über den Platz. Einige Nazis schrien immer wieder: «Nieder mit dem Marxismus!»
Plötzlich setzten einige Arbeiter mit dem Gesang der «Internationale» ein und dann brauste der Gesang aus tausenden Arbeiterkehlen über den Platz. – – –
Spät in der Nacht gingen Fritz und Pohl heim.
«Was sagst Du nun zu dem Ergebnis?» fragte Fritz.
«Ich finde, es bedeutet ..., na ...»
«Bürgerkrieg! Natürlich!» ergänzte Fritz. «Die Klassenfronten schälen sich klar heraus!»

1 Die Wahlen zum Reichstag am 14. September 1930 führten im Wahlbezirk Berlin-Stadt zu den folgenden Abstimmungsergebnissen:
KPD 33,0 % = 408646 Wählerstimmen, SPD 28,0 % = 346019, NSDAP 12,8 % = 158257, Deutschnationale Volkspartei 11,7 % = 145032

Fred Frank

In Fricks Weimar

Man fährt nach Weimar mit Spannung, mit Unruhe, mit Neugierde. Der Bahnhof empfängt einen. Es riecht nach Kleinstadt, untermischt mit der eigentümlichen Betriebsamkeit einer wohlfundierten und gesicherten Fremdenindustrie. Vor dem Bahnhof werden Flugblätter verteilt. «Aha», denkt man sich und besieht sich den Agitator auf eine gewisse Ähnlichkeit mit Frick[1], Hitler oder Goebbels. Nichts von alledem. Ein frischer, junger Mensch – die Flugblätter sind von einer sozialistischen Kulturorganisation, gegen Frick.
Die Straße hinunter, die nach Alt-Weimar führt. Schöne, gepflegte Villen. In einer von ihnen ist das thüringische Wirtschaftsministerium untergebracht. Daneben stinkt es infernalisch nach Rostbratwürsten. Gasthöfe mit patriotischen Namen: ganze Herzogsdynastien sind auf diese Weise «verewigt». Über einen großen, imposanten Platz, der irgendwie, ganz unberechtigterweise, an Freilichtspiele gemahnt, in das eigentliche Weimar. Über eine Brücke, unter der eine Straße mit vielen kleinen Häusern sich dahinlangweilt. In den Straßen «Hoflieferanten», en gros und en detail. Modegeschäfte, die den gewählten Weimarer Geschmack verraten, frisch importiert aus der Berliner Konfektion. Auch «altdeutsche» Kleidung, von der Weimarer nationalen Bewegung gefördert und gekauft, hergestellt irgendwo von hungernden Arbeitern, die entlohnt werden mit Darbpfennigen von Fabrikanten, die Hitler unterstützen – nach Weimar vermittelt durch Krotoschiner & Co.
Die Hofbuchhandlung, ein großer Buchladen, viele völkische Schriften – völkische, nicht nationalsozialistische. Schiller und Goethe sind traditionell, nur kaufen tut sie keiner. Im Mittelpunkt des Schaufensters die gesammelten Werke von Sigmund Freud! Soll das etwa Beweis dafür sein, daß Fricks Bekämpfung der §-218-Stücke, seine Anti-

1 Wilhelm Frick, nationalsozialistischer Politiker, war seit 1924 MdR und von 1928–33 Innenminister von Thüringen (erster nationalsozialistischer Minister), von 1933–43 Reichsinnenminister, danach Reichsprotektor von Böhmen und Mähren. Als einer der Hauptangeklagten im Nürnberger Prozeß wurde er zum Tode verurteilt und 1946 hingerichtet.

Jazz-Gesinnung in Weimar tiefer zu erklären versucht wird? Oder will Frick vielleicht Propaganda gegen den «jüdischen Geist» machen, indem er ihn durch Freud «entlarvt»? In Weimar wird jedenfalls Freud mehr gelesen als alles andere, und vor dem Hause der Frau von Stein – im ersten Stock hängt rotkarierte Bettwäsche heraus – steht eine Gruppe von Pensionsglucken, die Komplex-Eier ausbrüten. Deutschland erwache ...

Und Frickens Jazz? Meine statistischen Neigungen kamen mir zustatten. Noch nie wurden in Weimar so viele moderne Schlager gesungen, wie in den letzten Monaten. Die Humorlosigkeit des Volksbildungsministers, seine – mit demütigem, republikanischem Augenaufschlag nach dem Republikschutzgesetz zu konstatierende – Ahnungslosigkeit über musikalische Dinge und Probleme der Volkspsyche, haben Frick und seinen Beratern einen bösen Streich gespielt. Vor dem Nationaltheater hörte ich (alle Angaben können durch eidesstattliche Versicherung und durch die Bekundungen von unzweifelhaft rassereinen Zeugen bestätigt werden): «Ich hab kein Auto, ich hab kein Rittergut ...» Man möchte glauben, daß die blonden deutschen Mädchen, die das sangen, dem Liede einen Refrain anfügten, in dem anerkennend des Nationaltheaters gedacht würde. Es war dem aber nicht so.

Die ganze moderne Schlagerproduktion, Herstellungsort die jüdischen Kaffeehäuser der Wiener Leopoldstadt und die Berliner rassereine Konfektion, wird von den Weimaranern mit Begeisterung und innerer Hingabe gesungen. Selbst Recken mit Hakenkreuz im Hirn und auf dem Heldenbusen singen mit dröhnender Stimme Neger-Jazz in den Gartenanlagen, die nach Ilmenau führen.

Es gibt in Weimar nur ein Lokal, das als Vergnügungsladen großstädtisch anmutet. Mit aller Anerkennung muß ich bemerken, daß in ihm auch die Nationalsozialistische Arbeiterpartei vertreten war. Drei Hitlers saßen in einer Nische, dachten an Wotan und das Dritte Reich und lauschten im übrigen andächtig Negermelodien. Auch so etwas wie ein Brettl-Programm gab es. Ein Sketch, der in immerhin anerkennenswerter Weise mit erfreulicher Ausführlichkeit und unverblümter Eindeutigkeit das Thema «Hochzeitsnacht» auswalzte. Dann gab es noch eine Szene um den «keuschen Joseph». Auch die ist offensichtlich in den nationalsozialistischen Richtlinien über Kulturfragen kaum durch eine Ausnahmeverfügung toleriert worden. Aber die Wirtschaftspartei, die in ihr organisierten Gastwirte, Kaffeehausbesitzer und Budiker haben energisch gegen die praktische Verwirklichung der Frickschen Külzerei[2] protestiert, weil bei Anti-Jazz und Anti-Zoterei ihr Wein-, Bier-, Schnaps- und Kaffeegeschäft nicht florieren kann. Da man die Gastronomen für ausgezeichnete Kenner der Volkspsyche halten darf, ist das Ergebnis ihrer Betrachtungen über die Zweckmäßigkeit der Frickschen Verfügungen nicht sehr hoffnungsvoll für die Zukunftsaussichten der nationalsozialistischen Zielsetzungen.

Auf einer der kleinen, engen, romantisch-stilechten, aus der Goethezeit stammenden Gassen, in denen fürchterliches Elend herrscht, frage ich ein altes Mütterchen: «Sagen Sie mal, wo ist denn eigentlich Goethes Gartenhaus?» Sie gibt Auskunft. Ich frage weiter: «Wie laufe ich zu dem Volksbildungsministerium?» «Meinen Sie zu dem Frick? – Ich weiß es nicht.» «Eine letzte Frage, liebe Frau, wo geht der Weg zum Volkshaus?» Die Frau sieht mich mit großen, freudig verwunderten Augen an. «Zum Volkshaus? Warten Sie mal, ich bringe Sie hin, damit Sie den Weg nicht verfehlen!»

Das Volkshaus ist ein stattlicher, moderner Bau. Er unterscheidet sich von ähnlichen Einrichtungen in anderen Städten durch die Tatsache, daß er nicht von Kunstreaktionären in der geschmackwidrigsten Weise eingerichtet wurde. In ihm halten Sozialdemokraten, Kommunisten und Brandlerleute ihre Veranstaltungen ab, ohne daß man etwas von Zwischenfällen oder gereizter Stimmung vernimmt. Dafür wird viel Skat geklopft. Das stellt sozusagen die «ideologische» Linie zu den Volkshäusern anderer Städte her.

Ich finde mich dann doch zu dem Gebäude, in dem der Beauftragte der Hitler-Partei als erster deutscher Innenminister der Nationalsozialisten residiert. Vorne ist Reichswehr untergebracht, dazu gehört ein Pferdestall, der wenig lieblich duftet, hinten sitzt Frick. An der Ecke irgendein «Hof»-Handwerker und eine Berliner Möbelabzahlungsfirma von so herrlicher Namenszusammenstellung, daß ich Scheu habe, sie wiederzugeben; der Leser könnte sie für erfunden halten. Vielleicht hat sogar Herr Frick ausdrücklich verfügt, daß der Firma dieser Raum abvermietet wird, um immer beim Erwachen daran denken zu können, daß die anderen rechtzeitig genug – ratenweise – verrecken. Ob das auf Gegenseitigkeit beruht?

2 Wilhelm Külz, 1875–1948, wurde 1920 als Mitglied der Deutschen Demokratischen Partei in den Reichstag gewählt und war von 1926–27 Reichsinnenminister. In dieser Zeit setzte er das vielumstrittene Zensurgesetz gegen «Schmutz und Schund» durch.

Interessant die Gartenanlagen um Weimar. Trotz aller Stigmen, die die Fremdenindustrie ihnen aufgedrückt hat, herrlich in ihrer stillen Versunkenheit und in ihrer Ruhe. Gepflegte Wege, geschonter Rasen, viele Sitzgelegenheiten. In Weimar sieht man ungezählte evangelische Schwestern, fast alle über fünfundsiebzig, die schwanken langsam, mühsam, zittrig mit ihren zerbrechlichen, abgezehrten, ausgetrockneten Körpern in den Parkanlagen. Sitzen und sinnieren, leben in einer Welt, die nicht mehr ist, vielleicht nie und nirgends war, außer in Weimar, der Stadt mit einer klassischen Tradition, die nicht anfeuernd und schöpferisch, sondern niederdrückend steril wirkt.

Das Weimarer gesättigte Bürgertum, ständiger Besucher des Nationaltheaters, der Kinos und der vielen Bierkneipen, ist konservativ, von Nationalsozialismus aber keine Spur, einem wirklichen, fanatischen Nationalismus ganz abgeneigt. Man ist zu stolz auf Goethe und Schiller, als daß man es für notwendig hält, nationales Minderwertigkeitsbewußtsein durch Chauvinismus überzukompensieren. Man ist stolz, aus der Inflation ungeschröpft herausgekommen zu sein. Mitleid mit den Opfern dieses «Naturereignisses» ist auf die Dauer langweilig und – kostspielig. So kamen die Hunderte Schwestern, die alten Erbonkel, die durch die Inflation enteignet wurden, eine Unmenge von alten Jungfern beiderlei Geschlechts zu den Nazis. «Die werden es schaffen ...!» Die Brüder und Neffen, die Deutsche Volkspartei oder deutschnational wählen, haben sie so oft abgewiesen, wenn würdig-familiäre Almosenschnorrerei versucht wurde, daß eben protestiert werden muß gegen sie, gegen ihre Parteien.

Sieht man sich das Weimarer Gesellschaftsleben an, studiert man diese eigentümliche Mischung aus Prüderie und Vorkriegsliberalismus, aus Tradition und altväterlicher, lebensfroher Gemütlichkeit, so kann man verstehen, daß ein verhältnismäßig großer Teil der Hitler-Anhängerschaft in Weimar aus jungen Mädchen besteht, aus jungen Mädchen von vierzehn bis vierunddreißig. Auch die wollen protestieren und kämpfen. Die Nazis geben ihnen aber auch die Möglichkeit, gelegentlich aus der «guten Gesellschaft» zu fliehen, in Veranstaltungen, Gruppenabende, Ausflüge in die einsamen Wälder. Die jungen Frauen des Weimarer Bürgertums sind so beengt und versklavt durch «gute» Manieren, daß sie einfach glücklich darüber sind, daß die Hitler-Bewegung robust und ungeziert ist. Die Uniformierung, das Geheimnisvolle, die Lust an der Prügelei und an sonstigem Einsatz der körperlichen Gewalt bieten Hauptanziehungspunkte für die oppositionellen jungen Damen von Alt-Weimar.

Und die vielen jungen Söhne des Bürgertums? Geplagt von reaktionären, lebensfremden, gehässig-kleinlichen Gymnasialpaukern (Parteiangehörigkeit: Deutsche Volkspartei!), bedeutete für sie das «neue Regime» tatsächlich eine Hoffnung und eine Aussicht. Durch nichts wurde Frick so populär und beliebt bei ihnen, wie durch die Maßregelung eines der Deutschen Volkspartei angehörenden Gymnasialdirektors! Frick und sein Regime nimmt die Jugend ernst, verteufelt ernst. Sünden der Arbeiterbewegung, ihr altangestammtes Mißtrauen gegen Intellektuelle und vieles andere rächen sich jetzt.

Fricks Weimar? Mit Verlaub gesagt: es ist eine Übertreibung! Frick residiert in Weimar, stimmt. Er macht verschiedenes, was uns ärgert, was auch gefährlich ist. Er ist aber kaum der Exponent eines Geistes, dem die Mehrheit Weimars unterlegen ist. (Die in Weimar meistgelesensten Zeitungen sind – Ullsteinblätter!) Will man seine Bedeutung und Gefährlichkeit beurteilen, darf man nicht nur an die großen Worte Fricks, sondern muß auch an die kleinen Verhältnisse Weimars denken, in dem allerdings die Hitler-Bewegung – und das ist die Gefahr – eine Bewegung ist, die sich heute auf große Teile der Jugend stützen kann!

Walther von Hollander

Wohin geht die Straße?

Die Straße geht, wie jeder in zwanzig Minuten feststellen kann, vom Kanal bis zur Sandsteinkirche. Der Kanal ist träge, trübe, überschattet von Kastanien, durchfahren von schweren Kohlenkähnen, von bunten Obstzillen, hellen Vergnügungsdampfern und weißen Paddlern auf der Wanderfahrt von den östlichen Berliner Seen zu den westlichen.

Wenn im Sommer die Gewitterregen über die Stadt herfallen oder die Sturzregen im Frühling oder die Landregen im Herbst, dann kommen im Kanal Fische in Scharen an die Oberfläche. Mit weißen Bäuchen schwimmen sie – tot –, treiben sie mit Blatt und Holz und Unrat stromab. Das macht, weil mit dem Regenwasser der Dreck aus den unterirdischen Adern der Stadt in den Kanal gedrückt wird und alle Lebewesen im Wasser erstickt. Neulich suchte sich eine Prozession kleiner amerikanischer Krebse an den glatten Mauerwänden herauf vor dem Schmutz ins Freie zu retten. Einige kamen nach oben. Sie landeten in den Taschen und Kochtöpfen fixer Berliner. Soweit der Kanal.

Die Kirche, zum Gedächtnis eines Kaisers und zu Ehren Gottes errichtet, ist jetzt der Mittelpunkt der Vergnügungsstadt. Sie steht würdig in einer Schar von Kinos und Caféhäusern und bekommt von den Lichtreklamen den wilden und falschen Glanz einer Theaterkulisse.

Die Straße geht vom Kanal zur Kirche. Sie geht auch quer durch die ersten dreißig Jahre unseres turbulenten Jahrhunderts. Man kann alles wiederfinden, was wir hinter uns gebracht haben. Jedes Jahr oder wenigstens jedes Jahrfünft hat sich sein Denkmal gesetzt, sein Haus, sein Restaurant, seinen Laden gebaut, und manchmal findet man Haus, Restaurant und Laden in einem Stück, findet man zwei, drei Jahrfünfte auf ein Gebäude zusammengedrängt.

Die Entwicklung unserer Straße ist nicht so ordentlich gewesen, wie der Wissenschaftler das gern hat. Man kann sie auch nicht Stück nach Stück aufspüren, sondern eher kann man sich in das Vergangene zurückdenken, in der Art, wie man bei unordentlichen Leuten auf einem Tischtuch das gegessene Menu zurücklesen kann. Ein Restchen hier, ein Kleckschen dort, und ein Saucensee mitten auf dem Tisch, mit einer Schüssel darübergestellt, damit man es nicht so genau sieht. Ja – so ist diese Straße.

Vorne zum Beispiel sehen Sie ein vierstöckiges Miethaus in vergröbertem Villenstil, mit übermäßig breitem Portal, gewaltiger schmiedeeiserner Gartenpforte, riesigen Fenstern ins Grüne des Tiergartens oder des Zoo, nach der Seite, wo die Dienstboten und Kinder schlafen, gibt es keine Aussicht, keine Sonne und winzige Fenster und hinten, hinter den Brandmauern, verkümmern die alten Patriziergärten mit großen Birken, Kastanien und Linden, mit seltenen Eiben, Zypressen und Kugelbuchsbäumen, auf denen meterlange Triebe wachsen, wie Bartstoppeln bei einem Langenichtrasierten. Man findet auch regenverwaschene Büsten, Lessing bevorzugt, Apoll gerne gesehen, und ab und zu den frivolen Wunschtraum eines längstverstorbenen Hausherrn: Venus Kallipygos. Es gibt Tuffsteingrotten, längst vermorscht, Lattenlauben, längst verfallen, eine Pergola verrostet, überwuchert oder ganz kahl.

Das alles hatten die Villenbesitzer von 1900 für die Ewigkeit hingesetzt, für die Enkel gepflanzt. Aber schon ihre Kinder wurden fortgeschwemmt, nach Osten über den Kanal weg in die Armut oder nach Westen über die Kirche weg in die Gartenstädte, in den Reichtum. Eine einzige Villa mit großem Garten und wohlgepflegten Rasenplätzen, mit Blumen, die jedes Jahr durch neue ersetzt werden müssen, weil die Pflanzen unter den Benzingasen ersticken, zeigt den Stil von damals neben den Stilen von heute. Drei, vier oder sechs alte Ehepaare wohnen noch in den vornehmen Prunketagen wie auf Herrensitzen. Sie haben noch ein Heim, wenn auch in einer immer fremderen Welt. Aber die meisten, die hier eine Wohnung gemietet haben, wohnen auf Abruf und Abbruch, sind städtische Nomaden, immer auf der Suche nach fetten Weideplätzen für ihre Geschäfte.

Den Nomaden kann es nicht laut genug sein und manche sind hergezogen, weil ihnen die Straße ein Bild des Lebens überhaupt zu sein schien, ein ewiger Übergang, Durchgang, ein Strom in dauernder Bewegung, in immerwährendem Anschwellen, mit Lärm, Geschrei und der neuen Musik der Autohupenchöre. 22000 Autos fuhren im vorigen Jahr täglich durch diese Straße. Man wußte nicht mehr, wie man Platz schaffen sollte, wenn sie sich noch vermehrten. Man hatte schon beschlossen, die Linden an der Gosse zu fällen und das weitblickende Stadtbauamt hatte seit Jahren seine Augen auf die Vorgärten geworfen, in die deshalb niemand mehr etwas an Arbeit und Pflege hineinstecken wollte.

Jetzt könnte man ruhig wieder ein paar Anlagen riskieren. Es ist nämlich nicht so gegangen, wie die Stadtväter, Stadtbaumeister und Stadtpropheten es sich gedacht hatten. Der Verkehr wächst nicht. Es fahren nur noch 20000 Autos durch die Straße und vielleicht werden es bald noch weniger sein. Der Verkehr verteilt sich. Vor allem aber: die Stadt wird nicht größer, sie schrumpft sogar schon ein bißchen, es ziehen mehr Menschen hinaus als hereinkommen.

Unsere Prosperity-Berliner können es gar nicht fassen. Sie wollen es nicht glauben. Aber es ist so. Die Entwicklung stockt, das Leben geht zwar weiter, aber nicht an dieser Stelle, sondern irgendwo, wo wir es nicht erwartet haben. Vielleicht, nachdem die Menschen sich stets vermehrt haben, wollen sie sich nun einmal vermindern. Vielleicht, nachdem sie sich lange konzentriert haben, wollen sie sich zur puren Abwechslung einmal zerstreuen. Vielleicht, nachdem sie sich immer mehr Bedürfnisse aufgeladen haben, wollen sie mit weniger Bedürfnissen leben. Vielleicht ... wer weiß das schon ganz genau? Jedenfalls, das Geschäftsleben steht still und unsere Straße, die ja nur ein Flußbett des Geschäftslebens ist, stand auch mit einem Mal, an einem x-beliebigen Tag, still.

Natürlich sieht das sehr komisch aus. Denn die Straße ist mitten zwischen den Zeitaltern und mitten in einer Entwicklung stehengeblieben. Sie ist jetzt weder Wohnstraße noch Geschäftsstraße, sie ist eine Durchgangsstraße in einem Durchgangsstadium, und wie den Menschen die Durchgangsalter nicht gerade sehr gut stehen, so hat auch unsere Straße kein sehr ansehnliches Aussehen. Man weiß nicht, ob aus Gründen der Pubertät oder aus Gründen der Vergreisung. Und den einzelnen Häusern geht es ebenso. Sie sehen komisch aus. Oben, von der I. Etage an aufwärts sind noch Wohnhäuser im alten, schlechten Stil, solide gebaute Mietskasernen für Offiziere des Lebens, manche tragen ganz oben eine Luxusetage, wie einen Hut, oder einen Dachgarten, wie eine hübsche Frisur, die meisten besitzen in den Dachboden hineingebaute Mansardenwohnungen, in denen man im Winter frieren und im Sommer schwitzen durfte. Man konnte ja nicht genug Wohnraum für diese Gegend heranschaffen. Ja, und unten haben die meisten Häuser Läden, Restaurants, Schneiderateliers oder Büros. Das Ganze sieht dann aus, als wenn jemand einen Frack anhat mit einer Alltagshose drunter oder, bei den moderneren Läden, eine kühngeschnittene Frackhose mit einem Schlafrock drübergestülpt. Nicht sehr schön diese Verschandelung und noch dazu überflüssig.

Wir hatten einen halben Kilometer Autoläden, Laden an Laden, aber jetzt sind sie nur noch zur Hälfte besetzt, die Luxusläden leben von Totalausverkäufen, die Läden der Innenarchitekten liquidieren und nur die alten soliden Läden, die immer noch Handschuhe, Seidenstrümpfe, Koffer und Obst verkaufen, können noch existieren. Manchmal möchte man glauben, daß die ältesten Läden am besten gedeihen. Gleich neben der Kirche steht zum Beispiel ein alter Papierladen mit zwei alten Damen drin, mit zwei großväterlichen Zimmern dahinter, mit einem Gaslicht über dem Ladentisch wie vor Erfindung der Elektrizität und mit Postkarten wie vor Erfindung der Republik. Da kann man ehemalige Kaiser, Könige und Feldherren kaufen, Groß- und Kleinherzöge, Erlauchts und Durchlauchts, Hoheiten aller Art, Prinzen und Prinzessinnen, uniformiert, korsettiert, mit Orden, Säbeln, Helmen, Schnurrbärten, silbernen Bauchbinden, mit Sternen, Schärpen, Schleppen, hohen Frisuren und hochgestellten Brüsten, bei Familienfestlichkeiten, Jubiläen, Denkmalsenthüllungen und bei der Eröffnung von Kriegen. Stück für Stück 20 Pfennig und das ist der einzige Unterschied gegen die Vorkriegszeit, in der die gleichen Postkarten die Hälfte kosteten. Das Rad der Entwicklung ist im vielgerühmten Tempo von Zeit und Großstadt drei Jahrzehnte lang hier vorbeigerollt. Die Fenster haben geklirrt, aber es ist nicht eine Postkarte zum Fallen gebracht.

Und wenn man bei diesem Laden umdreht und zurückgeht, kanalwärts zu den Kähnen zurück, die wie vor tausend Jahren mit langen Stangen wasseraufwärts gestoßen werden und wie vor tausend Jahren mit dem trägen Wasser abwärts gleiten, im Tempo eines nicht mehr rüstigen Fußgängers, dann weiß man wirklich nicht mehr, wohin denn eigentlich diese komische Straße geht, wohin sie will, was sie will...

Aber seltsam ist, wie so ein Stillstehen unheimlich auf die Menschen wirkt. Die Menschen fühlen sich in unserer Straße auf Sand gesetzt, sie können hier nicht leben, sie können hier keine Geschäfte machen, sie können hier nicht wohnen. Die Wohnungen sind für andere Zeiten gebaut, viel Fassade und wenig dahinter und auch für andere, bessere Einkommen, für reichere Leute, für größere Geschäftemacher. Deshalb verlassen die meisten rattenartig die Wohnungen. Es wird immer einsamer hier, immer leerer. Nur die Mietszettel vermehren sich; in manchen Häusern wohnt bereits kein Mensch und wenn man sie nicht abreißt und neu aufbaut (aber wer wagt das heute?) oder wenn man sie nicht ganz umbaut (aber wer hat heute das Geld dazu?), so wird es nicht mehr lange dauern, bis die Portiers als letzte Höhlenbewohner in dieser Wohnwüste leben werden, an dieser Straße, die von Osten nach Westen führt und sonst nirgends hin.

Alexander Graf Stenbock-Fermor

Hunger im Frankenwald

Wir besuchen das Weberdorf Meierhof. Es hat etwa 500 Einwohner. Wir betreten eine Weberstube. Ein alter kahlköpfiger Mann, mit eingefallenen Wangen, sitzt, umgeben von einer dicken Staubwolke, vor dem Handwebestuhl. Der füllt das halbe Zimmer aus. Der Webstuhl ist ein großes verwickeltes Gestell aus Holzstangen, Hebeln und Schnüren. Das Schifflein surrt hin und her. Hunderte von Fäden bewegen sich. Eine große Spinne aus Holz und Schnüren, die auf der Stelle alle Beine zappeln läßt. Der alte Mann muß mit beiden nackten Füßen und mit beiden Händen den schwierigen Apparat in Schwung halten. Die Frau und die Kinder helfen beim Spulen. Mit der Hand ist die Decke zu fassen. Eine Holzbank umgibt den grünen Kachelofen in der Mitte des Raumes. Die Wand wird bedeckt von vielen Heiligenbildern in grellbunten Öldrucken. Hinter dem kahlen Schädel des Webers hängt ein Spruch: «Unbeflecktes Herz Mariä, bitte für uns.»
Der Weber arbeitet täglich 15 bis 16 Stunden, oft auch den Sonntag durch, und verdient, wenn es klappt, wöchentlich 14 bis 17 Mark.[1] Davon gehen ab: Beiträge für Krankenkasse, Invalidenversicherung, Erwerbslosenfürsorge, Reparaturen (die häufig sind), Licht u. a., so daß ein regulärer Verdienst von wöchentlich 9 bis 10 Mark herauskommt. Unbezahlt bleiben die Vorrichtungsarbeiten, das Spulen, Scheren, Andrehen, Einziehen und Blattstechen. Das wird von den Familienangehörigen ausgeführt. Der Stuhl braucht eine große Bedienung. Wenn die Frau durch Handstickerei noch einige Mark hinzuverdient, hat die Familie – 6 Menschen – monatlich etwa 50 Mark zum Leben. Der Durchschnittsverdienst der Weberfamilien liegt zwischen 50 und 55 Mark im Monat. Diese Sätze gelten nur für die Zeit der Arbeitsaufträge. Aber im Durchschnitt ist der Weber 6 Monate im Jahr arbeitslos, und dann muß er mit noch weniger Geld auskommen.
Die Weber wohnen in kleinen verfallenen Häusern. Der Arbeitsraum ist gleichzeitig Küche, oft auch Schlafraum. In einem einzelnen Zimmer sind in vielen Fällen zwei bis drei Familien untergebracht. Meier-

1 Im Durchschnitt kostete 1931 im Kleinhandel 1 kg Brot 0,36 RM, 1 kg Kochfleisch 2,40 RM, 1 Ei 0,15 RM und 1 kg Kartoffeln 0,13 RM.

hof zählt 81 Gebäude. Diese Gebäude haben 125 Zimmer. Die Gemeinde besteht aus 132 meist kinderreichen Familien. Drei bis vier Familien schlafen in einem Bett.
Die Kinder spielen nicht auf der Straße, sondern sie helfen bei der Arbeit. Die Eltern nutzen ihre Kinder auf das äußerste aus. Kein Verbot hilft, die Not bricht jedes Gesetz. Sechsjährige Mädchen und Jungen müssen schon das Spulrad bedienen. Die Arbeit geht von 5 Uhr morgens bis zehn und elf Uhr nachts. Die Kinder werden bis 9 Uhr abends beschäftigt. Viele müssen auch noch vor Schulbeginn in der Morgendämmerung spulen. Sie atmen täglich den giftigen Garnstaub ein (das Garn ist chemisch gefärbt), der Staub dringt in das Essen, liegt in der Nacht über den Betten. Tuberkulose, Magenkrankheiten sind weit verbreitet.
Wir finden überall unterernährte, blasse Kinder. In den Gesichtern der Alten hat die Not schwere Spuren hinterlassen.
Das Dorf liegt hinter uns. Es geht durch hohen Wald. Der Weg führt uns nach Enchenreuth.
Die 900 Einwohner leben meist von der Handstickerei. Enchenreuth hat eine staatliche Stickereifachschule. Die Handstickerei ist von Bielefeld und Plauen in den Frankenwald gekommen. Bettwäsche, Tischdecken, Läufer, Unterkleider werden bestickt. Überall, wo wir eintreten, in jedem Zimmer, sitzen Männer, Frauen, Kinder über die Stopfgeige gebückt, vom kleinsten Mädchen bis zum Großvater. Viele Kinder haben ein verkrüppeltes Rückgrat und kranke Augen. Auch hier wird täglich 15 bis 16 Stunden gearbeitet, und manche Stickerin sitzt die Nacht hindurch an ihrem Rahmen. Der Wochenverdienst schwankt zwischen 6 und 8 Mark. Der Durchschnittsverdienst der Familien liegt unter 40 Mark im Monat.
Wir besuchen ein kleines baufälliges Häuschen mit 5 Zimmern. Hier wohnen 30 Personen. In einem winzigen Raum sehen wir 8 Menschen bei der Arbeit. Die 73jährige Großmutter sitzt täglich ihre 12 Stunden an der Stopfgeige. Die ganze Familie verdient zusammen 40 Mark im Monat. Das Zimmer kostet 5 Mark Miete. Die Nahrung, wie überall, Kartoffeln, trockenes Brot und Kaffee. Der Kaffee wird zu jeder Mahlzeit getrunken. Als Schlafraum dient die Bodenkammer, in der man nur gebückt stehen kann. Drei Betten sind für die 8 Menschen vorhanden. In den Betten liegen einfache Strohsäcke ohne Laken. Neben dem einen Bett, in dem nachts vier Kinder schlafen, befindet sich ein Abort (einfaches Loch in die Jauchengrube), vom Bett nur durch eine schadhafte Bretterwand geschieden. Eine herzförmige Öffnung

ist hineingeschnitzt. In der Bodenkammer wimmelt es von Wanzen. Das morsche, durchlöcherte Dach läßt kalte Winde, Schnee und Regen hereindringen. Die Bewohner wachen im Winter oft in ihren Betten unter einer Schneedecke auf. Die Winter sind hier im Hochland lang und streng. Man nennt Oberfranken das «bayrische Sibirien». Drei politische Parteien kämpfen in diesen Dörfern um die Seelen der Arbeiter. Die Bayerische Volkspartei (die sich in einigen Orten klug und unrichtig einfach «Arbeiterpartei» nennt), die Sozialdemokraten, die Nationalsozialisten. Die Arbeiter haben diese und jene Partei gewählt, die Zustände sind schlimmer geworden.

Herbert Seehofer

Hallo, jetzt kommt der Reichsbericht!

An jedem Kundgebungsplatz war eine fliegende Pressestelle eingerichtet worden. Bei der Ankunft am Versammlungsort, während die Menge begeistert den Führer begrüßte, fragte man sich schnell nach dem Pressezimmer durch. Manchmal war es ein Büro oder ein großes Zimmer, das man freigemacht hatte, manchmal aber war es nur ein kleines Notzelt, durch das der Wind pfiff.

Ein schneller, prüfender Blick. Wieviel Telefonleitungen sind vorhanden? Wieviel Stenotypisten stehen zur Verfügung? Wer meldet die Fernverbindungen an? Wer gib die Berichte an die Meldeköpfe durch? Haben Sie die genauen Nummern der Fernverbindungen? Stehen die Ordonnanzen für die Übermittlung der fortlaufenden Rede bereit? Sind die Telefonkabel bewacht? Wissen Sie, daß jedes Gespräch «Dringend Presse» angemeldet werden muß? Hat sich etwas Besonderes ereignet?

«Spannen Sie mit zwei Durchschlägen ein!» Und nun schnell zum Zelt, der Führer wird gleich zu sprechen beginnen.

Hin zum Zelt. Eine Meldung an den Reichspressechef: «Es scheint hier alles in Ordnung zu gehen.» Entgegennahme der letzten Weisungen und Feststellung der Teilnehmerzahl und wie stark die Beteiligung aus den einzelnen Gauen ist. Eine Rückfrage, welchen Berufsschichten die Kundgebungsteilnehmer wohl angehören, noch eine Rückfrage nach der Geschichte der Entwicklung der Bewegung hier. Weilt der Führer zum ersten Male an diesem Platz, oder wann hat er zuletzt gesprochen? Sind Opfer marxistischen oder kommunistischen Terrors zu verzeichnen? Was ist das Gravierende dieser Kundgebung?

Aus Stichworten versucht man sich ein Bild zu formen. Inzwischen aber ruft die Riesenhalle begeistert nach dem Führer. Die Riesenzeltstadt ist in heller Aufregung. Alle Blicke sind nach dem Eingang gerichtet, jeden Augenblick wird der Führer erwartet. Man weiß bereits, daß er sich irgendwo in allernächster Nähe aufhält.

Die langen Ketten der SS stehen in schnurgerader Richtung. Am Abschluß des Rednerpodiums ragen steil unsere leuchtenden Fahnen, vor der Treppe, die zum Rednerpult führt, warten aufgeregte Kinder mit Blumen in den Händen. Die ganze Halle ist in Aufruhr, und da ... Musik setzt ein – der Badenweiler Marsch – der Führer kommt, und

während die Menge jubelt und ruft und lacht und immer und immer wieder in tosende Heilrufe ausbricht, drängt man sich langsam gegen einen Wall nach vorn treibender Menschenwellen zum Ausgang und rast zur fliegenden Pressestelle.
Vier Stenotypisten sitzen an vier Maschinen und warten. Es ist keine Sekunde Zeit zu verlieren. Der Führer hat bereits zu sprechen begonnen. Die Riesenlautsprecher werfen den Schall der Stimme bis nach hierher. Man sieht es den Männern an den Schreibmaschinen und den anderen wartenden Helfern an, daß sie jetzt lieber im Zelt sein würden, um den Führer vielleicht zum ersten Male in ihrem Leben sprechen zu hören und ihn zu sehen. Sie lehnen sich vor mit lauschendem Ohr, aber schon heißt es: «Bitte, schreiben Sie: Überschrift: Vierzigtausend in Kottbus! Unterüberschrift: Der Führer spricht zu den Arbeitern der Lausitz. Neue Zeile, in Klammern: Von unserem am Deutschlandfluge Adolf Hitlers teilnehmenden Sonderberichterstatter.»
Vier Schreibmaschinen klappern. Zeile reiht sich an Zeile. Diktat des Stimmungsberichtes. Zwischendurch fängt man immer wieder ein Wort der Führerrede auf. Das erste Blatt wird aus der Maschine gerissen. Es wird redigiert, während die neuen Blätter eingespannt werden. – «Melden Sie an, ‹Dringend Presse› München, Essen, Berlin und Königsberg!» – Schreiben Sie weiter: Die neue Etappe des Deutschlandfluges beginnt mit einem ...»
Eine Ordonnanz meldet sich. – «Meldung von Dr. Dietrich![1] Die erste Seite der Führerrede! Wort für Wort durchgeben, das zweite Blatt kommt sofort!»
Vier Schreibmaschinen klappern, das zweite Blatt wird herausgerissen und redigiert und die neuen Blätter eingespannt. Rasseln der Telefonklingeln. – «Das Gespräch nach München!» – «Hier nehmen Sie das erste Blatt, geben Sie durch, sorgfältig mit Interpunktion!» – «Hallo, hier meldet sich auch Berlin. Und Königsberg ist auch da!» – Ich verteile viermal die ersten Blätter. Auf vier Apparaten spricht man jetzt zu gleicher Zeit, nach Ost und West und Süd und Nord des Landes.
Weiter im Text. Noch zwanzig Zeilen Stimmungsbericht. Der Führer spricht schon zwanzig Minuten. «Es ist höchste Zeit, Tempo, Tempo,

1 Dr. Otto Dietrich (1897–1952), Redakteur der «Essener National-Zeitung», seit 1. 8. 1931 Reichspressechef der NSDAP, seit 1938 Pressechef der Reichsregierung

Männer!» – «Wenn die Aufnahme Sie nicht versteht, müssen Sie noch einmal durchgeben!» – «Hören Sie doch, wie man drinnen jubelt!» – «Wie bitte, die Verbindung ist unterbrochen?» – «Melden Sie von neuem an, und Sie schreiben weiter: Deutschland erwacht! Es dauert nur noch kurze Zeit, dann wehen Hitlerfahnen ...» – «Hier ist das vierte Blatt der Führerrede! Dr. Dietrich läßt sagen, daß Sie auf keinen Fall den Anschluß verpassen dürfen, das Flugzeug fliegt 7.30 Uhr!» – «Jawohl!»

Sorgfältig wird nun jedes Wort der Kurzfassung der Führerrede übertragen. Vier Schreibmaschinen klappern, vier Telefone werden bedient. Plötzlich ein Knattern in den Lautsprechern, es hört sich wie Maschinengewehrfeuer an. Ich horche auf. Ich kenne dieses Geräusch. Ich zähle mit: 22, 23, 24, 25 ..., das Lärmen in den Lautsprechern wird immer stärker ..., das kann nur der Schluß der Führerrede sein ... In der Tat, der Führer hat aufgehört zu sprechen, Gesang erschallt. Das Horst-Wessel-Lied. Einen Augenblick verharren wir alle in andächtigem Schweigen. Jetzt singen sie das Deutschlandlied.

«Hier ist der Schluß der Führerrede!» – «Schreiben Sie, schreiben Sie: ‹... und wenn ich heute in die Nation hineingehe, dann kommt mir der Glaube aus meinem Volk heraus entgegen.› Letzter Absatz, Doppelpunkt, Anführung: ‹Heute weiß ich, daß das deutsche Volk sich innerlich wiedergefunden hat, daß es zusammensteht im gemeinsamen Schicksalskampf, und daß es den Weg geht und gehen wird, auf dem allein ihm Rettung werden kann.› Und nun schreiben Sie noch:

‹Der Schlußsatz der Rede des Führers wird übertönt von dem ungeheuren Beifallsjubel der Tausende und minutenlangen Heilrufen. Die gewaltige Versammlung erhebt sich, reckt die Arme empor und singt aus begeisterten Herzen das Deutschland- und Horst-Wessel-Lied› Schluß! Haben Sie das? Sind Rückfragen?»

Von draußen her hört man tosende Heilrufe. Jeden Augenblick wird der Führer die Halle verlassen. – Also noch einmal: «Es ist durchzugeben an München, Berlin, Essen und Königsberg! Männer, Männer, ich verlasse mich auf euch! Wo ist mein Koppel, wo meine Mütze? Vielen Dank für eure Mithilfe. Vielleicht und hoffentlich sehen wir uns einmal unter besseren Bedingungen wieder. Heil Hitler!»

Schnell nach draußen. Ich höre schon die Motoren anspringen. Die Scheinwerfer leuchten, wie immer vor der Abfahrt, einmal ganz kurz grell auf. Das ist dann immer das letzte Signal. Ich rudere mich rücksichtslos mit den Ellenbogen durch die Menschenmenge. Platz da, Platz da, ich muß mit. SS versperrt mir den Weg. Durch, und wenn die

Knöpfe vom Mantel platzen. Ich kriege einen Schlag ins Genick und einen Tritt hinterher. Ich bin das schon gewohnt. Noch ein letzter Sturm und ein Sprung durch den Sperrkordon durch! Die Seitentür des letzten Wagens steht weit offen. Hinein und zugeklappt! In diesem Augenblick ruckt auch schon der Wagen an. Wir sind in Fahrt zum nächsten Kundgebungsziel.

Jura Soyfer

Sturm auf das Gewerkschaftshaus

Ob es viele Hakenkreuzler in Halle gibt? Nun, es sind ihrer immerhin 58000. Aber sie rekrutieren sich hauptsächlich aus den Gewerbetreibenden und aus den Studenten der Hallenser Universität. Darum konnten sie aus ihrer 58000köpfigen Masse nur etwa vierhundert SA-Leute aufstellen. Diese vierhundert, das sind die wenigen Proleten der «Arbeiterpartei». Sie sind es, die für Hitler prügeln und schießen, sich für ihn schlagen und erstechen lassen, während die andern im Hintergrund bleiben. Sogar im Wahl- und Straßenkampf Hitlers und Prinz August Wilhelms [1] gibt es also Frontschweine und Etappenhelden. Und weil die Nazi bei der letzten Löbe [2]-Versammlung, die sie sprengen wollten, so mächtige «Senge» gekriegt haben und weil es für sie nicht ratsam ist, mit Abzeichen durch die Arbeiterviertel zu gehen, weil bei «Eiserner Front» [3] und «Kommune» (die Kommunisten) nicht krampfhafter Führerglaube, sondern Klassenbewußtsein und starker Wille zur Einheit herrscht, spielen die Hallenser Nazi eine recht klägliche Rolle, obwohl sie zahlreicher sind als die Roten zusammengenommen. Das ist eine ermutigende Lehre.

Der Fiedler hatte einen höchst rührseligen Schmachtfetzen zum besten gegeben, und einer, der die Gitarre eine halbe Stunde lang mit überflüssiger Sorgfalt gestimmt hatte – er hatte ja bis zum Morgen Zeit –, legte mit der Arbeitermarseillaise los. Freitag nacht wurde das Hallenser Gewerkschaftshaus mit Musikbegleitung bewacht, weil der Spielmannszug des Reichsbanners [4] Bereitschaft hatte. Ungefähr

1 Prinz August Wilhelm (1887–1949), kurz «Prinz Auwi» genannt, einer der Söhne Kaiser Wilhelm II., höherer SA-Führer, von Hitler als Aushängeschild verwendet, um die monarchistischen Kreise an die NSDAP zu binden

2 Paul Löbe (1875–1967), führender SPD-Politiker, 1920–1932 Reichstagspräsident

3 «Eiserne Front», ein am 23. 12. 1931 von der SPD, dem ADGB, den Arbeitersportorganisationen und vom Reichsbanner gegründeter Kampfbund zur Abwehr des Faschismus. Ihr Abzeichen: die «Drei Pfeile»

4 «Reichsbanner Schwarz-Rot-Gold», als Bund der republikanischen Frontsoldaten zur Sicherung der Weimarer Republik am 22. 2. 1924 in Magdeburg gegründet

zwanzig Mann saßen im Wachzimmer, rauchten, spielten Karten, musizierten – Singen ist bei der Wache verboten. Zum Ausschlafen hatten die Reichbannerleute am nächsten Tag Zeit, denn sie sind alle zwanzig arbeitslos.

Draußen hing über Halle der Nachthimmel dunkelgrau. Drüben im Leunawerk raucht zwar nur noch die Hälfte der Schlote, aber das genügt, um einen richtigen trostlosen Fabrikhimmel zu schaffen. In den das Gewerkschaftshaus umliegenden Straßen streiften verstärkte Patrouillen herum. Tagsüber hatte es nämlich Stänkereien zwischen Nazi und Arbeiterturnern, die zu einem Sportfest gekommen waren, gegeben. Auch die fünfzehn Jungbannermänner, die bei Anbruch der Dämmerung von einer Landpropagandatour auf Fahrrädern zurückgekommen waren, hatten, heiser und schweißgebadet – sie hatten zwölf Stunden lang geradelt und Sprechchöre gebrüllt – zu berichten gewußt, sie seien in der Stadt von Hakenkreuzlern angestänkert worden.

Und so saß in der Erwartung kommender Ereignisse der Spielmannszug des Reichsbanners Halle im Gewerkschaftshaus, drosch Skat, soff elenden Zichorienkaffee. Der Gitarrespieler aber summte, obwohl es verboten war: «Wohlan, der Recht und Freiheit achtet, zu unserer Fahne ström' zuhauf!»

Schlag neun wurden von draußen plötzlich Laufschritte hörbar. Eine Patrouille stürmte von der Straße her in den Hof. Und gleich hinterher eine andere. Ein Mann blutete am Kopf. «Alles heraus!» brüllten die Patrouillen, «die Nazi kommen!»

Die zwanzig im Wachlokal hatten gerade noch Zeit, ihre Lichtknüppel – schwere, stabförmige Lampen, die gut leuchten und auch andere Dienste tun – zu packen, für alle Fälle ein paar Stühle mitzunehmen und auf die Straße zu laufen. Draußen kam schon ein Lastwagen herangesaust: das Rollkommando der braunen Mordpest. In halber Fahrt sprangen fünfzig SA-Leute heraus und stürmten mit Totschlägern und Ochsenziemern auf das Haus zu.

Die Schlacht von Austerlitz läßt sich beschreiben, da damals zumindest Napoleon angeblich wußte, was los war.

Was aber Freitag, den 16. d. um 21 Uhr in der spärlich beleuchteten Straße vor dem Hallenser Gewerkschaftshaus zu sehen war, war ein auf und ab wogender Haufe von Grün- und Braunhemden. Was zu hören war, war das Krachen von Schlägen, das Krachen von Blumentöpfen und Geschirrstücken, die aus den Fenstern der Häuser auf die Köpfe der Nazi flogen, war unbeschreibliches Gejohle.

Aber als das Überfallkommando der Polizei nach zehn Minuten erschien, blieb ihm nichts mehr zu tun übrig, als zwei schwerverletzte Hakenkreuzler wegzuführen. Die übrigen waren mit Vollgas ausgerissen.

Nach weiteren zehn Minuten war die «Kommune» in der Stärke von hundert Mann da, um das Gewerkschaftshaus schützen zu helfen. Sie besetzten das Nebenhaus, und ein Einkreisungsplan wurde mit ihnen vereinbart, für den Fall, daß die Hakenkreuzler wiederkommen sollten.

Doch zur allgemeinen Verwunderung holten die Nazi nicht ihre Reserven aus den umliegenden Dörfern. Sie mobilisierten nicht einmal die SA der Stadt. Sie hatten den Bereitschaftsdienst der Kommunisten wohl ausspioniert; sie gingen schlafen. Auch hier haben sie wieder einmal einen Vorgeschmack der proletarischen Einheitsfront zu spüren bekommen, der Einheitsfront, die sich, trotz aller Schwierigkeiten, vom Willen der Masse getragen, in Deutschland zu bilden beginnt.

Um zehn Uhr saßen die Spielleute des Reichsbanners wieder im Wachlokal. Der Gitarrespieler hatte eine blutige Bandage um den Kopf. Er fing die Arbeitermarscillaise von vorn an.

Und obwohl es verboten ist, sangen alle mit, als die Stelle kam: «Stehet fest, stehet fest, und wanket nicht ...»

Heinz Liepmann

Hamburg in der Nacht des Reichstagsbrandes

Es ist Nacht.
Das Schlafzimmerfenster führt zum Jungfernstieg; die Fenster des Wohnzimmers gehen nach vorn in die Colonaden. Stünde in jedem dieser Fenster ein Maschinengewehr, beherrschte man die westlichen Zufahrtsstraßen zur City der Stadt Hamburg. Hier ist das Zentrum unserer Welt.
Ich lag mit wachen Augen, auf dem Rücken, ich konnte nicht schlafen. Ungewöhnlich! Ich starrte zur dunklen Decke empor. Es war die Nacht vom 27. zum 28. Februar 1933. Die Nacht war still.
Das Telefon schrillte, ich nahm den Hörer und wußte, es war etwas Ungewöhnliches geschehen ...
«Hier ist Otto. Der Reichstag brennt. Die Regierung hat durch Rundfunk bekanntgemacht, daß die Kommunisten ihn angesteckt haben. Man habe einen Mann im Reichstag gefunden, der wäre nur mit einer Hose bekleidet gewesen, und – darin habe er ausgerechnet ein kommunistisches Parteibuch stecken gehabt.»
«Das ist doch grotesk!»
«Klar, die Sache ist von den Nazis gemacht! Von wem denn sonst? Wer kann denn ein Interesse daran haben, sechs Tage vor der Wahl?» – – Ich hörte Ottos aufgeregtes Atmen.
Es gab um diese Zeit viele Leute, die zu wissen behaupteten, daß die Telefongespräche bestimmter Persönlichkeiten überwacht würden. – Am 30. Januar hatte Hitler die Macht übernommen. Zwar war den Deutschen in ihrer Verfassung das Post- und Telefongeheimnis ausdrücklich zugesichert, aber seit dem 30. Januar waren diese und andere moralische Werte in unserem Vaterland nicht mehr hoch im Kurs. Ich beendete also das Telefongespräch, verabredete kurz etwas, hing den Hörer an und wollte aufstehen.
Aber dann blieb ich liegen ...
Die Nacht war nicht mehr still. Von der Straße gellte das Quieken der Sirenen des Überfallkommandos der Polizei. Das Überfallkommando! Welch treffendes Wort! Wo friedliche Menschen: Frauen, Ehemänner, Greise, Kinder sich trafen, erschienen die rasenden Autos. Es war mir, als hörte ich das verzweifelte Keuchen der weglaufenden Kinder und der alten Frauen – und dann die eisenbeschlagenen Schuhe

der fetten Polizisten, – ich hörte das Stöhnen der von den Gummiknüppeln Getroffenen, – mir war, als hörte ich die ganze Stadt atmen, als vernähme ich den sorgengequälten Odem der Millionen, die in den Steinmauern der Großstadt wie in Särgen aus Beton und Blei schliefen...

Hamburg, eine Arbeiterstadt, Hafen und Industrie verlangen ganze Männer. Hier erwuchsen und erwachsen schweigend die härtesten und stummsten Führer von gestern und morgen, und damit die Ereignisse. Hamburg war schon einmal zur Wiege der deutschen Arbeiterbewegung geworden; unter dem Gellen der Sirenen und dem Kreischen der Eisenhämmer der Werften an der Elbe hatten die Arbeiterorganisationen ihre ersten Versammlungen abgehalten.

Man muß von vorne anfangen. Das Erbe August Bebels wurde verschleudert. Die Menschen wechseln. Armut, Gewalt und Häßlichkeit ersticken ganze Generationen. Ewig aber bleibt das moralische Gesetz: der Wille zum Sozialismus, zur Menschenwürde, zur Schönheit. –

Der Reichstag brennt. Der Reichstag ist weit, der Reichstag ist in Berlin und hat eine goldene Kuppel. Ich liege in meinem Bett, mitten im strategischen Zentrum der Stadt Hamburg, mein Herz ist schwer. –

Ich sprang aus dem Bett, kleidete mich an und ging auf die Straße. Bemerkte, daß die Stadt in dieser Nacht sich verändert hatte gegenüber anderen Nächten. Ich bemerkte es an äußerlichen Zeichen. Sonst zum Beispiel gingen um diese nächtliche stumme Stunde Mädchen hier langsam auf und ab, und verschenkten selbst dem elendigsten unter den Menschen ihr angstvolles Lächeln; heute standen die traurigen Mädchen in schnatternden Gruppen beisammen wie Bürgermädchen am Tag; sie ließen manchen älteren Herrn unangesprochen vorbeigehen, sie gestikulierten, sprachen erregt aufeinander ein – ja, sie beachteten noch nicht einmal die drei Sipos, die auf ihrer nächtlichen Streife hier vorbeigingen, und vor denen sie sonst in die dunklen Hauseingänge flüchteten. Aber die drei beachteten die Mädchen gar nicht.

Da bemerkte ich, daß die Polizisten ihre Helme mit dem Sturmriemen unter dem Kinn befestigt trugen.

Das bedeutete nichts Gutes.

Vom Norden der Stadt her hörte man Schüsse. Daran war man gewöhnt, das war üblich, und man hätte sie vermißt, wenn sie gefehlt haben würden; aber ich glaube, sie fehlten wohl niemals. Der nächtliche Himmel war voll dunkel zerrissener Wolken; in der Straße Colonnaden, in der sonst um diese Stunde ein scheues, flüsterndes und hu-

schendes Leben herrschte, tauchte ein ruhiger, harter Schritt nach dem andern auf, erst einzelne, dann immer mehr; aus den gelben Nacht- und Nebelkreisen der Laternen lösten sich hundert und tausend Menschen: Männer und Frauen. Sie flüsterten nicht, sondern sie sprachen wach und laut; es kamen ihrer immer mehr, sie gingen vorbei; die meisten der Männer barhaupt. Ich stand still und ließ sie vorbeigehen.
Was wollten sie? Wo kamen sie her? Wer organisierte sie?
Einige sahen mich an.

Was sollten wir tun?
Morden? Schreien? Weglaufen? Eingliedern?
Ein Ausweichen gab es ja nicht mehr!
Was war zu tun?
Fünftausend Führer der Kommunisten und der Intellektuellen waren in dieser Nacht verhaftet worden. Damit waren *die* Stimmen zum Schweigen gebracht, die vielleicht! – gerufen hätten und – vielleicht! – von den Massen in Deutschland gehört worden wären. – Die Sozialdemokraten protestierten gegen die «Zumutung», daß sie mit dem Reichstagsbrand zu tun hätten. Die anderen Parteien schwiegen.
Wir *Menschen* waren allein, hilflos vor der heranwütenden Flut des Nationalsozialismus.
Im ganzen großen deutschen Land allein. – – –
Die «Indra» liegt in der Straße «Große Freiheit», Ecke Schmuckstraße, umgeben an allen Seiten von ähnlichen Lokalen. Man geht eine Treppe hinauf und kommt in einen großen Saal, von dessen Decke dunkle Tücher wie leere Ballons herunterhängen. Durch die Tücher glimmen Lampen, das ganze Lokal liegt im Halbdunkel; an den Tischen stehen kleine verhüllte Lämpchen, im Hintergrund glänzt düster ein riesiger metallener Elefant zwischen einigen rissigen Buddhas aus Silberpappe; davor ist die müde Kapelle aufgebaut. Der Saal ist überfüllt, besonders die Tanzfläche in der Mitte.
In die «Indra» kommen die ganz jungen Mädchen aus den Bahrenfelder Papierfabriken, den Altonaer Betonwerken und aus den Elendsvierteln an der Grenze der Städte Hamburg und Altona. Die Mädchen, die Arbeitsschicht von 4 bis 11 Uhr abends haben, kommen unmittelbar nach der Arbeit, – die anderen, die von morgens 9 bis nachmittags 4 Uhr arbeiten, sind schon früh am Abend da und gehen auch früher wieder fort. – Diese Mädchen sind blaß, lang aufgeschossen und ihre Kleider sind ihnen zu kurz, die langen Beine haben noch keine Form. Diese Kinderaugen sind schrecklich durstig nach war-

mem Abendbrot, nach Liebgehabt-Werden und nach Kino-Helden. – Die Männer, die mit ihnen ohne viel Unterbrechung die ganze Nacht hindurch tanzen, einander ablösend, – sind die Lehrlinge des Stadtteils Sankt Pauli, und die arbeitslosen Besucher der Hafen-Kinos, in denen der Platz 30 Pfennig kostet, – junge Zuhälter und ganz alte Zuhälter, Matrosen und Homosexuelle. Und dann sind da immer ein paar Tische besetzt mit Leuten aus der guten Gesellschaft, die sich mutig vorkommen, weil sie sich in ein solches Lokal wagen. Sie sind in Abendtoilette, und manchmal tanzen sie.

Die «Indra» hat eine Galerie, und hier werden alte stumme Kurzfilme vorgeführt; das kostet nicht extra, und es ist fast immer dunkel. Das ist das Reich der Chinesen, der Heizer und der Wäscher von den Schiffen im Hafen, und der chinesischen Arbeiter aus der Stadt. Sie sitzen hier mit den jungen weißen Fabrikmädchen, man hört ihr Flüstern in den Pausen der Musik, die von unten herauftönt. – –

Einige Bekannte von mir trafen sich manchmal hier oben. Ich ging durch die Reihen, tappte mich durch die Dunkelheit und sah vor mir auf der Leinwand Chaplin tanzen. Wenn ich dann vom Bildstreifen wegsah, konnte ich in der Dunkelheit nichts mehr erkennen. Da faßte man mich am Arm und zog mich auf einen Stuhl.

Als meine Augen sich an die Dunkelheit gewöhnt hatten, erkannte ich neben mir John und Sch.[1], die beiden waren Schwäger, aber unabhängig voneinander innerhalb des Parteiapparates avanciert. Wir drückten uns die Hände. Vor uns auf der Leinwand, die etwas größer war als ein mittleres Taschentuch, lief einer der alten Chaplin-Filme. Ich sah mich um. Wir saßen auf Liegestühlen, von denen immer drei in einer Reihe standen. In der Reihe hinter uns saß ein Chinese tuschelnd mit einem hellen Mädchen; vor uns standen Tische, und wir konnten nicht sehen, ob die Stuhlreihe davor besetzt war. Links war die feuchte Mauer des Hauses und rechts der Gang.

Sch. war gerade mit einem Bericht zu Ende. Ich hörte ihn noch mit heiserer Stimme sagen: «Es hat also geklappt mit dem Valentinskamp. Jetzt müssen wir abwarten.»

1 John, vermutlich John Schehr, geb. 1896 in Hamburg-Altona, Schlosser, Mitglied der SPD, USPD, ab 1919 der KPD, seit 1925 im Zentralkomitee. Organisationssekretär der Bezirksleitung Waterkant. Ab 1932 Mitglied des Politbüros und des Sekretariats des ZK sowie Reichstagsabgeordneter. Leitete nach der Verhaftung Thälmanns die illegale KPD, im November 1933 verhaftet und am 1. 2. 1934 von den Nazis ermordet. (nach Ernst Loewy)

Die Musik spielte einen Tango. Man hörte von unten das Schlürfen der Tanzschritte, Lachen und Rufe. Im Valentinskamp, eine der ältesten Hamburger Straßen, lag das Zentralbüro des Bezirks Wasserkante der Kommunistischen Partei. Die Straße, in früheren Jahrhunderten von Patriziern bewohnt, war allmählich zur Durchgangsstraße der Großstadt geworden und führte vom Zentrum Hamburgs – am Gängeviertel vorbei – nach Sankt Pauli. Die alten Patrizierhäuser mit ihren verwunschenen Gärten waren längst Mietskasernen mit Hinterhäusern gewichen, und in zwei oder drei dieser verwinkelten und in Kellern oder Böden zusammenhängenden alten Häusern waren die Büros der KPD und die Redaktion der kommunistischen «Hamburger Volkszeitung». Die Zeitung wurde im Keller gedruckt. Offiziell befand sich die Redaktion allerdings in Altona, so daß, wenn die Zeitung in Preußen verboten war, sie in Hamburg erscheinen konnte, und umgekehrt. – Die Musik schwieg. Wir hörten einen Conférencier ein paar Worte quäken, dann gab es einen Tusch, und unten erschien wohl ein Tänzerpaar.

«Ihr habt die Zentrale geräumt?» fragte ich.

Sch. zögerte, sagte: «Ich bin sehr unruhig. Die Verbindung mit Berlin fehlt, wir können gar keine Verbindung bekommen. Ich sitze schon seit vier Stunden hier und weiß nicht, was wird. Ich glaube, in Berlin hat man viele geschnappt. Ich weiß nichts. Keine Antwort. Keine Direktiven. Es ist schrecklich.»

John lachte leise. «Nichts ist schrecklich», sagte er, «ganz im Gegenteil, jetzt kommt Leben in die Bude. Wenn du die Nerven schon jetzt verlierst, mein Junge, was wirst du denn machen, wenn wir erst wirklich in die Illegalität müssen? Oder sollen wir vielleicht die Worte und Arbeiten von vierzehn Jahren Überzeugung vergessen, und unsere Partei aufgeben, nur weil unsere Gegner es gerne wollen? Wir müssen ruhig Blut behalten. Und wenn Berlin nicht funktioniert, müssen wir eben allein handeln. Falsch war es sicher nicht, daß wir erst einmal den Valentinskamp geräumt haben. Vielleicht war es nur ein blinder Alarm. Dann war es eben eine Generalprobe.»

«Wie lange habt ihr dazu gebraucht?» fragte ich. Ich kannte die riesigen alten Häuser, die Hunderte von Zimmern und Kellern.

«Genau drei Stunden. Was jetzt noch da ist, kann ruhig gefunden werden. Übrigens wurde uns die Arbeit dadurch erleichtert, weil wir ja schon in den letzten Tagen des Januar einiges weggepackt haben.»

«Hat man euch mit den Sachen wegfahren sehen? Hat man euch verfolgt?»

«Na klar», sagte John und lachte. «Da war eine ganze Gemeinde, die dem Begräbnis zusehen wollte. Da waren die Herren Nazispitzel, die Herren von der Polizei, und was sonst noch zu unseren Bewunderern gehört; alles war wie immer pünktlich da und sah zu. Wir haben die Sachen zu vier verschiedenen Spediteuren gebracht, daraufhin ist unser Gefolge an die Telefone gelaufen, um seine Auftraggeber zu verständigen; inzwischen haben wir die Sachen wieder von den Spediteuren abgeholt und in Taxis in den Jachthafen gefahren. Die Chauffeure sind bewährte Genossen. Es ist ja alles so einfach, Kinder.»
John schwieg. Ich sah ab und zu, wenn der Film heller wurde, sein jungenhaftes, aufgewecktes Gesicht. Die Kellnerin brachte uns die Getränke und kassierte. Das Tanzpaar unten im Saal hatte geendet, Beifall brach los. Ich lehnte mich zurück und dachte nach.
Da sitzen wir nun im schmierigsten Sankt Pauli zwischen dem verzweifeltsten Laster und der Lebensgier der Kinder. Die Musik spielt schmissig. Am Jungfernstieg stehen die Väter der Kinder, die hier gierig tanzen, Männer mit Mützen, und schreien im Chor:
«Hunger!» – – –
Die Großstadt schläft. –
Die Musik spielt wieder. Es war halb vier Uhr morgens. Ein Chinese kam und berichtete einer Kellnerin, daß man soeben im Valentinskamp Razzia mache und das Haus der Kommunisten besetzt hätte. Die Kellnerin sagte es jemandem wieder, der unten im Saal tanzte. Von dem hörten wir es. Der Chaplin-Film war zu Ende, die Leinwand wurde hell. Das Mädchen und der Chinese hinter uns trennten sich. Sch. stand auf.
»Ich werde hören, ob Berlin nicht doch antwortet – – –»
John zuckte die Achseln.
Wir verließen das Lokal durch den Eingang Schmuckstraße. An der Garderobe stand ein dicker, kleiner Bursche mit Mütze und rotem Wollschal. Er lehnte sich mit dem Rücken an die Theke, hatte eine unangezündete Zigarette im Munde; als wir vorbeigingen, sah er uns an und legte einen Finger an die Mütze.
«Wer war das?» fragte Sch.
»Ich weiß nicht», sagte John. Dann sahen sie mich an. – «Ich kenne ihn, er heißt hier in der Gegend Fürst», sagte ich, dann schwieg ich. Man fragte mich auch nicht weiter. Einmal drehte ich mich um, da sah ich, daß der Mann uns folgte. Er hatte die Hände in den Taschen und pfiff leise.
Ich werde diese Nacht nicht vergessen. Es war recht kalt. In den Chi-

nesen–Kellern der Schmuckstraße schien alles Leben erstorben. Aus dem Hypodrom im Keller kamen die Kellner – die abgerechnet hatten – mit hochgeschlagenen Mantelkragen. Viele Mädchen gingen an uns vorbei. Sie hatten eine lange Nacht umsonst gewartet, und jetzt gingen sie in ihre einsamen Zimmer.–
An der Ecke Talstraße blieben wir stehen. Hier war vor einiger Zeit ein Chinese ermordet worden, man hatte den Mörder nicht gefunden. – John und Sch. stritten.
«Berlin –» sagte Sch.
«Ich nehme es auf meine Verantwortung», sagte John. Und damit wurde formell beschlossen, den riesigen Parteiapparat auf illegal umzustellen.
Sie fuhren zum Hauptbahnhof, riefen einige Leute an; eine halbe Stunde später waren von den zwanzig Telefonautomaten des Hauptbahnhofes zwölf besetzt. Ununterbrochen wurde telefoniert. Ich stand in der Halle. Es war tiefe Nacht. Die Schalterbeamten hatten gegähnt, jetzt wachten sie auf. Zwei Polizeibeamte sahen lange dem plötzlichen Betrieb zu; als sie sich endlich entschlossen, Meldung zu machen, stellte ein junger blasser Bursche mit Künstlertolle einem von ihnen den Fuß; der Polizist stolperte, der Junge lief weg, die Beamten hinterher. Eine halbe Stunde Zeit war gewonnen; dann hatten sie ihn gefaßt und auf der Bahnhofswache abgeliefert. Das Blut lief ihm aus der Nase.
In den Anlagen zwischen Hauptbahnhof und Besenbinderhof war inzwischen der lange vorbereitete Kurierdienst eingerichtet worden. Um halb fünf Uhr morgens erfuhr man von einer sympathisierenden Beamtin, daß die Gespräche der öffentlichen Fernsprechzellen im Hauptbahnhof abgehört würden.
Niemand telefonierte mehr im Hauptbahnhof. Die Beamten gähnten wieder. Sie wären alle sehr erschrocken gewesen; hätten sie erfahren, daß sie soeben der Geburt eines heroischen Organismus beigewohnt hatten. Alle zwanzig Telefonzellen waren leer. Aber ein paar hundert Namenlose, bereit, für eine Überzeugung alles zu opfern, was ihnen teuer war: Familie, Glück und Brot und Leben, sprangen aus den Betten; längst war alles vorbereitet; zehn Minuten später verließen sie ihre Häuser.
Kein Funktionär wurde an diesem dämmernden Morgen, als die nationalsozialistische Razzia begann, in seiner Wohnung gefunden. Die Sekretäre der Parteileitung verschwanden spurlos. Ihre Frauen wußten nicht, wo sie waren, und erst recht nicht wußte es der Nazige-

heimdienst, obgleich Bahnhöfe und Flugplätze bewacht und die Ausfahrtsstraßen Hamburgs beobachtet wurden. Die Partei wurde von der illegalen Bezirksleitung übernommen, der Apparat funktionierte. Selbstverständlich konnte die Verwandlung der riesigen Parteiapparate der Linken, zu welcher gar keine technischen Hilfsmittel zur Verfügung standen, nicht in allen Teilen funktionieren. Man konnte weder durch Rundfunk noch durch zehntausend Kuriere oder Briefe oder Telefongespräche Nachrichten weitergeben. Ich glaube, daß die damalige Polizeileitung und noch mehr die Nationalsozialisten mit diesen technischen Schwierigkeiten rechneten. Die Nationalsozialisten wußten, daß sie die deutsche Linke nur auf eine einzige Art vernichten konnten: nämlich *bevor* diese sich in die Illegalität getarnt haben würde: Eines nachts, überraschend, und generell in ganz Deutschland, die Führer der deutschen Linken auszuheben, bevor diese das Signal zur Umwandlung in die Illegalität geben könnten.
Diese Ansicht war selbstverständlich richtig. Ihre furchtbare Richtigkeit erwies sich bei der – viel größeren und fundamentierteren als der kommunistischen – Organisation der Sozialdemokratischen Partei, die restlos zerschlagen wurde – und noch stärker bei den Verbänden der Demokraten aller Schattierungen, die einfach «gleichgeschaltet» und übernommen worden sind. Auch das Grundgebäude der KPD wurde in dieser Nacht zerstört, denn die Sekretäre wurden zerstreut und voneinander abgeschnitten. Nur wenige bewährten sich, und am wenigsten Unheil konnte im Bezirk Wasserkante, dessen Hauptstadt Hamburg war und ist, angerichtet werden, weil John nicht auf die Direktive aus Berlin wartete, sondern die Bedeutung des Reichstagsbrandes und der Atmosphäre jener Nacht verstand, und die Illegalität anordnete, bevor es zu spät war.
Was mich anbelangt, so wurde ich am Morgen des 28. Februar gegen neun Uhr von meiner Wirtin geweckt, die mir mit allen Zeichen bürgerlicher Empörung erzählte, daß in der Zeitung stehe, die Kommunisten hätten den Reichstag angesteckt.
Ein Plan war Wirklichkeit geworden: seit mehreren Wochen lagen 6000 Haftbefehle mit dem Datum des 27. Februar bereit. Seit mehreren Wochen wurden diese Haftbefehle für ein Verbrechen vorbereitet, welches am 27. Februar vor sich gehen würde. Am 27. Februar brannte der Reichstag – und eine Stunde später wurden 6000 Täter auf Grund von einzeln ausgefertigten und jeweils bebilderten Haftbefehlen festgenommen, verprügelt, ermordet. – Es gibt Menschen, die dies nicht vergessen können und wollen ...

Rudolf Brunngraber

Acht Tage Rossauer Lände

«Es ist Demagogie, wenn erklärt wird, es ginge heute um die Rettung der Familie, des Glaubens, der Heimat oder ähnlicher Abstrakta und nicht um eine neue Güteraufteilung, die durch den Stand der Technik längst überfällig ist.»

Diesen oder ähnliche Sätze mag sich der Regierungskommissar, der der Versammlung von Sozialdemokraten beiwohnte, notiert haben, und im Kommissariat wurde daraus eine Beleidigung von Regierungsmitgliedern. Das erfuhr ich bei der ersten Einvernahme. Bei der zweiten wurde mir bekanntgemacht, daß ich zu acht Tagen Haft verurteilt sei (oder zu 200 Schilling Geldstrafe und 20 Schilling Verfahrenskosten).

Ich trat meine Strafe auf der Rossauer Lände an. Schon das Vestibül dort hinter dem Haustor 9 unterscheidet sich dadurch von andern, daß alle Türen, die von ihm ausführen, versperrt sind und daß jedermann mit Schlüsselgerassel aus und ein läuft. Auch der Flur dahinter ist vorerst vom Boden bis zur Decke mit Eisenstangen verwehrt. Jenseits des Gitters tritt man in den Aufnahmeraum ein. Auf einem etwas erhöhten Teil sind einige Schreibtische und eine Kartothek untergebracht, der tiefer gelegene Teil, der verhältnismäßig groß ist und an dessen Wänden hin Bänke laufen, nimmt die einlangenden Häftlinge auf. An der Wand hängt ein *Bild* – wahrhaftig: «Glückliches Familienleben!» An der Sprache der Beamten aber, die hier Dienst machen, lernt man bereits den Wert der außerhalb dieses Hauses geltenden Höflichkeit schätzen. Man wird auch nach seiner Parteizugehörigkeit gefragt. Doch hätte es dieses Verhörs nicht bedurft, um die Zusammensetzung der anwesenden Gesellschaft – wir waren an die dreißig Männer und etwa acht Frauen – erkennen zu lassen. Es war sofort klar, daß neben den zwei, drei Ungarn oder Jugoslawen und den paar Kommunisten nur Nazi anwesend waren. Die wirklichen Kriminellen kommen gegenüber der Zahl der politischen Häftlinge überhaupt nicht zur Geltung. Unter den «Politischen» dominieren aber die Nazi derart, daß sie nur in Trupps auftreten. Übrigens tun sie das so betont, weil es ihnen den Rückhalt gibt, den jede einträchtige Masse verleiht.

Ich hatte mit einem älteren Mann neben mir folgendes Gespräch. Politisch? fragte er. – Ja. – SP? – Ja. – Sie? – KP – Weswegen? – Illegale

Flugschriften. – Wieviel? – Achtundzwanzig Tage. Ja, sagte er, jetzt machen sie's gründlich.

Der Nazitrupp, unter ihm Akademiker, war bereits derart laut, daß er wiederholt zur Ordnung gemahnt wurde. Nach den Aufnahmeformalitäten wird einem im Nebenraum alles abgenommen, auch der Kragen und die Krawatte. Darin äußert sich ein gleichmacherisches Prinzip, das einem oft noch sehr peinlich wird, weil es einen äußerlich auf eine Stufe mit den Raubmördern und Kinderschändern stellt. Schließlich hat man, wenn man vordenklich gewesen ist, seine ältesten Kleider mitgebracht, und da man sich auch nicht rasieren darf, sieht jeder nach einigen Tagen genauso trostlos wie der andere aus.

Ist man «gleichgemacht», kann man allein seine Zelle aufsuchen. Flucht ist bereits ausgeschlossen. Anfangs vegetierte ich im dritten Stock in der Einzelzelle 72, später im vierten Stock in der Einzelzelle 88. Die Einzelzelle selbst ist vier Schritt lang, drei breit und vier Meter hoch. Sie hat Steinboden, ist weiß getüncht und ungezieferfrei. Der schweren Holztür gegenüber liegt, zwei Meter hoch, über einem abgeschrägten Maueransatz das Fenster, das etwas über einen Quadratmeter groß ist. Die Scheiben sind aus Riefglas, so daß man selbst das Blaue des Himmels – hinausschauen kann man ja auf keinen Fall – nur ahnen kann. An Einrichtung enthält die Zelle ein kleines Regal, auf dem ein zinnerner Wasserkrug steht, dann ein von der Wand herabklappbares, also an den Platz gebundenes Sitzbrett, natürlich ohne Lehne, 25 × 45 Zentimeter groß, ein gleichfalls herabklappbares Tischpult, 30 × 45 Zentimeter groß, ferner das mit einem Deckel versehen, aber sonst offen in den Raum hereingebaute Klosett, mit Wasserspülung, und die tagsüber an die Wand hinaufgeklappte Eisenpritsche – mit dem unüberzogenen Strohsack und einem Polster. Ansonsten gibt es noch eine etwa zehnkerzige Glühbirne an der Decke und zwei Rohre einer Zentralheizung. Das Leben wickelt sich also auf den beiden Klappulten ab, und man erhält die beste Vorstellung davon vielleicht dann, wenn man sich denkt, man wäre mit diesen Pulten in einer leeren Waschküche eingesperrt.

Natürlich gibt das noch keinen Begriff von der Zermürbung, die die Einzelhaft bedeutet, von dieser stumpfesten Art des Hinwartens, die es gibt und die nur der ahnen kann, der ein tiefes Einfühlungsvermögen für das besitzt, was man *Zeit* nennt. Einzelhaft ohne Beschäftigung müßte auf die Dauer zum Wahnsinn oder zur Vertierung führen. Es beeindruckte mich tief, als ich auf meinem Tischpult ein mit unendlicher Mühe eingeritztes Schachmuster sah. Der Häftling mußte sich für diese Arbeit des Stiftes seiner Gürtelschnalle bedient haben. Die Wände sind von Aufzeichnungen rein, aber die graugelb gestrichene Pritsche, die Heizungsrohre, die Pulte und vor allem die Türe sind mit Gravierungen übersät. Immer Namen und Daten, sehr viele Hakenkreuze, einige Zionssterne und Hammer mit Sichel. Man liest auch: Rotfront! und: Für Adolf Hitler! An der Tür der Zelle 72 stand in Kniehöhe in einem Rechteck zu lesen: «Mein Rudi, ich hab dich so lieb, Deine Anny.» Aber es finden sich keine Pornographien, wie ja diese mühsam anzubringenden Gravierungen vor allem Akte der Notwehr gegen die tödlich stehende Zeit sind. Gegen die Zeit hilft auch der Turnus nicht, der sich täglich abwickelt.

Um sechs Uhr wird man durch Klopfen an der Tür geweckt. Nachher ist Waschen zu zweit unter einer Wasserleitung. Für alle eine Seife und ein Handtuch, das allerdings von Leintuchgröße. Bei dieser Gelegenheit füllt man sich auch den Zinnkrug mit Wasser. Um acht Uhr in Menageschale schwarzer Kaffee und eine Schnitte Brot. Um neun kommen zur Zellenreinigung zwei Häftlinge. Um elf eine Schnitte Brot. Um halb eins Mittagessen. Während meiner acht Tage bestand es neben der täglichen Suppe Montag aus Grießkoch, Dienstag aus Fisolen, Mittwoch aus Milchreis, Donnerstag aus Linsen, Freitag aus Grießkoch, Samstag aus Linsen, Sonntag aus Erbsenpüree, Montag aus Grießkoch. Doch soll bei längerer Haft die Kost etwas abwechslungsreicher werden. Jedenfalls ist das Essen genießbar, wenn es auch zu wenig scheint. Um vier Uhr gibt es wieder eine Schnitte Brot, um sechs wieder Suppe. Um sieben werden die Pritschen herabgeklappt. Das elektrische Licht brennt die ganze Nacht durch. Auch der Posten vor der Tür, der, zum Unterschied von draußen, den Gummiknüttel in der Hand trägt, schaut nachtsüber wie tagsüber bei jedem Rundgang durchs Guckloch.

Spaziergang im Freien und Bad gibt es für solche bis acht Tage nicht. Tagsüber ist es das beste, auf und ab zu gehen. Wie die Tiere in Schönbrunn. Wenn man vierhundertmal die vier Schritte, die einem freistehen, hin und zurück gemacht hat, ist eine Stunde vorüber. Ich selbst hatte allerdings die unbeschreibliche Erleichterung, viertausend Druckseiten Lektüre, Papier und Bleistifte in die Zelle nehmen zu dürfen. Vom zweiten Tage an hatte ich auch Raucherlaubnis. Durch die Bücher nun erhielt auch mein politisches Erleben während der Haftzeit seinen bestimmten Charakter, und zwar auf folgende Weise: Die Bücher, die ich mithatte, bezogen sich auf die Entwicklungsgeschichte des Proletariats, vor allem auf die Proletarisierung des Landvolkes in der frühkapitalistischen Epoche und auf das Grauen der Kinder- und Frauenarbeit in den Industrien der letzten beiden Jahrhunderte. Während ich nun buchstäblich in Entsetzen versank über die Tatsache, daß noch auf einem Gewerkschaftskongreß 1902 in London die Vertreter der Hälfte der englischen Arbeiterschaft für die Nichtbekämpfung der Kinderarbeit stimmten, der acht-, zehn-, zwölfstündigen Tages- und Nachtarbeit von acht- und zehnjährigen Kindern, weil die Eltern nicht genug verdienten, um auf den Erwerb der Kinder verzichten zu können – hörte ich ununterbrochen das Horst-Wessel-Lied, das sich die Nazitrupps in den Gemeinschaftszellen über den Hof zusangen. Ich gestehe, daß ich den Gegensatz zwischen meiner Beschäftigung und der Beschäftigung dieser Leute geradezu als symbolisch empfand. Beiderseits waren wir aus politischen Gründen inhaftiert, und wir dachten auf beiden Seiten, was wir, wenn wir wieder draußen wären, weiterhin tun würden. Aber auf der sozialdemokratischen Seite sah das so aus, daß man sich weiterhin bemühte, seinen Gesichtskreis, sein Gewissen und seine Unerschütterlichkeit zur Jahrhunderttiefe und zur Weltweite zu dehnen, während man sich auf der nationalsozialistischen Seite in Exzessen des Chorsingens erging. Ich war nicht einfältig genug, die auf den Augenblick bezogene Vitalität zu unterschätzen, die sich in dem Heil Hitler! und Sieg Heil! äußerte, das auch fortwährend geschrien wurde. Aber ich fühlte auch wieder, wie episodisch diese Leute bleiben müssen und wie sehr mit uns der Gang der Weltgeschichte ist.

Eine Maifeier in der Bauernstube

1. Mai! Tag der Nation! In den Gesang brauner Marschkolonnen, in das Krachen der Salutschüsse mischt sich der Jubel eines ganzen Volkes.

Wir befinden uns auf dem Berghof, dem alten Stammsitz eines schwäbischen Bauern. Es ist sehr still hier oben in dieser schönen Waldeinsamkeit. Nur drinnen in der altertümlichen Wohnstube des Berghofschen Fachwerkhauses geht es lebhafter zu. Bauern und Bäuerinnen der umliegenden Höfe haben sich hier versammelt, um zum ersten Male in ihrem Leben der Stimme des Mannes zu lauschen, von dem sie schon soviel gehört haben – und doch so wenig noch wissen: der Stimme des Führers.

Wenige Tage erst steht im Herrgottswinkel der Stube ein Volksempfänger, den der Bauer auf das ständige Bitten seines ältesten Sohnes angeschafft hat.

Trotzdem hat der Berghofbauer noch keine Verbindung gefunden von seiner kleinen, ruhigen Welt zum großen Pulsschlag der Zeit, zum Vergehen und Werden innerhalb der Nation. Von dem großen Rettungswerk des Führers ist noch nichts zu ihm in seine Einsamkeit heraufgedrungen.

Sinnend steht nun der Berghofbauer am Apparat, die Augen erwartungsvoll auf den Lautsprecher gerichtet. Alle Anwesenden warten mit größter Spannung auf den Beginn der Führerrede, denn es ist der 1. Mai 1933, und der neue Führer des Vaterlandes will heute sein großes Vierjahresprogramm seinem Volke verkünden.

Jetzt hören wir den Ansager: «Hier ist Berlin mit allen deutschen Sendern. Der Führer spricht!» ... Mäuschenstill wird es im Raum. Nur die Wanduhr tickt weiter. Jetzt spricht er, er, der Führer auch dieser einfachen Menschen. Seine klare, ruhige Stimme dringt hinein in die schlichte Bauernstube dieses einsamen Erdenwinkels.

Adolf Hitler, unser Führer, spricht von der Rettung des deutschen Bauern, von dem ungeheuren Wert der deutschen Scholle. Seine Stimme schwillt an, wird zum reißenden Strom, der alles erfaßt. Die versammelten Männer und Frauen horchen auf. Die Augen des Berghofbauern leuchten in frohem Glanze. Er versteht, daß nun der Bauer wieder geachtet werden soll, erhoben zur Blut- und Kraftquelle der Nation! Er fühlt aber auch mit sicherem Instinkt, daß die Worte dieses Mannes aus seinem innersten Herzen kommen und daß sie nur einem überragenden Gefühl der Sorge um das Wohl des Vaterlandes entspringen.

Ein Strom der Freude und neuer Zuversicht quillt dem Berghofbauern aus dem Herzen, greift über zu den andern. Ein Band der Gemeinschaft umschlingt sie alle, knüpft die Herzen zusammen, deren frommer Wunsch sich zu dem wortlosen Gebet vereinigt: «Herr, laß das Werk des Führers gelingen! Herr, gib du deinen Segen!»

Der Berghofbauer hat plötzlich den Glauben wieder gefunden, den Glauben an seine eigene Kraft und Sendung. Auf einmal fühlt er: «Auch du mußt mitringen in diesem Kampfe, auch du bist auf Gedeih und Verderb mit dem Ausgang dieses Ringens verbunden!»

Längst hat der Führer geendet. Seine Worte aber schwingen immer noch durch den Raum. Die Bauersleute stehen noch ergriffen von dem Gehörten. Sie haben in dieser Stunde etwas Großes erlebt.

Schweigend lenke ich meine Schritte hinweg von diesem einsamen Ort, mit dem mich ein gemeinsames Erlebnis tiefster Art für immer verbindet.

Lotte Peter

Haussuchung

Man liegt mit wachen Augen und überlegt: Seit wann eigentlich schliefen wir nicht mehr ohne Furcht? Das war, ich rechne nach – halt! Das war die Nacht vom 4. zum 5. März!

Mein Mann ist seit Wochen flüchtig; mein ältester Junge auch. Meine drei schulpflichtigen Kinder sind mehr als einmal mit der Klage nach Hause gekommen, daß man sie als «Marxisten» verprügelt habe. Ich selber bin von der Polizei einmal anständig, viermal roh und rüde gefragt worden, wo mein Mann und mein Junge sich verborgen hielten. Man glaubt mir nicht, wenn ich sage, daß ich es nicht weiß.

Drei Haussuchungen haben in meiner Wohnung stattgefunden. Jedesmal ist etwas «beschlagnahmt» worden. Ich werde bald kein Buch mehr besitzen.

Ich leide Not. Meine Kinder wollen essen; woher soll ich das Geld nehmen? Gewiß: Ich arbeite, was ich an Arbeit erhalten kann. Viel ist es nicht und reicht kaum für die Miete. Mein Hauswirt ist ein Nazi und hat mir gedroht, mich ohne Möbel aus der Wohnung zu werfen, wenn ich die Miete schuldig bleibe.

Wenn ich alleine wäre, hätte ich mit diesem Leben schon längst Schluß gemacht.

So liegt man, so überlegt man ...

Ich springe aus dem Bett!

Was war das? Feueralarm oder Polizei?

Ich eile zum Fenster. Unten steht Polizei? Ein, zwei, drei Autos. Weiter fort noch einige Wagen! Ihre Scheinwerfer suchen die Häuserfront ab.

«Licht aus! Fenster zu! Weg vom Fenster! Es wird geschossen!» Laut hallen die Befehle durch die Nacht.

Die Kinder werden munter, sie weinen: «Mutter, tun sie uns was? Kommen die Nazi wieder zu uns? Was haben wir getan?» Ich beruhige sie und bin doch selber dem Weinen nahe.

Still sitzen wir auf dem Bettrand. Im Zimmer ist es finster. Das Haus ist voll Lärm und Aufregung. Wir hören Schimpfen, Fluchen und Geschrei. Auf den Treppen wird eilig gelaufen.

Wir warten.

Die Kinder flüstern; mir bohrt der Schmerz im Rücken, der mich nicht

mehr verläßt seit der Stunde, in der mein Mann verhaftet werden sollte, aber noch fliehen konnte.
Ich fühle: jetzt! Nein, erst jetzt kommen sie zu uns!
Es pocht laut: «Aufmachen! Polizei!»
Die Kinder schreien auf: «Mutter! Hierbleiben!»
Ich öffne. Herein treten SA und Polizeibeamte.
«Na, hier sind wir ja keine Unbekannten mehr!» Höhnisches Lachen folgt.
«Los, wo ist der Vater!» schreit einer meinen Jungen an. Der wischt sich die Tränen, wird trotzig und – spuckt aus! Ich werde verlegen.
«Marxistenbrut!» knurrt ein SA-Mann.
Die anderen suchen. Unter den Papieren im Schreibtisch finden sie einen Brief meines Mannes.
«Aha! Also in Bremen ist er?»
«Wer?»
«Na, Ihr Mann! Hier, der Brief beweist es!»
«So? Zeigen Sie!»
Ich lese. Es ist ein Brief meines Mannes, der vor einem Jahr aus Bremen geschrieben wurde. Es waren Grüße und persönliche Mitteilungen von einer Gewerkschaftskonferenz. «Bitte, beachten Sie das Datum! Der Brief ist genau ein Jahr alt!»
«Verflucht!»
Inzwischen haben die andern «beschlagnahmt». Einer hält Bücher in der Hand, ein anderer das Luftgewehr meines flüchtigen Jungen, das er vor acht Jahren zu Weihnachten bekam.
«Hallo! Eine Waffe?» ruft der Kommissar.
Ich sage ihm, sie sei ein Weihnachtsgeschenk, das nun bald zehn Jahre alt sei.
«Werden wir sehen; vorläufig wird das Gewehr beschlagnahmt.»
Ich muß noch den Keller öffnen und dann oben den Boden. Hier noch ein Triumph: Im Gerümpel wird eine alte schwarzrotgoldene Kinderfahne gefunden. Die haben sie bisher übersehen gehabt!
Endlich verlassen sie mich. Eine andere Wohnung kommt dran. Die Spannung läßt nach; ich weine wieder.
In den Straßen herrscht noch immer Alarmstimmung. Verstohlen schaue ich durch die Gardinen. Da – dort in dem Auto – Gefangene.
Mein Gott! Auch der Möller! Wie konnte der Mann aber auch nach Hause kommen? Er wußte doch, daß er seit Wochen gesucht wird! Sein Verbrechen ist, daß er Kassierer der sozialdemokratischen Partei war. Die arme Frau! Fünf Kinder hat sie; das sechste erwartet sie!

Erst in den frühen Morgenstunden tritt allmählich Ruhe ein. Die Kinder sind eingeschlafen. Mir steigt ein Schluchzen auf; irgend etwas würgt mich.
Wenn ich nur nicht zu denken brauchte, daß auf diese Nacht ein Tag und auf den Tag wieder eine Nacht folgt!
Nicht wieder eine Nacht mit Autohupen, Scheinwerfern, Befehlen und Haussuchungen!
Mein Gott! Wann endlich kommt der Retter diesem Lande? – so heißt es doch wohl in Schillers «Tell»?

Walter Hornung

Im Vorhof der Hölle

Die Posten sprangen ab, die bewaffneten SS, die den Wagen erwartet hatten, drängten heran: «Heraus! Aufschließen in Viererreihen!»
Von verwegenen Gestalten umringt, stand der Transport. Der Führer übergab einem Mann, der in seinem braunen Mantel wie ein Viehhändler aussah, eine blaue Heftmappe. Dieser fing an, aus der Mappe aufzurufen. Wenn ein politisch bekannterer Name laut wurde, hatten die SS noch ein besonderes Aha!
Nach der Verlesung schrie einer: «Wo habt ihr den Bonzen Auer!?» Keiner antwortete. Wie ein Rudel Wölfe strichen sie um die Gefangenen.
«Was hast du da?» Schon hatte der Angesprochene zwei schallende Ohrfeigen. Die Mütze flog zu Boden. Er hob sie auf und entfernte das Abzeichen eines Sportvereins, das die Farben der Republik enthielt. Seine Hände zitterten, als er die Mütze wieder aufsetzte ...
Die Kolonne stand, in den Augen funkelnden Zorn, aber keiner rührte sich vom Platze. Mit unbeweglicher Miene hörten sie das Gekläff der Tobenden, ließen die Visitation der Mützen nach Abzeichen an sich vorübergehen.
«Im Gleichschritt marsch!»
Die Gruppe setzte sich in Bewegung, vorne, hinten und an den Seiten von SS eskortiert, durch das Stacheldrahttor, eine Stacheldrahtallee, rechts durch eine langgestreckte Halle. Stacheldraht und wieder Stacheldraht. Rechtsum in eine Gasse, die in der Mitte wieder mit Stacheldraht verbaut war.
Haltkommando!
Neue SS-Gestalten tauchten auf. Das Abspähen der Gesichter wiederholte sich. Ihre Blicke waren frech und herausfordernd, mehr als das, sie waren gemein! Was seid ihr jetzt? Jeder von euch gehört jedem von uns. Wir treten euch in den Dreck! Wir spucken euch an! Ganz klein werdet ihr noch!
Ein neues Gesicht, das Käppi schief am Ohr, die Zigarette im Mundwinkel, die Hände in den Hosentaschen, vom Kopf bis zum Fuß eine in Uniform steckende Zuhälterfigur, näherte sich. Der Kerl strich durch die Reihen und schien endlich den Gesuchten entdeckt zu haben.

Es war der 62jährige Parteisekretär Nimmerfall.
«Aha!» Lauernd, ganz nahe an ihn herangerückt, stellte er mit unverschämter Vertraulichkeit Fragen, aus denen die Näherstehenden entnehmen konnten, daß er sich in die privatesten Bezirke des Gefangenen eindrängte. Das Interesse, das er an Nimmerfall nahm, war durch dieses heimtückische Gebahren höchst beunruhigend.
Firner wurde angesprochen: «Was warst denn du?»
«Verbandssekretär.»
«Also auch so ein Bonzenschwein!» Firners Blick wurde dunkel, der Bursche grinste höhnisch und griff spielerisch nach dem Revolver.
«Wo ist der Vetterle? Heraus mit ihm?»
Vetterle trat vor.
«Aha, da bist du ja, Kerl, dreckiger! Komm nur gleich mit!» Einige der Gefangenen machten eine unwillkürliche Bewegung.
«Keiner rührt sich!» Die SS hatten beständig die Hand am Pistolengriff. Zehn Meter vor ihnen ging eine Tür auf, heraus traten Gefangene eines früheren Transportes, die schon abgefertigt waren und sich in Reih und Glied stellten. Blutunterlaufene Gesichter sagten deutlich, was geschehen war. Keiner schaute herüber. Nach Abmarsch der Abteilung rückte die Gruppe Firners vor und begab sich in den Aufnahmeraum. Rechts war eine Reihe Stellagen zur Ablage der Kleider. Die Gefangenen mußten sich ausziehen und wurden von zwei Gefangenen-Sanitätern, die am Arm eine Rotkreuzbinde trugen, untersucht. Sie zogen sich wieder an, mußten sich in zwei Gliedern aufstellen und ihre Habseligkeiten vor sich auf den Boden legen. Die Tür öffnete sich, zwei SS kamen herein, entdeckten gleich von der Tür aus den Malermeister Scharnagl, einen etwa 50jährigen Mann, der sich sein EK. I (Eisernes Kreuz I. Klasse) angesteckt hatte. Der eine, ein Bursche von vielleicht zwanzig Jahren, stürzte sich auf ihn, gab ihm eine schallende Ohrfeige und brüllte ihn an:
«Du Sauhammel, du dreckiger! Schämst du dich nicht, zu diesen Vaterlandsverrätern zu gehören?»
Wortlos nahm Scharnagl die Kriegsauszeichnung ab und steckte sie in die Tasche.
Mann um Mann wurde von den zwei SS peinlich untersucht, das Gepäck visitiert. Wer nicht schnell genug die Taschen umkehrte, bekam Rippenstöße.
Nun wurde Vetterle von einem SS hereingestoßen. Sein Gesicht war bleich, schmerzhaft, verkrampft, die Augen standen fiebrig flatternd in den Höhlen. Man merkte ihm an, daß er seine ganze Energie zusam-

mennehmen mußte, gehen und stehen zu können. Immer wieder, wenn er zusammenzusinken drohte, nahm er gewaltsam Haltung an. Er stand abseits, und die SS wußten wohl, warum sie ihn nicht aufforderten, sich zu entkleiden.

Einer hinter dem andern traten die Gefangenen an einen Tisch in der linken Ecke, an dem zwei Gefangenenschreiber tätig waren. Sie nahmen die Personalien auf und gaben jedem einzelnen seine Nummer bekannt. Am nächsten Tisch mußten Nagelfeile, Taschenmesser, Schlüssel und ähnliches, sowie Geldbeträge über 5 Mark abgegeben werden.

«Antreten!... Aufschließen!... Aufgepaßt!»

Ein dicker und kurzbeiniger SS verlas einen Auszug aus der Lagerordnung:

«Wer einen Fluchtversuch macht..., wer sich den Befehlen der SS widersetzt..., wer einen SS-Mann anrührt..., wer Aufruhr anzettelt ...» usw. usw. Jeder Satz schloß mit den Worten: «Wird erschossen!» Nach jedem Satz ein drohender Blick auf die Gefangenen. Der Schnauzbart bibberte, ein Schnörkel sozusagen: Verstanden!

Die Gefangenen standen mit unbeweglichen Mienen. Jeder wußte, daß er in der Hand von Mördern war, einer Soldateska, der die Kugel wohlfeil im Laufe saß, die keine Rechenschaft zu geben brauchte, denn die Standrechtsparagraphen deckten jedes Verbrechen. Unsichtbar standen für viele über dem Lager die Worte Dantes: Der du hier eingehst, laß jede Hoffnung fahren!

«Rührt euch!»

Einige der SS gingen in die gegenüberliegende Küchenhalle, kamen mit einem großen Karton zurück und hielten ihn in die Höhe. In eilig hingemalter Druckschrift stand darauf: Ich bin ein SPD-Bonze, ein Arbeiterverräter!

Sie hingen Nimmerfall das Plakat um und hatten an dem Einfall eine unbändige Freude. Auch an den Küchenfenstern gab es einige lachende Gesichter.

Nimmerfalls Gesichtsmuskeln versteiften sich unter der Anstrengung, beherrscht zu bleiben. Ein SS spähte höhnisch sein Gesicht ab; wenn es auch wie eine Maske war, er hätte die Augen schließen müssen, um seine Empfindungen gänzlich zu verstecken. Unbeweglich blieben auch die andern. Jeder blickte vor sich hin. Das Vorwärts-Marsch! kam wie eine Erlösung. Rechts um die Ecke, über eine kleine Brücke, zwischen hohen Stacheldrahtzaun. Links hinter dem Zaun lag ein einstöckiges Gebäude: die Wache.

Ein SS-Posten schritt lässig auf und ab, unsoldatische Gestalten lungerten auf einer Bank, riefen spöttisch in die Reihen der Anmarschierenden: Freiheit!
Das dritte und letzte Tor ins Lager stand offen. Scharen Gefangener drängten heran, pfiffen und johlten: «Jetzt kommt die Politik des kleineren Übels!»
Unter der Menge ein langer SS-Kerl, der mit teuflischem Lachen auf die «Bonzen», besonders auf den Plakatträger deutete: «Da habt ihr sie, eure Freunde!»
Einen Augenblick schien es, als setze sich diese graue feindliche Masse gegen den Transport in Bewegung.
«Nur zu! Nur zu! Jetzt könnt ihr sie euch kaufen!»
Die graue Masse stand plötzlich. Der Lange schaute verächtlich und enttäuscht auf sie, schrie im Weggehen: «Feige Gesellschaft!»
Der Trupp gelangte über den freien Platz in die Barackengasse. Die SS-Begleitung machte kehrt. Die Gefangenen atmeten auf. Sie gingen in die Baracke, die Freunde umringten Vetterle. Zwei Kameraden führten ihn in den Waschraum, entkleideten ihn.
«Du siehst ja sauber aus! Da hängen ja die Fleischfetzen weg! Was sollen wir denn da tun?»
«Wir müssen sehen, daß wir einen Sanitäter bekommen, der dich verbindet. Einstweilen legen wir dir ein sauberes Taschentuch unter, damit kein Schmutz in die Wunden kommt. Die müssen ja furchtbar auf dich eingeschlagen haben.»
Vetterle antwortete nicht.
«Warum haben wir auch *so* kapitulieren müssen ...»

Jan Petersen

Die Straße

Die Glut der Mittagshitze liegt flimmernd in der Luft. Die Häuser der engen Straßen stehen in eintöniger Flucht, wie ausgerichtete Soldaten. Als wollten sie sagen, seht her, wir haben ein Gesicht, Narben vom herausgefallenen Mörtel, Geschwüre vom abgeblätterten Putz. Auf der Sonnenseite ist ihr Grau unterbrochen, die langen Fensterreihen werfen das Sonnenlicht gleißend zurück. Einige schmutzige Kinder spielen auf dem Fahrdamm, sonst scheint die Straße ausgestorben zu sein. An der Ecke vor dem Schlächterladen steht angebunden an den Laternenpfahl ein Hund. *Maikowskistraße* steht in Frakturschrift über ihm auf dem blauen Straßenschild.

Am Knick der Straße neben dem Umformwerk, das mit tiefem Brummen wie ein beutegieriges Tier im Hinterhalt liegt, schaut das frühere kommunistische Verkehrslokal mit leeren Schaufenstern auf die an der gegenüberliegenden Kneipe flatternde Hakenkreuzfahne. Diese Schaufenster sind wie Augen; Augen, in denen der Haß dunkel glimmt; Augen, deren Gesicht die Straße ist. Man muß lesen können in diesem Gesicht. Es zeigt nach außen hin jene Gleichgültigkeit, hinter der momentan Schwächere ihre Wachsamkeit verbergen. Und doch strahlt es Wellen eisiger Ablehnung aus, auf denen die schlaff hängende Fahne wie der Hilferuf von Schiffbrüchigen schwimmt. Denn diese Fahne ist ein Stachel im Antlitz der Straße, die immer Fahnen getragen hat, rote, nie solche, die sich ihr Rot gestohlen haben. Sie hat sich geschmückt und zugejubelt, wenn der Freund, sie hat aufgebrüllt, wenn der Gegner durchmarschierte.

Jetzt trägt sie neue Schilder und Hakenkreuzfahnen. Die sind wie Öl, das, in Wasser gegossen, die Oberfläche schillernd verändert und doch nicht in die Tiefe zu dringen vermag. Denn der Herzschlag der Straße ist der alte geblieben. Sie läßt die Flugblätter und Zeitungen durch die Häuser flattern, sie schreibt mit unsichtbaren Händen Worte an die Wände. Bisweilen ist die Straße wie ein Tier, das sich der Gefahr widersetzt, sich zusammenrollt und reglos verharrt, dann wieder wie ein Ameisenhaufen, in dem man trat.

So war es, als sie Franz holten. Als der Lastwagen mit den braunen Uniformen kam, setzte der Pulsschlag der Straße, jener Pulsschlag, der die Papierschmetterlinge flattern ließ, blitzschnell aus. Vor den

Haustüren standen die Weiber und gestikulierten, die Männer ballten die Hände in den Taschen, daß sie prall, wie vollgestopft, abstanden. Ein Haus war besetzt und abgeriegelt worden. Einige Stunden schon wurde vom Keller bis zum Boden alles umgedreht, die Ofenröhren wurden abgenommen, Dielen angehoben, ja selbst die Kleidersäume wurden durchleuchtet. Die Straße blieb stumm; doch die Köpfe in den Fenstern, die Gruppen vor den Türen sprachen für den, der zu hören wußte, die stumme Sprache der Solidarität. Die Braunen fanden nichts, trotzdem brachten sie Franz heraus, einfach, weil er als früherer Funktionär bekannt war.

Franz?

Jeder kannte das frische Gesicht mit den blonden Haarsträhnen, die hühnenhafte Gestalt mit den breiten Schultern. Sie stoßen ihn auf das Auto. Schweigend nimmt die Straße von ihm Abschied. Es ist, als ob sich von allen Seiten Arme ausstrecken, ihm die Hand zu drücken. In seinem Gesicht steht ein lächelndes Verstehen.

Es war das letzte Mal, daß wir Franz sahen. Wie das kam? Das weiß niemand genau. Nur daß kurze Zeit darauf ein Schreiben ins Haus flatterte:

> «Gestorben im Staatskrankenhaus. Todesursache: Lungenentzündung. Besichtigung nicht gestattet. Zur Beerdigung freigegeben am ...»

Die Straße trauert. Nichts Schwarzes ist zu sehen. Aber in den Gesichtern steht der Tod des Kameraden. In den Gesprächen ist er, in den stummen Blicken. Und in diesen Stunden nimmt der tote Franz Abschied von seiner Straße. Er geht in die Häuser, steigt die winkligen, knarrenden Treppen empor. Klopft nirgends an, keine Tür öffnet sich, doch überall tritt er lautlos ein.

Ein Mütterchen reicht ihm ihre zittrige Hand, Tränen rinnen über das welke Gesicht. Hat ihr oft geholfen, der gute Junge. Etwas getragen, Kohlen geholt. Ein Kamerad tritt zu ihm: «Weißt du noch? Friedrichshain, Saalschlacht? Neukölln-Reichstreffen, weißt du noch? Leb wohl, Franz, warst einer der Besten ...»

Die Straße ist lang, der Häuser sind viele, überall nehmen sie Abschied von Franz, für immer. Und aus den nassen Höfen, den engen Zimmern schwanken rote Punkte, ziehen zur Straße, fließen zusammen, werden eine rote Fahne. Die hängt unsichtbar und doch riesengroß inmitten der Häuserfronten, auf und nieder schwankt der schwarze Flor an der Spitze. Über ihr leuchtet ein Transparent:

Die Straße kämpft weiter!

Johann Haas

Der Kampf um den Karl-Marx-Hof

12. Februar 1934. – Es ist die Mittagsstunde. Die Kampfleitung bestimmt einige Genossen als Ordonnanzen zur ständigen Verbindung mit allen Unterabteilungen und Gruppen. Sie wartet von Stunde zu Stunde auf Weisung der Kreisleitung. Mehrere Ordonnanzen kommen nicht mehr zurück, ebenso neu eingesetzte. Die Leitung ist von jeder Verbindung abgeschnitten und auf sich selbst gestellt. Gegen 18 Uhr kommt die Weisung zum Losschlagen. In anderen Bezirken habe der Kampf schon begonnen. Mit Gewehrsalven auf unbewaffnete Zivilisten und Schutzbündler[1] durch Polizeipatrouillen beginnen die eigentlichen Gefechte in Döbling.

Von der Barawitzkagasse-Ecke Heiligenstädterstraße her ertönt ein Schuß, den Kriminalinspektor Beran, ein bezirksbekannter, verhaßter Provokateur, abgibt. Die in der Nähe in Bereitschaft liegende Gruppe Emil Svoboda, teilweise schon bewaffnet, wird von einer Polizeipatrouille, von der Heiligenstädterstraße kommend, unter Feuer genommen. Es entspinnt sich ein kurzes Feuergefecht, wobei ein Inspektor getötet und ein Polizist verwundet wird. Die Polizeipatrouille flüchtet in das nahe Kaffeehaus Bagl.

Ein in Nußdorf in der Arbeiterhochschule gesammelter Zug unter Führung des Gen. Sigmund, der weisungsgemäß zum Karl-Marx-Hof[2] marschieren soll, versucht nach dem Polizeiangriff in ganz kleinen Gruppen sein Ziel zu erreichen.

Nur wenigen gelingt es; die übrigen zerstreuen sich. Gen. Johann Haas, der verwundet ist, führt einen Teil des Zuges geschlossen über

1 Als Gegengewicht gegen die reaktionären paramilitärischen Verbände (Frontkämpferbund, Heimwehr, Ostara) und zum Schutze der Republik schuf die Sozialdemokratie nach einer Serie von Überfällen auf Parteimitglieder und -lokale im Februar 1923 den «Republikanischen Schutzbund». 1928 war der Schutzbund 80000 Mann stark; 31. 3. 1933 behördliche Auflösung des Schutzbundes, der – geschwächt – in die Illegalität ging.

2 Repräsentativste, 1927–1930 von der Stadt Wien errichtete Wohnhausanlage (1325 Wohnungen) im expressionistisch-kubistischen Stil. Die Anlage besitzt eine Front von 1 Kilometer Länge.

die Hohe Warte in den Karl-Marx-Hof, dessen Zernierung durch Militär, Polizei und Heimwehr[3] bereits einsetzt.
Zu diesem Zeitpunkt überquert die Alarm-Kompanie unter Führung Eigners und Kordinas den Hof, um das Wachzimmer Heiligenstadt sturmreif zu machen. Ein Überfallwagen der Polizei fährt vor. Die Polizisten beginnen, gegen die auf den Stiegenhäusern 36 und 38 postierten Schutzbündler zu feuern. Diese erwidern das Feuer und bekämpfen ein MG, das am Eingang zum Wachzimmer aufgestellt ist. Fast eine halbe Stunde dauert das Feuergefecht; ein Zivilist wird tödlich getroffen. Das MG wird zum Schweigen gebracht und das Wachzimmer im Sturm genommen.
Um etwa 19 Uhr wird an mehreren Stellen des mehr als ein Kilometer langen Karl-Marx-Hofes erbittert gekämpft. Bundesheer, Heimwehr, Sturmscharen und Polizisten greifen an. Gen. Fronek und sein Stab versuchen einen Ausfall. Manche der Schutzbündler sind schon entmutigt, aber nicht für lange. Eine eilig über die Geistingergasse-Boschstraße herangebrachte Gruppe konzentriert ihre Feuerkraft auf die durch die Gunoldgasse mit vollem Scheinwerferlicht heranfahrenden 8 Überfallautos, wobei mehrere Polizisten verwundet werden. Durch ständige Verstärkungen wird der Schutzbund in die Verteidigung gedrängt. Die Wachstube Heiligenstadt muß aufgegeben werden. In manchen Gruppen geht der Munitionsvorrat bereits zu Ende.
Die Unterabteilung 4 Krim, die die Polizei-Hauptwache in der Kreindlgasse besetzen sollte und mit dem Vortrupp in der Krottenbachstraße bis zur Kopfschußstation gegenüber dem Realgymnasium vorgestoßen ist, erhält plötzlich Seitenfeuer. Ein Meldegänger überbringt den Befehl der Kampfleitung, die im Kampfe stehenden Genossen im Marx-Hof zu verstärken. Als die Unterabteilung bei ihrem Marsch den Sonnbergplatz passiert, wird sie von heftigem Feuer überrascht. Die Exekutive, hinter den Arkaden des Gemeindebaues in der

3 Heimatschutz bzw. Heimwehr unmittelbar nach Kriegsschluß als Selbstschutzverbände entstanden (Grenzschutz und Abwehrkampf in Kärnten und Steiermark gegen jugoslawische Besetzung), sahen seit 1924 in zunehmendem Maße ihr Ziel in der Bekämpfung des Marxismus und Zerschlagung der Sozialdemokratie: im «Korneuburger Eid» vom 18. Mai 1930 Bekenntnis zu den Grundsätzen des Faschismus. 1931 Heimwehrputsch, 1933 Eintritt in die Regierung Dollfuß. Am 12. 2. 1934 von der Regierung zur Niederkämpfung des Schutzbundes aufgerufen – der starke nationale Flügel im Heimatschutz ging geschlossen zur NSDAP über.

Obkirchergasse Stellung bezogen, zwingt die Marschkolonne zum Gefecht. Sprungweise vorgehend, arbeitet sie sich an den Gegner heran und zwingt ihn zum Rückzug. Dabei fällt einer ihrer Besten, Gen. Ernst Rebec, im Geschoßhagel der Dollfuß-Garde. Eine kleine Nachhut bleibt im Gemeindebau Obkirchergasse und verteidigt sich gegen eine Übermacht. Die übrigen Schutzbündler unter Führung des Gen. Lifka arbeiten sich auf dem Bahnkörper der Vorortelinie im gesicherten Marsch gegen Heiligenstadt vor.

Auf der gegnerischen Seite haben Stadthauptmann Springer und Oberstleutnant Hofbauer die Leitung der Exekutive. Sie hatten Verstärkung aus der Brigittenau und aus der Provinz angefordert; auch Studentenwehrverbände und Sturmscharen werden von ihnen eingesetzt. Der Ring um den Karl-Marx-Hof wird enger und enger, die Angriffe nehmen an Heftigkeit zu. Während einer Feuerpause erscheinen zwei Parlamentäre und verlangen die Übergabe des Karl-Marx-Hofes. Die Genossen sind fest entschlossen, nicht die Waffen zu strekken, sondern weiterzukämpfen. Die Parlamentäre werden gefangengenommen; ihnen wird kein Leid zugefügt. Trotz geballter Handgranaten, die dauernd gegen die Tore und Stellungen fliegen, trotz MG-Beschießung, trotz Ausbleibens jeder Hilfe von auswärts, trotz völliger Isolierung wird weitergekämpft. Es geht um die Freiheit, um das Schicksal der Partei, um Österreich.

Munitionsmangel wird in allen Gruppen sehr stark fühlbar. Die Heimwehr setzt immer wieder zum Sturm an. Nicht weniger als acht Angriffe der Faschisten und der Exekutive werden zurückgeschlagen. Schon glaubten sie, den «blauen Bogen» in Händen zu haben, aber wieder werden sie zurückgeworfen. Ein neuer Sturmangriff. An der Spitze der Heimwehrkommandant Oberleutnant Kreuz. Ein Ringen um Stiege 10 und den «blauen Bogen». Die Heimwehr muß weichen. Ihr Kommandant bleibt tot auf dem Platz. Sturmangriffe führen keine Entscheidung herbei. Nun werden modernste Waffen eingesetzt. Ein Panzerkraftwagen beginnt mit der Beschießung.

Infanterie des Bundesheeres ist eingetroffen und greift an der Seite der Polizei und der Heimwehrverbände in den Kampf ein. Ein starkes Krachen zerreißt hin und wieder die Luft; es krepieren geballte Ladungen, die von Soldaten geworfen werden.

Es ist 24 Uhr geworden. Das Gewehrfeuer hat nachgelassen, der Wachtdienst wird eingeteilt. Gutherzige Bewohner des Marx-Hofes haben Tee für die Wachtposten gekocht und heiße Getränke an die zur Ablöse bestimmten Genossen verabreicht. Vom Mitteltrakt her ist heftiges Gewehrfeuer zu vernehmen, auch ein MG-Schütze hat wieder am Eingang des Wachzimmers Stellung bezogen. Er feuert auf den Mitteltrakt, besonders auf Fenster, hinter denen sich die Vorhänge bewegen. Am Perron des Bahnhofes liegt Heimwehr auf der Lauer, um jeden, der sich zeigt, abzuknallen. Die Schutzbündler, die sich im Mitteltrakt verbarrikadiert haben, müssen sich ruhig verhalten. Es fehlt an Munition. Von der Kampfleitung kommen immer wieder die Befehle: Nur feuern, wenn es dringend nötig ist!

Die Gegner fassen Mut und stürmen den Mitteltrakt. Nach kurzem Gefecht ziehen sich die Schutzbündler zurück, entkommen über Dachböden und schließen sich den auf beiden Seitenflügeln postierten Genossen an.

Die Heimwehr beginnt ihr feiges Zerstörungswerk: Männer und Chargen zerstören Türen, schlagen die Möbel der geplagten Mieter kurz und klein, reißen Bilder von den Wänden, treten darauf herum, durchstechen Kleider, Polster, Matratzen. Wertgegenstände werden konfisziert. Die Bewohner des Mitteltraktes werden mit Gewehrkolben traktiert, mit Fäusten ins Gesicht geschlagen und in das Bahnhofsgebäude eskortiert, wo die Mißhandlungen aufs neue beginnen. Dabei zeichnen sich am meisten der Rayonsinspektor Bäcker der Sicherheitswache-Abteilung Döbling und der schon genannte Kriminalinspektor Beran aus.

2 Uhr morgens. Das Schießen verstummt. Manche Genossen schlafen, von Hunger und Müdigkeit überwältigt, zusammengekauert in irgendeinem Winkel, andere sitzen und starren vor sich hin. Die Wachtposten lauschen nach von außen kommenden Geräuschen. Hie und da ein lautes «Halt». Ein Schuß zerreißt die Stille. Irgendwo wimmert jemand. Da und dort hört man Namen rufen.

Ordonnanzen treffen vom Kommando ein, verteilen die noch vorhandene Munition gleichmäßig an alle Kämpfer. Wer noch Patronen hat, teilt sie mit den Kampfgefährten.

Im Laufe des Vormittags fahren zwei Batterien Geschütze vor dem Sportplatz Hohe Warte auf. Ein Versuch, sie aus der Stellung zu vertreiben, ist erfolglos. Bald darauf sausen sechs Panzerautos, mit Heimwehr besetzt, von der Stadtseite nach Heiligenstadt. Die Wagen werden von den Schutzbündlern beschossen und nehmen Reißaus Richtung Nußdorf. Der weitere Weg ist nicht auszumachen. Die Artillerie beginnt zu feuern.

Die Wirkungen des «vaterländischen» Kampfes ist an den Fassaden und in zerstörten Wohnungen, besonders des «blauen Bogen»-Traktes, zu sehen. Von der Brigittenau her rücken starke Militärabteilungen an und nehmen unter Einsatz von Granatwerfern den Kampf mit unseren, den Bahndamm verteidigenden Genossen auf. Um unnützes Blutvergießen zu vermeiden und mit Rücksicht auf den Munitionsschwund, zieht Gen. Fronek einen Teil der Schutzbündler aus dem Kampf. Es gelingt einer kleinen Gruppe, vom Kampfplatz sich abzusetzen, die übrigen harren aus. Sie wissen, daß die Gegner zum Generalangriff antreten werden, schließen sämtliche Tore und errichten Barrikaden.

Geballte Ladungen werfend, sprengt die Infanterie die Toreingänge. Mit schweren MGs erobern sie Stiege um Stiege. Die Schutzbündler sind umzingelt.

Die Bewohner werden in den Hof getrieben. Sie müssen rechts vor die gefangenen Schutzbündler treten. Es sieht so aus, als ob die Verteidiger erschossen werden sollten. Sie werden jedoch vom Militär anständig behandelt. Dies ändert sich, als sie in einem zweiten Hof der Heimwehr übergeben werden.

Die Heimwehr stellt die Gefangenen an die Wand; davor liegen gefallene Heimwehrler. Sie drohen mit dem Erschießen. Es ist schon später Nachmittag; die Kampfhandlung ist schon längst beendet.

Nach einer halben Stunde etwa werden unter starker Eskorte die Schutzbündler in die Wachstube Heiligenstadt eingeliefert und unter Schlägen einvernommen. Von dort geht es zum Bahnhof Heiligenstadt. Ein wahres Spießrutenlaufen. Im Warteraum müssen sie Aufstellung nehmen; sie werden von den Wachleuten mit Faustschlägen und Gewehrkolben mißhandelt. Mit blutenden Gesichtern werden sie dann von einer Heimwehrgruppe in das Kommissariat Kreindlgasse gebracht, in den Hof getrieben und unter dem Schutz eines MG mißhandelt und neuerlich zum Verhör geführt. Wer kein Geständnis ablegt, kommt mit blutigem Gesicht zurück. Die im Hof zusammengepferchten Genossen müssen stundenlang mit erhobenen Händen stehen. Genossen, die für das Standgericht bestimmt sind, werden in den «Grünen Heinrich» gesteckt: Emil Svoboda, Karl Fenzl, Johann Sturm, Johann Pacejka und noch weitere 12 Genossen, unter ihnen der Bezirkssekretär der Bezirksorganisation Döbling, Karl Mark, und der Bezirksadjutant Gen. Radler.

14. Februar 9 Uhr. Der Rest der Schutzbündler wird abtransportiert. Die Polizisten stehen Spalier und mißhandeln jeden einzelnen schwer. Nach kurzer Fahrt landen die gefangenen Schutzbündler im Polizeigefangenenhaus Rossauer Lände. Hier werden sie den ganzen Tag über

verhört und gepeinigt. Der größte Teil der Verteidiger des Karl-Marx-Hofes wird in das Landesgericht überstellt.
Die Standgerichtsverhandlung gegen Gen. Emil Svoboda[4] wird sofort aufgenommen. Er wird in der Nacht vom 14. auf den 15. Februar zum Tode verurteilt. Drei Stunden danach am Galgen gehängt.

4 Emil Svoboda, geb. 1898 in Wien, Arbeiter, Mitglied der Sozialdemokratischen Partei Österreichs seit 1919. Gruppenführer des Republikanischen Schutzbundes.

Martin Grill

Nelson III

Man brauchte nicht nach dem Weg zu fragen. Noch weit vom Ort der Grubenkatastrophe der vergangenen Nacht entfernt, sieht man überall auf den sonst so einsamen Straßen und Feldwegen kleine Gruppen von Menschen, die dem gleichen Ziel zustreben. Radfahrerkolonnen überholen sie und mitunter auch Rettungsautos, die Wolken trockenen gefrorenen Staubes aufwirbeln, die die hüstelnden Menschen einhüllen und dann träge über die kahlen Felder dahinziehen. Die schneelose graue Winterlandschaft wirkt unsagbar öde und traurig. Das nordwestböhmische Kohlengebiet ist auch an hellen Sommertagen keine romantische Landschaft. Allzu aufdringlich machen sich hier immer die giftig-gelben Rauch- und Gasschwaden bemerkbar, die von den zahlreichen Abraumhalden mit ihren durch Jahre glimmenden Kohlenresten kommen. Und heute wandern diese schweigenden Gruppen von Menschen noch dazu mit der drückenden Gewißheit über diese Erde, daß da überall unter ihnen, in zweihundert, dreihundert, fünfhundert Meter Tiefe, der Tod lauert. Einmal heißt die Unglücksstätte Humpoldschacht, dann Grube Kohinoor, dann ist es die Mariahilf-Zeche oder die Grube Heiliger Geist, und nun ist es also die Grube Nelson III, eine der größten und ertragreichsten des Dux-Ossegger-Kohlengebietes[1], ertragreich allerdings nur für die große und einflußreiche Brüxer Kohlenbergbaugesellschaft, der große Teile des Revieres in diesem Raum gehören.

Hundert, hundertzwanzig oder hundertfünfzig Kronen[2] verdienen diese Bergarbeiter, die jetzt nur noch selten sechs Schichten in der Woche einfahren können. Das reicht für das notwendige Brot, für die Kartoffeln und für die Margarine, selten für ein Stückchen Fleisch, und doch müssen sie froh sein, wenigstens soviel nach Hause bringen

1 Kohlenrevier in Nordböhmen, in dem die Zahl der Beschäftigten von 6890 im Jahre 1920 auf 3284 im Jahre 1934 sank, ohne daß der Arbeitsmarkt die Entlassenen aufnehmen konnte.

2 1934 waren im Durchschnitt folgende Lebensmittel- (für 1 kg) und Brennstoffpreise (für 100 kg) zu entrichten: Mehl 3 Kronen 95 Heller, Schwarzbrot 2,85; Rindfleisch 16,85; Schweinefett 14,75; 1 l Milch 2,85; Braunkohlen 28,15.

zu können, denn allzuviele Kameraden warten vor geschlossenen Zechen- und Fabriktoren auf eine Arbeit, sei sie auch noch so schlecht bezahlt.

Die Menschengruppen auf den Straßen und Wegen schmelzen so allmählich zu einem lückenlosen grauen Strom zusammen, der an den Absperrungszäunen um den Schacht Nelson III zum Stehen kommt. Hinter diesen Zäunen, an denen seit vielen Stunden die Frauen und Kinder der Grubenarbeiter warten, beginnt das Grauen: Aus den Luftschächten ringsum quellen gelbe und schwarze Rauchwolken; der Hauptschacht selbst ist nur noch ein Trümmerhaufen; der Förderturm ist zum Teil zusammengestürzt; doch in seiner halben Höhe hängt noch ein anscheinend unbeschädigter Förderkorb, den die nächtliche Explosion dort hinausgeschleudert hat. Spät in der vergangenen Nacht – ich war auf dem Heimweg von einer Parteisitzung in der Bezirksstadt – sah ich weit im Westen eine Feuersäule gegen den Himmel rasen. Es mochte fünf oder sechs Kilometer von meinem Standort entfernt sein, doch die nahen Berge waren plötzlich in ein rotes Licht getaucht und ermöglichten unschwer die Bestimmung des Ortes der Grubenkatastrophe. Eine solche mußte es ja sein, denn allzu zahlreich hat es dafür Anzeichen gegeben, daß man in diesem Kohlenrevier auf eine Katastrophe großen Ausmaßes gefaßt sein mußte. Woche für Woche war es in der letzten Zeit bald da und bald dort zu Grubenbränden und zu Explosionen gekommen, die Menschenopfer gefordert hatten.

Doch wieviel brave Grubenarbeiter haben diesmal ihr Leben lassen müssen? –

Daß es eine Explosion riesigen Ausmaßes sein muß, darüber bestand kein Zweifel mehr. Nach einer ersten Meldung waren vier Tote geborgen worden: zwei wurden in den Resten des Förderturmes gefunden, zwei sind durch zusammenstürzende Mauern im Schachthof erschlagen worden. Jedoch: wie viele befanden sich zum Zeitpunkt der Explosion unten in der Grube? – – –

Rings um den Schacht warten tausende Menschen; den nahen Bahndamm säumen lange dunkle Reihen; auf den Halden drängt sich Kopf an Kopf. Alle Schachteingänge sind hermetisch abgeriegelt, und zahlreiche Gendarmerieposten sorgen dafür, daß kein «Unbefugter» die Absperrung durchbricht. Auch die Gendarmen treten heute weniger laut und forsch auf, als man es sonst von diesen schwerbewaffneten Hütern der Ordnung gewohnt ist. Über der Menschenmenge lastet eine bedrückende unheimliche Stille, die nur selten von einem unter-

drückten Schluchzen einer der wartenden Frauen unterbrochen wird – hier gibt es nur Warten, Warten und Warten, Stunde um Stunde.
Plötzlich geht ein Rauschen und Sausen durch die Menge, alle Köpfe reißt es in eine bestimmte Richtung: Das Förderrad in einem nahe gelegenen Entlüftungs- und Wasserschacht begann sich zu drehen! Den pausenlos arbeitenden Rettungsmannschaften ist es also gelungen, diesen Schacht wieder betriebsfertig zu machen. Und dieses Rad dreht sich weiter und kündet den tausenden Augenzeugen, daß Helfer in der Tiefe der Grube an der Arbeit sind. An das Drehen dieses Rades klammern sich nun die Hoffnungen der angsterfüllten und seit vielen Stunden ausharrenden Menschen.
Bald werden die ersten Bahren mit verhüllten Körpern hier vom Luftschacht weggetragen: acht Tote konnten geborgen werden. Eine neuerliche Explosion mit nachfolgender schwerer Gasentwicklung, die Opfer unter der Rettungsmannschaft fordert, zwingt die Einsatzleitung, den sofortigen Rückzug der Rettungsmannschaft aus der Grube zu befehlen. Die bis in die Nacht hinein vorgenommenen Erkundungen bringen die Gewißheit, daß der in der Tiefe des Schachtes rasende Brand mit den vorhandenen Hilfsmitteln nicht erstickt werden könne, daß von den Eingeschlossenen unmöglich noch einer am Leben sei und daß ein Übergreifen des Brandes auf das gesamte weitverzweigte Abbaugebiet drohe!
Und die Meldung wandert durch die wartenden Menschenmassen: es werde die Zumauerung aller Ausgänge des Nelson III als des einzigen Mittels erwogen, den Brand allmählich zu ersticken --- ein Todesurteil, das als endgültig anzuerkennen sei.
Eben in diesen Stunden wird ein einziges aufmunterndes Ereignis bekannt: Sechs Bergarbeiter, die zur Zeit der zwei stärksten Explosionen 500 Meter vom Hauptschacht entfernt gearbeitet hatten, hatten sich unter schweren Mühen bis zum Schacht Nelson VII durchgeschlagen, den sie auf Leitern zu verlassen versuchten. Einer der Arbeiter brach jedoch schon am Fuße des Schachtes leblos zusammen, ein zweiter stürzte etwa auf halber Höhe von einer Leiter ab, die anderen erreichten den Schachtausgang – diese vier Kumpel waren die einzigen, die sich aus der Unglücksgrube hatten retten können!
Unter den Wartenden spricht es sich herum, daß nun am Ende des Tages vielleicht noch 132 Mann der Belegschaft in der Grube sein müßten. Die Zahl der Opfer war damit noch nicht bestimmt, denn die Grubenleitung wollte oder konnte nicht bekanntgeben, wieviele Grubenarbeiter am Abend vorher eingefahren sind. Nach den also zu

diesem Zeitpunkt durchaus noch nicht zuverlässigen Informationen sollten 72 deutsche, 69 tschechische und ein polnischer Bergarbeiter im Unglücksschacht geblieben sein. (Was im übrigen ziemlich genau der nationalen Zusammensetzung der Gesamtbevölkerung in diesem Bezirk entspricht.)
Auf dem langen Heimweg von dieser Stätte der Verzweiflung erinnerte ich mich einer Statistik, die ich kurz zuvor in «Glück auf!», der Zeitung der Union der deutschen Bergarbeiter, gelesen hatte. Innerhalb von zwölf Jahren sind im Kohlenbergbau der Tschechoslowakei 2051 Bergarbeiter ums Leben gekommen und 83 300 schwer verletzt worden. In diesem Beruf fordert jeder Tag etwa 15 Opfer! Alle zwei oder drei Tage ist ein Todesopfer zu beklagen!
Die Grube Nelson III gehört – wie von jeher bekannt – in die höchste Gefahrenklasse. Die Häufigkeit von Kohlenstaubexplosionen, nirgendwo in Böhmen so häufig wie hier, ist auf die Art der Gewinnung und Beförderung der Kohle, die unter großer Staubentwicklung stattfinden, zurückzuführen. Trotz vieler Vorhaltungen der Bergarbeiterverbände ist nichts getan worden, um diese Gefahr wirksam zu bekämpfen. Man begnügt sich wohl mit der Feststellung, daß der Bergmann eben immer sein Leichenhemd am Leib trägt ...

Maria Leitner

Reinsdorf

Die Welt hat die Katastrophe schon halb vergessen.
Reinsdorf, ach ja, war da nicht eine Sprengstoffexplosion? Viele Tote und Verwundete?
Aber Reinsdorf ist noch etwas anderes. Reinsdorf gehört zu jenen Städten, in denen der Krieg unterirdisch vorbereitet wird. Unterirdisch in doppeltem Sinne. Reinsdorf gehört zu jenen technischen Wundern, die eine schreckliche Zukunft vorbereiten.
Das Unglück ist in der Welt schon halb vergessen. Aber in Reinsdorf und in den benachbarten Dörfern und Städten spricht man immer noch von ihm mit Grauen und Entsetzen. In Braunsdorf, dem Reinsdorf benachbarten Ort, hat die Explosion wie der hinkende Teufel der Sage alle Dächer von den Häusern gehoben. In Wittenberg, in Piesteritz zerbrachen klirrend sämtliche Fensterscheiben. Die Häuser sind längst repariert und die zerschmetterten Fensterscheiben durch neue ersetzt. Aber die Welt konnte, wenn auch nur einen kurzen Blick in die bloßgelegten Häuser rund um eine Sprengstoffabrik tun.
Die Leichen sind weggeschafft. Das Stöhnen der Vergifteten, der Zerschmetterten, der Erblindeten dringt kaum aus den Krankenhäusern. Man soll die Gefahr und die Schrecken, die man so aufflammend gesehen hatte, vergessen. Die Gründe der Explosion? Die Frage nach den Schuldigen? Darüber soll, darüber darf nicht gesprochen werden.
«Achten Sie darauf, daß Sie nicht in die Nähe der Sprengstoffabrik kommen, wenn Sie nach Reinsdorf gehen», sagten mir Bekannte, die ich in Wittenberg aufsuchte. «Fremde, die von der patrouillierenden Betriebspolizei aufgehalten werden, können leicht in den Verdacht der Spionage geraten. Als damals die Explosion geschah, wurde das ganze Gebiet um Reinsdorf von Polizei, SA und SS, die aus Wittenberg und Halle zugezogen wurden, umriegelt, und jeder verhaftet, der sich in der Nähe der Fabrik befand und keinen Passierschein der Wasag hatte. Es wurden auch alle Ausländer festgenommen, die sich zufällig oder ständig im Umkreis des Ortes aufhielten. Dann verhaftete man auch alle bekannten früheren KPD- und SPD-Funktionäre. Noch heute sitzen etwa 50 von ihnen in Konzentrationslagern. Natürlich konnte man ihnen gar nichts nachweisen. Aber anfangs wurde erzählt, daß das Unglück von Saboteuren verursacht sei.

Ein Junge begleitet mich. Er ist aus Reinsdorf, arbeitet aber in Wittenberg. Wenn es ihm möglich ist, möchte er nicht in der Sprengstoff-fabrik arbeiten. Er hat zuviel gesehen und gehört. Die meisten Arbeiter kommen auch von auswärts. Jetzt sind es ihrer 12000 in der Fabrik. 12000 Arbeiter! In der Vor-Hitler-Zeit waren hier nur 2 bis 3000 Arbeiter beschäftigt.

Reinsdorf war schon während des Krieges eine der wichtigsten Sprengstoffabriken. Sie war die einzige von Bedeutung, die der Versailler Vertrag Deutschland ließ. Bis 1931 stand die Produktion unter der Aufsicht einer französischen Kontrollkommission.

«Dort ist die Fabrik», sagt der Junge, der sein Rad neben sich herzieht und zeigt auf eine Gruppe von unscheinbaren Gebäuden.

«Das kann doch nicht die berühmte Sprengstoffabrik sein, in der 12000 Arbeiter beschäftigt sind?»

Es gesellt sich noch ein junger Mensch zu uns, der in der Fabrik arbeitet. Beide lachen über meine Enttäuschung.

«Sehen Sie, dort wo die Apfelbäume sind, dort arbeite ich, unter den Apfelbäumen, unter der Erde.»

Die ganze Fabrik ist unterirdisch. Sie hat sich unter die Erde verkrochen, sie hat sich eingebuddelt wie in einen Schützengraben, will unsichtbar bleiben – vor einem Feind, den es heute noch nicht gibt, der aber schon morgen da sein kann. Sie selbst, die Wasag, sorgt dafür, daß er kommen soll.

Es ist Schichtwechsel. Die Arbeiter kommen auf Fahrrädern, in Arbeiterzüge eingepfercht, in unbequemen Landautobussen. Sie kommen aus Dessau, aus Wittenberg, aus Halle, aus Dörfern und aus Arbeitersiedlungen, die aussehen, als wären sie sorglos hingeworfen worden in die Natur, die jeder Reize bar ist. Aber sie kommen auch von den grünen Hügeln Thüringens. Sie kommen und werden dann buchstäblich von der Erde verschluckt. Sie verschwinden in den unterirdischen Räumen der Sprengstoffabrik.

Manchmal verschwinden sie auch für immer.

Die Arbeiter sagen: «Es ist ein Wunder, daß nicht noch mehr Unglücksfälle geschehen.»

Da unten in der Erde ist es schon wie im Krieg. Seine Gesetze herrschen. Die Arbeiter schaffen unter den ungesundesten und gefährlichsten Verhältnissen. Wollen sie klagen! Dürfen Soldaten klagen? Was sie tun, ist ja für das Vaterland. Kritik an den Arbeitsbedingungen ist gleichbedeutend mit Landesverrat. Die Anordnungen der Werkführer dürfen von den Arbeitern ebensowenig angezweifelt werden wie die

Befehle eines Generals von einem gemeinen Soldaten angezweifelt werden dürfen.
Die Erweiterungsbauten für die steigende Produktion wurden in aller Hast durchgeführt. Da konnte auf die Sicherheit der Arbeiter keine so große Rücksicht genommen werden.
Ein hitlertreuer Arbeiter erzählte mir: «Wie der Führer nach unten kam und unsere Bude gesehen hat, da hat er gesagt: ‹Na Kinder, wie könnt ihr da nur so zusammengepreßt arbeiten. Ihr fabriziert doch keinen Käse!› Das will ich meinen, daß wir keinen Käse fabrizieren. Wir machen Sprengstoffe. Wir können aber auch selbst darauf vorbereitet sein, jeden Tag in die Luft gesprengt zu werden. Es gab in Reinsdorf schon genug Unglücksfälle. Aber so wie es unten aussieht, werden auch noch neue kommen.»
Auf die Wasag ist keiner gut zu sprechen, auch wenn er der treueste Hitleranhänger ist. Man hatte bei den Neueinstellungen sehr darauf geachtet, nur alte SA- und SS-Männer und zuverlässige Pg's zu berücksichtigen. Allerdings wandelte sich so mancher, nachdem er das Brot der Westfälisch-Anhaltischen A.G. gegessen hatte.
So ein zuverlässiger PG erzählt: «Ich war bei der Rettungsarbeit unten. Wie das war, darüber kann man nicht sprechen. Ich weiß nicht, ob es eine Hölle gibt, aber wenn es eine gäbe, schlimmer könnte sie nicht sein. Einige Wochen später wurden wir von der Leitung zu einer ‹Feierstunde› eingeladen. Mit großen Worten überreichte man uns eine Ehrenurkunde und 25 Mark. 25 Mark zum Ersatz unserer bei der Rettungsarbeit beschädigten Kleider! Alles, was ich anhatte, meine Kleider, meine Wäsche, meine Schuhe, meine Strümpfe, alles mußte ich wegwerfen. Noch nach Wochen war ich krank. Ich glaube nicht, daß ich je vergessen werde, was ich unten gesehen habe. Dafür drückt man uns 25 Mark in die Hand. Eine Gesellschaft, die Millionen verdient. Sie verdienen noch an dem Tod. Nach dem Unglück bekommen sie Bauzuschüsse von der Regierung geschenkt. Und wir?»
Ein anderer: «Sie haben die ganze Fabrik wegen der französischen Kontrollkommission, die von früher alles genau kannte, umgebaut. Alles sollte verändert werden. In der Eile haben sie sich um das Leben der Arbeiter wenig bekümmert.»
Und ein Arbeiter, der schon während des Krieges in Reinsdorf beschäftigt war:
«Wir hatten auch 1916 eine Explosion. Damals gab es 500 Tote. Amtlich hat man damals 37 Tote zugegeben. Heute sagen sie, es gab 78 Tote. Wieviele sind es wirklich gewesen? Das ist schwer zu sagen.

Aber ich habe beide Explosionen gesehen – die von 1935 war viel schlimmer. Eine Namensliste der Verunglückten ist nie veröffentlicht worden. Man weiß nur, in dieser Abteilung fehlt der oder jener. Mein Arbeitskollege, der in meiner Nähe gearbeitet hat, ist seit dem Unglück nie wieder aufgetaucht. Es gibt viele Vermißte. Sie sind wie von der Erde verschlungen. Die Detonationen erfolgten unterirdisch. Die meisten Toten wurden von der Explosion in Stücke gerissen. Die Angehörigen konnten die ihren nicht wiedererkennen.»

Noch heute liegen in den Krankenhäusern über hundert Schwerverletzte, die wahrscheinlich nie wieder arbeitsfähige Menschen werden. In Halle sind die Erblindeten. Die Gesichter dieser Erblindeten sind wie zerfressen. Man spricht davon, daß sie von Giftgas zerstört sind ...

Denn die Wasag will auch den I.G.Farben Konkurrenz machen, – das heißt, sie will auch von diesem Zweig der Konjunktur profitieren. Auch sie hatte ein chemisches Forschungs-Institut gegründet. Und ihre Tochtergesellschaft Schimmel & Co handelt mit ätherischen Ölen, Essenzen und chemisch-pharmazeutischen Präparaten.

Die Wasag residiert in Berlin, im Fugger-Haus. Dort werden die Zünd- und Sprengstoffe verkauft. An Freund und Feind natürlich, ganz wie bei dem großen Kollegen Krupp. Man verkauft Zünder und Zündschnüre, Zelluloid und Sprengstoffe für Bergwerke, für Filmfabriken und für militärische Rüstungszwecke. Der Hauptkunde für Sprengstoffe und Giftgase ist die Reichswehr. An diesem Kunden verdient die Wasag Millionen. Sie hat ihren Jahresbericht noch nicht veröffentlicht. Aber 1935 wird trotz des Unglücks oder gerade wegen des Unglücks ein Jahr der höchsten Gewinne.

Wie sagte Herr Göring am Grabe der Opfer:

«Das ist das Große, Leidtragende und Angehörige, daß heute nicht mehr umsonst der deutsche Mensch in den Tod geht, sondern daß jeder einzelne damit ein großes Opfer am Altar des Vaterlandes niederlegt.»

Bückeberg

Ich werde es nie vergessen!
Erntedankfest 1935 auf dem Bückeberg!
Ratternd jagt unser Zug durch die Nacht. Lichter blitzen auf, verschwinden ...
Durch Westfalen geht's, näher, immer näher dem Ziele zu. Bückeberg – für uns jetzt der Begriff: Der Führer kommt zu uns! Der Tag steigt herauf, die Sonne überstrahlt die Erde, verkriecht sich wieder hinter Wolken.
Ein Tag Kameradschaftserleben im Braunschweiger Land. Und wieder jagt der Zug durch die Nacht.
Rack, tack, tack ...
Jede Minute, jeder Meter trägt uns näher zum Bückeberg!
«Alles aussteigen!»
Im kühlen Winde des werdenden Morgens geht's weiter, im Gleichschritt und mit Gesang. Kommandos hallen ...
Auf einem der Weserberge blitzt regelmäßig ein Licht auf: Wegweiser der Nachtflugzeuge.
Fahnen des Bückeberges tauchen – mit ihren Masten noch im Nebel – flatternd auf, grüßend empfängt uns unser Zeichen: das Hakenkreuz!
Massen rücken an; werden es Hunderttausende, gar Millionen sein? – Wir stehen! Stehen am Weg zur oberen Tribüne. Der Führer muß an uns vorbei!
Die Uhr zeigt sieben. So früh noch, und – erst am Mittag soll er kommen! Lange Zeit. Lang genug, um sich auf den Augenblick vorzubereiten! Und – stürmt nicht schon das Blut schneller durch die Adern?
Die Sonne steigt! Wolken verdecken sie noch, aber sie steigt!
Langsam wälzen sich von allen Seiten Menschenströme heran; langsam, ohne Ende. Unsere Augen suchen mit dem Glase den Horizont ab: Menschen – Menschen. Absperrkommandos säumen die Straßen.
Mikrophone, Lautsprecher werden in Ordnung gebracht zum großen Appell.
Wer diesen Tag organisiert hat, ist ein Meister!
Musik rauscht auf. Ehrenkompanien rücken an. Herrlich der Parademarsch!
Vor dem Mikrophon gruppieren sich vier Kapellen.

Marschmusik! Unsere Körper recken sich. Und wir stehen, stehen...
Trachtengruppen tanzen. Tänze der Heimat.
Die Uhr rückt weiter. Sind wir nicht mitten im großen Erleben? ...
Und Fahnen gruppieren sich zu einem Walde! Es ist soweit! Arme zeigen zum Horizont. Wie mit dem Stift gezeichnet steht das Hakenkreuz im Äther: eine Fliegerstaffel. Hakenkreuz über Deutschland!
Und die Sonne bricht durch!
Massen stauen sich auf den Straßen. Es geht nicht weiter. Ein Raunen geht durch die Luft, es wird zum Rauschen. Der Führer kommt!!
Er kommt zu uns, seinen Bauern!
Er steht im Wagen, seine Hand grüßt. Jubel, nichts als Jubel! Jetzt kommt er den Berg herauf! Da, da unten kommt er, seht ihr ihn, wie er grüßt, wie er lacht?
Da ist der Reichsbauernführer, da Himmler, Goebbels, Göring, da ist ... Ich sehe zur Seite. In all die fieberhafte Spannung hinein drückt sich an mich ein weißhaariges Mütterchen, in den Siebzigern, gebeugt von der Last des Lebens.
«Mütterchen, geht mal ein bißchen da runter, da könnt Ihr ihn besser sehen!» Tränen rinnen über ihre Wangen. Und in dem Gedränge unter großen Menschen und gereckten Armen stehen! Und siebzig Jahre! Vielleicht lebt sie das letzte? Das letzte von siebenzig langen Jahren?
Ich ziehe sie schnell zu mir heran, stelle sie auf ein Feldstühlchen. Keiner wagt zu sagen: Herunter!
Und in meinen haltenden Armen zittert eine Bauernmutter wie Laub, durch das der Wind fährt. Ihr Arm reckt sich hoch, und sie ruft: «Heil! Heil!»
Sie glaubt, auf dem Stühlchen nicht stehen zu dürfen, und möchte doch einmal –
Ja, wir wollten den Führer sehen, sie wollte ihn erleben! Und hätte sich auch so zufrieden gegeben! Tapfere Heldin des Alltags!
Ich sehe den Führer kommen, zeige ihn ihr. Da ist er! Sie sieht ihn, wie ich, das erste Mal im Leben. Er steht und grüßt die Menschen. Heilrufe umbranden ihn!
Das Mütterchen grüßt, grüßt, und – weint! Tränen der Freude!
Vorbei ...
Ich habe nie eine so dankbare Mutter gesehen wie in dem Augenblick.
In den Augen der Umstehenden schimmern Tränen ...
Kanonen donnern. Die Schlacht um das Bückedorf tobt. Großartiges Schauspiel! –

Dr. Goebbels spricht. Nach ihm Darré.[1] Dann der Führer. Eherne Worte stehen als Wirklichkeit vor uns. Wecken in uns, in mir den Willen zu neuem Kampfe, neuem Siege. Deutschland steht, kämpft!
Unter unseren Fahnen können nur Sieger stehen!
Dann ist alles vorbei. – –
Wieder rattert der Zug durch die Nacht. Trägt uns der Heimat zu. – Kampferlebnis!
Deutsche Bauernmutter, eine unter Millionen, du hattest das Erlebnis des Führers selbst! Ich hatte es durch dich! In die Seele gebrannt ist es.

1 Walter Richard Darré wurde 1930 agrarpolitischer Beauftragter Hitlers, dann Reichsbauernführer. 1933 trat D. die Nachfolge Hugenbergs als Reichsminister für Ernährung und Landwirtschaft an. Im April 1949 wurde er von den Amerikanern zu 7 Jahren Gefängnis verurteilt, aber bereits nach 16 Monaten entlassen.

Heinrich Lersch

Welch eine Faszination

Ein Auto hämmert mit gedämmtem Brennstoffzufluß wartend an der Straße. Ein schöner Wagen, offen und breit. Der Fahrer, mittelgroß, den Kopf von einer weißen Leinenkappe umspannt, sieht noch einmal zu der Quelle zurück, aus der auch er getrunken. Mit ihm habe ich einmal am Mikrophon gestanden, er ist einer der vielen ungenannten, vielleicht kommenden Sieger von morgen. Vielleicht bleibt er, was er ist: Schlosser und Monteur, auf den sich sein Werk verlassen kann. Wir fahren zum Nürburgring. Ich war zu früh in Blankenheim, sollte ihn im Gasthaus treffen, nun stoß ich schon hier auf ihn. Er nimmt mich mit, einen Wagen auszuprobieren. Sitze jetzt neben ihm, langsamste Fahrt an Ochsengespannen vorbei, einer Viehherde, ein Geißbock springt neugierig auf das Trittbrett. «Geißbock ist auch gut!» sagt mein Kamerad. Er ist ganz in Bann von Motor und Kilometer. Wir bremsen die sinkende Straße hinab, und dann bekommt der Wagen Lauf. Ich bin nicht mehr der Wanderer. Ich bin jetzt ein Teil des Wagens, Ladung und Last sozusagen, nicht mehr und nicht weniger. Ich bin in Metall und Stahl eingeschlossen, inniger eingehüllt von Eisen, als mich die tragende Welle des Wassers bergen könnte. Denn im Wasser bin ich Herr meiner Kräfte. Im Wagen haben der Motor, die Achse, Steuer und Getriebe, haben Gas und Öl Gewalt über mich. Ich horche in den brausenden Zusammenklang der geformten Metalle hinein, ich fühle das Schwingen der vibrierenden Masse. Fabrik und Fabrikation haben über mich Gewalt, ich sehe Werkbänke und Maschinenteile, Montage und letzte Abnahme. Von der Erzgrube bis über die Hochöfen, über die elektrische Tiegelstahlschmelze, über Presse und Hämmer geht mein Arbeiterauge. Nun bin ich, was der Winzer im Ahrtal ist, ein ungenannter Werkmann, gleich dem Erfinder und dem Ingenieur, im Werkvolk. Wir alle schaffen ein kleines Teilchen zu jenem wunderbaren Kunstwerk, das man so leichthin Auto nennt. Ich bin das Deutschland der Fabriken, der Massen, der Arbeiter. Die Landschaft muß uns dienen, denn wir dienen dem Vaterlande. Der Motor heult voll funktionierender Innigkeit sein Jubellied von Kraft und Fähigkeit, ich bin mit in das Schicksal dieser Maschine eingeschlossen. Ich habe nicht aufgesehen, als wir unseren Paß vorzeigten, ich will nichts sein als der Mann, der jetzt in der Einheit von Kraft,

Geist und Stoff das Trägheitsgesetz besiegt. Hinpfeilt wie ein Geschoß der Wagen, voller Lauf, voller Lauf; ich bin mit meinem Gehirn beim Motor, mir ist, als könnte ich von meiner Schädelhöhle einen kleinen Zylinder abgeben, ich brauch mein Hirn als Öl mit, mein Blut rinnt als Brennstoff durch die Röhren der Adern. Ich werde automatisch mit ausgeschaltet, ich nehme Vollgas auf, ich fühle meine Füße wie die Laufmäntel den Asphalt hinter sich stoßen. Nun bin ich sicher, der Wagen könnte ohne mich die Schnelligkeit nicht entwickeln. Ich verbrauche mich selber mit, aber aus dem rasenden Dahinsausen strömt mir im Luftdruck atmosphärische Kraft zu. Einen Augenblick erinnerte ich mich, daß ich mit meinem Empfinden ein Enkel Goethes bin, daß Beethoven einer meiner Meister ist, und mit einemmal spüre ich, wie die beiden Heroen mich um diese Fahrt beneiden. Prometheus! würde Goethe sagen und Beethoven sich des Schicksalliedes erinnern, das er in den letzten Augenblicken vor seinem Tod schreiben wollte. Ha! Diese Kurve! Hei! Jetzt dieser Dahinflug! Ungehemmt: wie wäre es, wenn jetzt mit Aufkrach und Hinschlag zerschellend Wagen und Mann, Brei von Blut und Öl, Gemenge von Knochen und Gestänge würde: Lebend auffahren würden wir in die Walhall der zerschmetterten Helden, die den Tod verachten um des Kampfes willen! Schneller! Schneller, Motor, heller dein Lied! Armer Wagen, lahme Ente, mein Geist fliegt noch schneller, meine Seele singt noch heller! Da! Nun ist das Ziel erreicht und der Rausch zu Ende. Unwiederbringlich aus und dahin. Nun sind wir wieder Alltagsmenschen mit Alltagsbedürfnissen, einem Paß und Namen. Mißmutig sitz ich beim Abendessen. Die Dunkelheit kommt, Scheinwerfer stechen, als wollten sie Felsenwände durchbohren. Was gehen mich jetzt die Schönheiten an? Ich habe einen Himmel voll Rausch in mich getrunken, und ein wohltätiger Schlaf überkommt mich. Das Motorengehämmer ist ein Schlummerlied, wiegend schaukele ich hin. Eine Stunde – und ich fühle bremsendes Halten. Mit einem tiefen Atemzug erwache ich. Dort mein Haus! Ich drücke dem Fahrer die Kameradenhand und lasse ihm die Eile; ich werde mich erfrischen und ein paar Stunden schlafen. Am Tor der Ahr, hier bin ich daheim.

Hans Biallas

Deutsche Arbeiter fahren nach Madeira

An den St.-Pauli-Landungsbrücken liegen drei mächtige Schiffe: «St. Louis», «Der Deutsche», «Ozeana» und, weiter entfernt, die «Sierra Cordoba». Das ist die deutsche «Kraft-durch-Freude»-Flotte, die heute mit viertausend deutschen Arbeitern an Bord nach Madeira ausläuft.

Hintereinander kommen die Sonderzüge in Hamburg an. Trotz der langen Nachtfahrt, die fast alle Teilnehmer hinter sich haben, sieht man kein müdes oder unfrohes Gesicht. Sie kommen von weit her. Aus allen deutschen Gauen sind sie ausgewählt worden, und die Erwartung, die freudige innere Erregung, die im Herzen eines jeden Madeirafahrers herrscht, prägt sich auf allen Gesichtern aus.

Sonderzug aus München.

Bayerischer Dialekt mischt sich mit Hamburger Platt. Viele kommen so bekleidet, wie sie es nicht anders kennen und wie sie es in ihren Bergen gewohnt sind. Die «Kurzen» vermißt man, aber dafür ist es wohl noch zu frisch. Aber vielleicht haben sie ihre «Krachledernen» für die wärmeren Zonen mitgebracht, um in Lissabon und Funchal Aufsehen zu erregen.

Schnell und höflich sind die Zollformalitäten erledigt – und dann stehen die Männer und Frauen vor den gewaltigen Schiffen und staunen. So etwas haben sie noch nicht gesehen. Unermeßlich hoch scheinen sie aus dem Wasser aufzuragen. Jedem wird jetzt klar, daß solch ein Ozeandampfer wirklich eine schwimmende Stadt darstellt. Langsam füllen sich die Schiffe. Der letzte Sonderzug ist schon längst eingelaufen. Die Passagiere sind an Bord. Bayern, Berliner, Westfalen, Pfälzer, Württemberger – überall sind sie hergekommen. Auf allen Schiffen ist die Reling vollbesetzt. Lustige Zurufe gehen hin und her. Manche haben Freunde und Verwandte, die sie an Bord begleitet haben und nun unten stehen und ihnen den Abschiedsgruß zuwinken wollen.

Gegenüber der «St. Louis» liegt «Hein Godenwind», die schwimmende Jugendherberge. Ein schmucker Dreimaster. Blitzblank, schneeweiß leuchtet er. Es ist acht Uhr. Auf «Hein Godenwind» ist die «Besatzung», HJ und BdM angetreten. Flaggenparade! Trompetensignale, dazu dröhnt plötzlich auch die Sirene der «St. Louis», und auf «Hein Godenwind» steigt die Flagge empor, zugleich auf den Schiffen der «Kraft-durch-Freude»-Flotte. Die Jungen und Mädels singen: «Unsere Fahne flattert uns voran» – «Hein Godenwind» flaggt über die Toppen. Hier, der kleine Hitlerjunge müht sich eifrig, das Tau mit den vielen Wimpeln im Takt emporzuziehen. Das ist gar nicht so einfach. Er schafft es nicht allein, es muß ihm noch einer zu Hilfe kommen, bis schließlich alle Flaggen gehißt sind und ein alter Seebär durch den richtigen «Knoten» den letzten Schliff gibt.

Jetzt marschieren auch die Kolonnen der SA, SS, HJ, Politischen Leiter und des Arbeitsdienstes an. Die Betriebe sind durch ihre Werkscharen vertreten. Ihnen gebührt heute der Ehrenplatz. Denn heute ist ein Jubeltag des deutschen Arbeitertums. Heute ist wieder etwas Wirklichkeit geworden, was noch vor vier Jahren von jedem – und mit Recht – als Utopie verlacht worden wäre. Heute fährt der deutsche Arbeiter als Repräsentant der Nation in die Welt! «Deutschland fährt mit euch», verkünden Transparente, die am Ufer ausgespannt sind. Der Abschied, den Hamburg diesen «Kraft-durch-Freude»-Urlaubern bereitet, ist wahrhaft erhebend. Tausende von Menschen säumen die Ufer. Fahnen über Fahnen. Hamburg an einem grauen und kalten Märztage. Aus dem Dunst ragen die Stahlgerüste der Hellinge hervor. Die kleinen Hafenbarkassen kreuzen mit schäumendem Bug eilig hin und her. Am Ufer huschen die gelben Wagenzüge der Hochbahn entlang. Weiß leuchten die Transparente und blutigrot die Fahnen des Dritten Reiches. Dazu tönt das vielfältige Geräusch des erwachenden Hafenlebens. Sirenen heulen schrill, dröhnen brüllend, daß sich die Urlauber entsetzt die Ohren zuhalten, oder die Schiffsglocken bimmeln ihre «Glasen».

Das alles zusammen erhöht bei den Wartenden die Unrast der Abfahrt zu größter Spannung. Jetzt ein vieltausendstimmiger Jubelruf, Dr. Ley,[1] der Reichsleiter der Deutschen Arbeitsfront, der Mann, der die nationalsozialistische Gemeinschaft «Kraft-durch-Freude» im Auftrage des Führers schuf, erscheint.

1 Dr. Robert Ley (1890–1945 durch Selbstmord im Nürnberger Kriegsverbrechergefängnis), Gauleiter der NSDAP-Rheinland-Süd seit 1927, MdL Preußen 1928 und MdR seit 1930, übernimmt 1931 den Aufbau der NS-Betriebszellenorganisation («Kampf um den Arbeiter»), besetzt 2. Mai 1933 mit Hilfe von SA und SS alle Gewerkschaftseinrichtungen und erklärt nach Gründung der Deutschen Arbeitsfront (DAF) am 10. Mai 1933, es gäbe nur mehr die DAF als Arbeitnehmer- und Arbeitgeberverband und alle, die andere Arbeitervereine gründen und betreiben, würden als Staatsfeinde verfolgt.

Dr. Ley spricht. Er weist darauf hin, daß der nationalsozialistische Staat dem deutschen Arbeiter eine Einrichtung geschaffen hat, die ihm ermöglicht, Deutschland und die Welt kennenzulernen. – Und dann spricht er von jenem verlogenen Flugblatt, das einst verführte Genossen vor über dreißig Jahren an ihre Arbeitskameraden verteilten und das ihnen die Schönheiten der Welt versprach. «Was andere versprachen und nicht hielten, hat der Nationalsozialismus wahrgemacht! – Nicht die Vertreter der sogenannten oberen Zehntausend, sondern die deutschen Arbeiter sind heute die Repräsentanten der Nation!»
«Der deutsche Arbeiter trägt die Freude hinaus in die Welt. Das Gesicht des neuen Deutschland ist das strahlende, glückliche Gesicht des deutschen Arbeiters!»
«Wenn ihr durch den Kanal zwischen London und Calais hindurchfahrt», ruft Dr. Ley den Madeirafahrern zu, «dann schreit es mit aller Kraft, daß sie es auf der Konferenz der Locarno-Mächte[2] in London hören: *«Hier fährt ‹Kraft durch Freude›, hier fährt der deutsche Arbeiter, hier fährt die Freude der Welt!»*
«Ich bringe euch die Glückwünsche des Führers und des ganzen Volkes, und nun fahrt hinaus – *lichtet Anker*!»

2 Dem Locarno-Pakt, gegründet 1925, gehörten an: Belgien, Deutschland, Frankreich, Großbritannien und Italien. Sein Zweck: Unverletzlichkeit der Grenzen zwischen Deutschland, Belgien und Frankreich und zur Sicherung eine 50 km tiefe entmilitarisierte Zone östlich des Rheins. – Die Perfidie der Ley-Ansprache liegt darin, daß Hitler am 7. März 1936 Truppen in die entmilitarisierte Rheinlandzone einrücken ließ und somit den Locarno-Pakt brach und daß Robert Ley eine Woche später vor der Ausfahrt die KdF-Fahrer zu einer verhöhnenden Demonstration der in London ohne Deutschland und Italien tagenden Locarno-Mächte aufrief.

Felix Kreyss

Der König ist kein König mehr

«Fresing». – Eine verlassene Bahnstation zwischen Leibnitz und Wies in der Weststeiermark.
Ich steige aus, lasse den Zug an mir vorbeizuckeln: die Lokomotive, Baujahr 1911, einen Personenwagen, drei Waggons für Kohlen, unbeladen. Ein Mann, zu dem die rote Dienstmütze nicht paßt, sperrt die Bahnkanzlei ab: nackte Füße stecken in Holzschlapfen, ein blutverschmierter Schurz deckt schlecht die geflickte ausgefranste Hose, ein grünes Hemd ohne Kragen.
«Ich will nach Klein-Radl? Wo gehe ich da und wie lange werde ich unterwegs sein?»
Den ersten Teil meiner Frage beantwortet er mit Hilfe seiner Stummelpfeife, die in der Luft einen Bogen von Süden nach Westen andeutet; die Zeitansage folgt in einem kehlig gesprochenen Satz: «Wenn's g'schmeidig gehn in 3 Stunden, sonst länger!» Er wendet sich ab, überquert die Straße und verschwindet in einem Wirtshaus.
Ein alter Bauer, dem ich während der Fahrt beim Speckessen zugesehen hatte, klärt mich auf: «Sie hätten besser bis Wies fahren müssen!» und dem Mann nachdeutend: «Er ist Fleischhauer und Wirt, unser Bahnvorstand! Er ist schon in Pension. Es wird keiner mehr angestellt. Er fertigt noch immer die Züge ab.» – Dann beschreibt er mir den einzuschlagenden Weg, drückt mir den Rest seiner Jause – «a wengerl a Wegzehrung» – in die Hand und verschwindet in Richtung Wirtshaus.
Nur eine Straße führt nach Süden, sich bald rechts und bald links an größere Gehöfte heranschlängelnd und wenig befahren. Sie läßt mir Zeit zum Nachdenken – über die Bahnhofsvorstandsstelle, die nicht mehr besetzt wird, über das Zügle ohne Ladung, über den Bauern, der einem Städter den Rest seiner Jause zusteckt! Alles Zeichen dafür, daß die Wirtschaft schon lange stagniert und mehr Hungrige auf der Landstraße sind als bei der Arbeit in Fabriken und Werkstätten.
Dreieinhalb Stunden später nähere ich mich dem Ziel. Einem die Wegstrecke verkürzenden Wiesensteig verdanke ich, daß ich von «hinten» ankomme. Oben auf dem Hang stehen zu einem Haufen geschobene Gehöfte im frühen Abendrot, hier im Graben dunkeln armselige Keuschen, unbewohnt und verfallen.

Ich bin froh, die Schläge einer Hacke zu hören, und gehe, quer über eine Weide, dem Klang nach. Als ich näherkomme, schaut der Mann auf und hockt sich, mit einer Drehung auf dem rechten Bein, schwerfällig nieder. Auf meine Frage nach Klein-Radl wiegt er mit dem Kopf, prüft den Stand der Sonne und meint: «Heute kommens nicht mehr hin!» Und nach dem üblichen Woher erfahre ich, daß ich zu weit nach Süden abgekommen bin. Er merkt meine Unschlüssigkeit und ratet: «Gehns mit zum Bauern. Hier gibts kein Wirtshaus.»

Und so stapfen wir nebeneinander. Er läßt sich gerne ausfragen: Aus dem Krieg mit einem versteiften Bein heimgekommen, Rudl Slivetz schreibe er sich, als Gemeindearmer werde er vom Bürgermeister reihum den Bauern zur Arbeit zugeteilt – Staudenausbrennen, Wegausbessern und Holzklieben. Oft müsse er allerdings auch fest zupacken.

«Haben sie keine Invalidenrente?»

Er bleibt stehen und klopft auf eine zu einem Tabakbeutel hergerichtete Schweinsblase: «Zweimal im Monat kann ich sie mit Landtabak anfüllen. Zu mehr langt die Rente nicht. – Aber, was wollens? I hab mein Bett und mein Essen. Als Gsunder wär ich auch nur Knecht ...»

Wir sind am Ziel. Während der Invalide auf den Bauern einredet, betrachte ich das in einem offenen Viereck angeordnete Gehöft: alt, wuchtig, reparaturbedürftig.

«Schlafen und essen könnens bei mir. Sonst nichts. Die Bettler überlaufen uns!» und der Bauer streckt mir die Hand hin: «Da, gebens her die Streichhölzer und den Ausweis.» Als ich zögere, meint er lauernd: «Oder wollens arbeiten? Verstehns was von der Bauernarbeit?»

Ich war in einer ganz anderen Sache unterwegs und sollte über den Viehschmuggel an der Grenze reportieren, aber jetzt reizt mich der Bauernalltag. Ich sage: «Ja. Soviel verstehe ich von der Arbeit, daß ich mir das Essen verdiene!»

«Dann brauch ich nur den Ausweis!» – Der Bauer steckt ihn unbesehen ein und weist mich ins Haus, in dem ein Schwarm von Menschen einem Ziel zustrebt: einem großen Tisch, auf dem eine breitausladende Schüssel dampft.

Eine junge Frau schiebt mir einen Blechteller zu und fordert mich auf, meinen Anteil aus der Schüssel herauszufassen. Der Bauer fährt dazwischen: «Er braucht kein Teller. Er bleibt da. Er arbeitet.» Also lange ich wie die andern zu und hole mir löffelweise das Essen: Polentasterz, sehr fett, und Milch, so dick und süß wie Rahm. Gesprochen wurde während des Essens nichts, jedoch vorher kurz und nachher ausgiebig gebetet.

Beim Aufbruch ruft der Bauer mir nach: «Gehns mit dem krummen Rudl! Er zeigt das Bett.» Ich bin froh, denn dieser ist redseliger als die 16 Personen am Tisch zusammengenommen.
In der Tenne erhalte ich 5 Garben Kornstroh und 2 Decken, eine davon haarig und nach Pferdeschweiß stinkend. Das ist also mein Bett! Ich lege mich vorsichtig nieder und schlafe wider Erwarten rasch ein.
Es dämmert noch, als der krumme Rudl mich weckt, zur Eile antreibt, mir die Viehtränke zeigt, wo man sich wäscht, und mit mir in den Hof geht. Der Bauer prüft gerade das Wetter. Mit ein paar Schritten ist er am Hausgiebel und stößt dort mit Hilfe beider Zeigefinger drei schrille Pfiffe aus: einmal lang, dann kurz, den letzten wieder lang und hoch ausklingend.
Auf meine Frage, ob das ein Zeichen sei, klärt Rudl mich auf: «Diesen Pfiff kennen die drüben im Eck und die unten im Tal. Sie werden gleich kommen ...»
Auf den Fensterbrettern stehen Gläser mit Schnaps. Ich kippe meines wie die andern, die ihre Sensen in der Hand haben. Aha, das erste Frühstück! Und die Sonne hängt noch tief in einer Wolkenbank im Osten. Es ist frisch. Ein Fünfzehnjähriger bringt mir eine Sense: «Der Bauer läßt sagen, sie ist frisch gedengelt!»
Während des Abstieges an der Seite Rudls sehe ich, drüben von den Abhängen und talher Männer mit Sensen herankommen. Sichtlich auf den Signalpfiff hin. Ob das alles Verwandte seien, möchte ich wissen.
«Nein!» meint der Rudl. «Das sind Keuschler, Kleinbauern. Sie kommen, wenn der Bauer sie braucht. Und da lassen sie die eigene Arbeit liegen. Jeder hängt von unserem Bauern ab: der eine hat einen Acker gepachtet, der andere braucht Saatgut, Gespann oder Gerät, dieser dort holt sich das Bauholz und jener dort hat zwei Zuchtferkeln eingehandelt, weil ihm vier Schweine an Rotlauf verreckt sind. Ohne unsren Bauern hättens längst abgehaust. Und so kommens, wenn er pfeift.»
Ich denke bei mir: also doch so eine Art Leibeigenschaft! Und das im Jahre 1937 ...
Als sich die Mäher aufstellen, weist mich der Bauer ans Ende. Und 21 Sensen ziehen durchs taunasse Gras. Ich habe Mühe, mein Atmen auf den Schwung einzustellen.
Der Bauer, als letzter und daher hinter mir, ruft halblaut: «Die Spitze höher! Und den Sensenworf mehr zum Körper ziehen.» – Ich befolge

die Anweisung. Und dann Stunde um Stunde: breit ausholend und gleichmäßig Schwung und Schwung und Schwung – kaum eine Pause dann und wann.

Im Ausklingen des 6-Uhr-Geläuts endlich eine helle Stimme: «Bauer! 's Frühstück is!» – Wie auf Kommando setzen alle die Sensen ab. Nur der Bauer mäht noch zwei Schwünge, daß seine Sense an meiner rechten Ferse vorbeipfeift. Dann sagt er: «In Gottes Namen, gehn wir halt!»

Beim Aufstieg zum Gehöft schließe ich mich einem Mann mittleren Alters an. Ich probiere und frage: «Haben sie keine Arbeit zuhause?»

«Woll. Einen späten Hafer müßt ich einbringen. Die Frau kann nicht, hat vor drei Tagen entbunden.»

«Haben sie das dem Bauern gesagt?»

«Warum?» und der Keuschler bleibt stehen: «Ich muß ja die Ferkel abdienen. Hätt der Bauer net geholfen, hätten wir kein Schmalz, kein Fleisch, keine Würst. Der Winter ist lang. Und das Geld ist rar. Wenn der Bauer mäht, bin ich da!»

Nach dem Frühstück – eine dicke Erdäpfelsuppe mit hineingeschnittenem Rauchfleisch, dann erst der obligate Polentasterz, diesmal mit gesüßtem warmem Most – geht es wieder an: Mähen, zwei Stunden lang; Jause; Mahden ausstreuen und wenden; Mittagessen; wenden das rasch trocknende Gras, zusammenarbeiten zu langen «Würsten» und Faßschobern. Ein langer, ein heißer Tag! Erst während des Fassens und Heimführens des Heues, Wagen um Wagen, kommen Gespräche auf.

Ich nehme nichts vom Abendbrot. Nach 15 Stunden Wiesen- und Heuarbeit bin ich zu müde. Nur der Durst plagt. Während des Tischgebetes schlafe ich ein ...

«Kommens mit!» stößt mich der Bauer an.

Ich folge ihm in die Kachelstube, die kühl ist. Auf einem breiten Tisch steht ein Krug Wein, ein Teller mit Krapfen.

«Wollens noch ein paar Täg bleiben?» Als ich abwinke, setzt er fort: «Schade, sie haben gearbeitet wie der beste Knecht!» Und nach einem Zutrunk, rückt er mit der Farbe heraus: «Sie san a Schreiber, gell? Machen sie mir doch eine Eingabe, weils eine kritische Sache ist.»

Und er schiebt mir eine Mappe hin: Formulare, Urkunden, Zahlungsbestätigungen, Grundbuchauszug und eine Anfrage wegen ausstehender Steuern. Ich sehe mir alles an, frage, trinke vom angebotenen Wein – und plötzlich schmecken auch die Krapfen. Und der Bauer redet und

erklärt: «Ja, der Besitz ist groß. Nur bringt er zu wenig. Das Vieh hat keinen Preis. Drei Rinder sind mir umgestanden und im Vorjahr hat der Hagel den Weingarten zusammengeschlagen. – Da fehlt das Geld, aber alle wollen was. Auch der Staat.»
«Aber sie haben doch Land verpachtet und Vieh an die Nachbarn verkauft!»
Der Bauer winkt ab: «Nicht für Geld! Die Keuschler haben selber keins. Sie dienens ab. Ich muß aushelfen, sonst wanderns ab. 11 Wirtschaften stehn schon leer. Seit'm Krieg sind von 186 Familien 34 wegzogn oder ausgstorben. – Und Dienstleut kann ich nicht aufnehmen; die kosten allemal zuviel!»[1]
«Sie haben doch Kinder. 14 lese ich hier ...»
«13 sinds! Eine Tochter hat weggeheiratet; sie hat auf ihr Erbteil verzichtet. Die Kinder sind ärmer als die Dienstleut. Hie und da ein paar Schilling und was zum Anziehn. Zu mehr langt es nicht. So ists, wenn der Bauer kein Geld hat, sind die Zeiten lausig ...»
Ich blättere in den Unterlagen. Ein Posten war mir aufgefallen. Hier: Uneinbringliche Darlehen, drei Namen, dann die Summe: 18750 Schilling! Das ist viel.
«Bauer, haben sie sich da verspekuliert?» – Ich schiebe ihm die Unterlagen zu.
«Das net!» meint der Bauer zögernd, «wenn an mir a die Mulzen-Keuschen hängen geblieben ist. Ich hab's Geld geben müssen. Weinend sinds kommen: zuerst die Anna, ein Nachg'schwisterkind, dann die Frau des Jaga-Mulzen, zuletzt noch der Haderer-Hias, a Kriegskolleg von mir. Von der Anna und von der Mulzin haben's die Männer eing'sperrt, dem Haderer sind drei Söhne über die Grenze gangen, der eine Schwiegersohn a, eh sie erwischt san word'n. Wissens eh, nach dem Juliputsch. Nazi waren's halt!»
«Mögen sie die Nazi?»
Der Bauer stopft seine Pfeife. «Na, die Nazi mag i net. Dö VF-Hanseln a net. Aber wenn bei solchen Keuschen die Männer weg sind, das wenige Vieh austrieben wird und überall der ‹Kuckuck-Vogel› klebt, weils die Kosten vom Gericht und Advokaten net zahlen können!» Und er deutet mit dem Pfeifenstiel auf die Namen: «Denen da hab i g'holfen, net den Nazis!»
Und aus dem weiteren Gespräch geht der Aderlaß hervor, den die

1 Der Monatslohn eines Pferdeknechtes betrug zu dieser Zeit 95 Schilling, der eines Taglöhners in der Landwirtschaft 49,14 Schilling.

Politik hier auf dem Gewissen hat. Die Bauern in den Dörfern ringsum sind kirchlich. Ungeschaut wählten sie die Christlichsoziale Partei. Mit der Wirtschaftskrise sind viele Arbeitslose in die Dörfer gekommen. Metall- und Bauarbeiter vor allem. Sie haben um Brot und Speck und Eier gearbeitet. Einige sind im Dorf geblieben. Sozialdemokraten, und erzählt haben sie am Abend und im Wirtshaus, wie anders die Welt sein könnte. Mit den Nationalsozialisten, die Sonntag für Sonntag agitieren gekommen sind, haben sie gerauft. Jeder Putsch, der vom Feber und der vom Juli des Jahres 1934, hat Männer hineingezogen. Die Abwanderung aber war erst spürbar geworden, als die Not größer wurde und der Heimatschutz und die Sturmscharen den Burschen 5 Schilling für einen Tag, das Essen und eine Uniform geboten haben. Der Bauer hatte alle im Kopf, die auf solche Weise weggegangen sind: zwei sind seit den Februarkämpfen des sozialdemokratischen Schutzbundes, neun sind seit dem Juliputsch der Nationalsozialisten nicht mehr in die Dörfer zurückgekommen, vierzehn sind weggezogen, weil sie in der Obersteiermark, bei der Alpine-Montan-Gesellschaft, oder anderswo für eine Uniform einen Arbeitsplatz gefunden haben. – Wie schlägt doch die Politik Wellen bis in das kleinste Dorf, das jedem Wanderer als eine Idylle der Beschaulichkeit, des Friedens und der Ruhe erscheint. –

Der Bauer hat inzwischen den Antrag auf Steuerstundung gelesen, öfter mit dem Kopf genickt. Jetzt lobt er: «Gut habens gschrieben! Jaja, a Schreiber, wie der Herr einer ist!» Und er ordnet die Unterlagen.

«Wollens heute noch weiter? Der Alois fährt nach Eibiswald. Sie könnten mitfahren.»

Ich nehme den Rucksack, verabschiede mich. Alois hilft mir auf den Wagen. Ein Gespräch kommt nicht auf. Bei der Abzweigung nach St. Oswald hält er an.

«Dank auch, Jungbauer! Und alles Gute!»

«Ist schon recht!» nickt er mir zu. «Aber – i bin net der Jungbauer. I bin der dritte Sohn und Knecht, wie sie heute einer waren. Nur – i werds mein Leben lang bleiben. Bleiben müssen ...»

Im Weitergehen komme ich ins Sinnieren: Ein solcher Besitz! Siehst du ihn dort auf dem Kogel, rundum alles sein Eigentum, glaubst du, dieser Bauer ist auf seinem Berg ein König. Beobachtest du so einen Tagesablauf, merkst du – er hat auch Macht über die Kinder, über die Dienstleut, über die Keuschler. Schaust du aber näher hinein, ist die Wahrheit plötzlich da: Der König ist kein König mehr! Und das Bauernleben nicht für alle ein Herrenleben ...

Karl Barthel

Buchenwald – den Tieren geht es gut

Sämtliche Blockältesten sofort zum Tor! Alle Häftlinge, die sich zur selben Zeit auf den Lagerstraßen befinden, sind verpflichtet, diesen Ruf weiterzugeben. Und so hört man im ganzen Lager, aus allen Ekken, denselben Ruf. Der Rapportführer schnauft jeden wütend an, der einige Sekunden nach dem großen Haupttrupp angerannt kommt. Nun, und einer ist halt immer der Letzte.
Jetzt ist es so weit. Der Lagerälteste kommandiert: «Stillgestanden! Die Augen links!» Er meldet: «Sämtliche Blockältesten angetreten!» – Rapportführer: «Hat lange genug gedauert, bis dieser Sauhaufen endlich zusammen ist. Wenn es euch zu gut geht, braucht ihr's nur zu sagen. Es macht mir gar nichts aus, euch mal den Arsch vollhauen zu lassen oder diesen ganzen Haufen im Steinbruch an die Loren zu stekken. Habt ihr verstanden?» – Antwort: ein vielstimmiges «Jawohl!»
Die Moralpredigt ist vorüber, wir erhalten neue Anweisungen über besseren Bettenbau, Sauberkeit, Disziplin, Aufmarsch zum Appell usw. Rapportführer: «Und morgen kommt eine Besichtigung, wehe dem Blockältesten, der mit seinem Block auffällt. Dieser Vogel ist reif, dann ist der Arsch restlos ab! Verstanden?!»
«Jawohl!»
Zum Lagerältesten: «Lassen Sie wegtreten! Halt!» 4 Blockälteste werden mit dem Lagerältesten, unter denen auch ich mich befinde, zurückgehalten. Wir sehen uns gegenseitig an und fragen uns: was hat er vor? Die anderen verschwinden hinter den ersten Blockbaracken. In der Nähe steht ein Jude in Zivil. Also einer aus den Baracken 1a–5a. Gleich daneben ein BV-Häftling,[1] ein Leichenträger und Leichenwäscher. Im selben Augenblick werden wir fünf und diese zwei zum Tor herausgerufen. Der Rapportführer geht uns voran.
Auf einmal heißt es «halt». Wir stehen vor einer mittelgroßen Bretterbude am Schwanenteich, ungefähr so groß wie eine Wohnung mit 2 Räumen. Der Jude muß an der Seite warten. «Und ihr kommt mit mir!» sagt der Rapportführer.
Er macht die Tür auf und gibt uns durch Kopfbewegung zu verstehen, daß wir hineingehen sollen. Aber, o Schreck, was ist das? Innen im

1 B. V. = Abkürzung für «befristete Vorbeugungshaft»

Raum, quer vor der Eingangstür liegen mehrere Leichen neben- und übereinander. Ein grausiger Anblick! Wir sind wie gelähmt und bleiben auf der Stelle stehen. Über das Gesicht des Rapportführers gleiten einige ironische, sadistisch-befriedigte Züge. Er ergötzt sich an unserem Überraschtsein. Nachdem keiner recht beginnen will, lautet sein Befehl: «Macht euch erst mal etwas Platz! Schafft diese Figuren in den hinteren Raum.» Dieser schien ein primitiv eingerichteter Sezierraum zu sein. Keiner wollte anfassen, aber wir müssen. Dem BVer als Leichenträger war diese Arbeit keinesfalls neu, und er begann kurz entschlossen als erster mit der Aufräumungsarbeit. Zu jedem Leichnam gehörte ein Zettel mit seinem Namen darauf, der entweder mit Schnur am Zeh oder Finger befestigt war, oder auch lose auf dem Leib lag. Der Leichenträger ging ziemlich robust mit diesen Toten um, wobei die Namen entweder herunterfielen oder abgerissen wurden. Als ich ihn darauf aufmerksam machte, daß er die Zettel verwechselte, also auf einen anderen Toten gelegt hat, meinte er ganz ruhig und gelassen: «Das ist nicht so wichtig, die werden sowieso alle verbrannt.»

Schlecht ist es, wenn einem diese Arbeit ungewohnt ist. Wie kalt und schlaff diese toten Körper sind. –

Diese Arbeit war erledigt, die Leichen waren z. T. übereinandergestapelt, und wir hatten jetzt Platz, um stehen und uns etwas bewegen zu können. Vor uns und links vom Türeingang stehen sargähnliche schwarz angestrichene Holzkisten, zu viert übereinander, mit den Fuß- bzw. Kopfenden nach der Mitte des Raumes gerichtet. Von den 19 aufgestapelten Kisten stand auf 6 am Kopfende mit Kreide groß geschrieben «Namenlos». Uns wurde sofort klar, daß darin ebenfalls schon Leichen lagen.

Rapportführer: «So, die Kästen, auf denen ‹Namenlos› steht, werden heraussortiert und aufgeschraubt, sowie herausgesetzt.»

Dies war in dem kleinen Raum keine leichte Arbeit. Aber sie wurde durchgeführt. Als wir sie alle vor die Tür gestellt hatten, wurde der Jude herangerufen und der Deckel vom ersten abgehoben.

Rapportführer: «Wenn sie eine dieser Figuren wiedererkennen, oder ihren Bruder dabei finden, müssen sie sofort Bescheid sagen.»

«Jawohl» war die Antwort.

Im ersten lag ein Leichnam, dessen noch offene aber gebrochene Augen uns anstarrten. Der Jude machte eine verneinende Kopfbewegung und der Deckel wurde wieder aufgeschraubt. «Der Nächste» rief der Rapportführer. – Und so wurden alle 6 geöffnet und wieder geschlossen. Der Jude kannte keinen!

Rapportführer: «Ja, wo soll denn bloß dieser Kerl sein? Wenn wir

durchrufen, meldet er sich nicht, zu sehen ist er auch nicht, könnte er höchstens noch ins Scheißhaus gefallen sein.» Zu dem Juden gerichtet: «Das sage ich ihnen schon heute, wenn der nochmals wo auftauchen sollte, dann Gnade ihm, dann werde ich dafür sorgen, daß er am längsten gelebt hat.» – Wir brachten die Särge wieder hinein und stapelten sie übereinander auf. Rapportführer: «Ihr könnt jetzt abrücken.» Er selbst führte den Juden ins Lager nach den Baracken 1a bis 5a.
Noch einmal schaute ich auf diese kleine Bretterbude zurück. Und die Gedanken schossen durch den Kopf: wenn du im Lager kaputt gehst, werden sie auch deinen Körper dahin schleifen und dich aufstapeln. Fünfundzwanzig in einem kleinen Raum!
Jetzt stehen wir am Schwanenteich. Ich versuche, das soeben Erlebte abzuschütteln und konzentrierte mich auf die Schönheiten der Natur. Gravitätisch und stolz durchgleiten die Schwäne das Wasser. – Es sind auch australische Schwäne unter den bekannten weißen, sie sind schwarz mit einem roten Schnabel. Die Enten liegen in der Sonne, ein Teil rudert im Wasser, taucht wiederholt und sucht Futter. Ein Idyll vom friedlichen Leben. Wir gehen weiter. Vor uns befindet sich der Bärenzwinger. Bis auf die Tatsache des Gefangenseins, leben die Tiere ganz natürlich. Trotz der Überfülle wichtigster Arbeiten zur notdürftigsten Unterbringung der Menschen mußten im Frühjahr Häftlinge im Caracho eine der Natur angepaßte Bärenbehausung bauen. Da mußten große Brocken von Steinen transportiert werden, da wurde nicht nur Schweiß, sondern auch Blut geschwitzt. Wäre der Hirsch gegenüber dem Bärenzwinger nicht durch eine sehr stabile Umzäunung von uns getrennt, er würde uns bestimmt aufspießen. Vielleicht haßt er auch schon das Subjekt Mensch. Die Wildschweine und noch verschiedene andere Tiere schauten wir uns an.
Das ist der Zoologische Garten von Buchenwald. Der Erbauer nennt sich Karl Koch, SS-Standartenführer. Ja, er liebt die Tiere. Die Tiere haben es tatsächlich sehr schön in Buchenwald!
Aber 2 Minuten davon leben Menschen, nicht weil sie wollen, sondern müssen. Zu Hunderten sterben sie dahin an Kollaps, Bauchtyphus, Ruhr, Unterernährung usw. Sie werden gehetzt, geschlagen, gemordet. Wer nicht an Krankheit stirbt, aber nach Gutdünken eines kleinen SS-Mannes verschwinden muß, wird über die Postenkette getrieben und erschossen. Es sind Menschen, die für ihre politische Überzeugung alles geopfert haben, die von ihren Frauen und Kindern weggerissen wurden. Sie gaben ihre Freiheit für das Ziel, die Menschheit vor Barbarei, Krieg und Elend zu schützen, sie einem menschenwürdigen Leben zuzuführen. Heute sind sie in Buchenwald!

Hanns Johst

Berlin. Reichskanzlei

Der Führer empfängt mich.
Sein Zimmer ist sehr groß. Er sitzt hinter einem breiten Tisch.
Er steht auf. Er erleichtert mir den spröden Weg zu sich. Er kommt mir entgegen.
Dieser Mann kennt keine Masken. Er trägt immer sein Gesicht.
Dieses Antlitz! Alle Welt kennt es. Jedermann sah es durch tausend und aber tausend Prismen und Perspektiven, aus Hunderten von fotografischen, zeichnerischen, malerischen, bildhauerischen Versuchen. Millionen Menschen sahen es, Millionen gewannen verschiedene Eindrücke.
Alle Deutungen dieses Gesichtes müssen von den Augen ausgehen – so meint man beim ersten Augenblick, ganz naturgemäß überschleiert von der Erregung des Gegenübers. Aber der längere Eindruck bestätigt diese Empfindung nicht. Da ist das Haar. Weder Bild noch Plastik brachte bisher dessen Eigensinn und Eigenwilligkeit zum Ausdruck. Eichendorffsche Heiterkeit sträubt sich gegen jede Doktrin. Weder Stahlhelm noch Mütze, weder Kamm noch Bürste vermöchten zu bändigen, was offen Wind und Wetter gehört. Wie Wolke wirft es bald Schatten über das Gesicht, bald öffnet es die Gesichtszüge durch seinen Schein.
Von einer steinernen Distanz sagen die Schläfen aus. Wie sensible Membranen ruhen sie zwischen Ohr und Auge. Es sind die einsamsten Schläfen, die ich je sah. Ihr Befehl ist Unnahbarkeit.
Nur bei Schädeln großer, geistiger Deutschen findet sich diese ausgesprochen konkave Form. Hier werden Wahrnehmungen unerbittlich filtriert. Man schaut in die Augen, wird von den Augen begrüßt und währenddessen von diesen zwei Schläfen aus unter Kreuzfeuer genommen, wahrgenommen und überprüft.
Ich sitze jetzt dem Führer schräg gegenüber. Das Licht der Fenster gibt der Gestalt scharfe Konturen.
«Sie waren im Ausland ... Vielleicht haben Sie es gelesen: ich auch ... Ich war in Venedig ...»
Tatsächlich, der Führer sagt ganz naiv: «Vielleicht haben Sie es gelesen.» Dieser Mann setzt nichts voraus. Er beginnt jedes Gespräch sokratisch, völlig voraussetzungslos. Er stellt zu Beginn zunächst jede

Voraussetzung erst einmal präzise fest. Mißverständnisse werden auf diese Weise restlos ausgeschaltet.
Das Gespräch wächst organisch wie ein Kunstwerk von Feststellung zu Feststellung, von Wahrnehmung zu Wahrnehmung, von Entscheidung zu Entscheidung.
Wir sprachen über die Wechselbeziehungen der Kultur zum staatlichen Bewußtsein.
Der Führer klingelt.
Baupläne werden gebracht. Große, mittelalterliche Rollen.
Der Führer breitet sie auf dem Fußboden aus.
Wir knien beide davor.
Mit phantastischer Kraft beschwört der Führer aus nackten Grundrissen, aus Linientumulten, aus horizontaler Geometrie plastische Architektur.
Mein Gesicht verwirrt sich im Fieber dieses Augenblickes.
Ein fanatisches «Werde!» schwingt aus der Anschauungsgnade des Mannes neben mir.
Die Baupläne verwandeln sich unter meinem Anblick zu einer Landkarte Deutschlands, und des knienden Führers Herz schlägt über diesem am Boden liegenden heiligen Stück Erde.
Sein Gesicht fliegt wie ein Sturmvogel über weites Land.
Das Ruhende erwacht, erhebt sich und wächst an die Brust einer unsagbar innigen Fürsorge …

Rosa Jochmann

Erkundung im eigenen Herzen

Ein Aufwachen in tiefdunkler Nacht. Draußen heult schaurig die Lagersirene. In knapp einer halben Stunde werden draußen unsere Kameraden stehen, zum Zählappell formiert. Wir aber haben einen langen Tag vor uns mit all seinen unbekannten Schrecken und seinem unbeschreiblichen Grauen. Wir, das sind jene Häftlinge in *Ravensbrück*, die wegen des geringsten Vergehens gegen die verhaßte und zermürbende Disziplin des Lagers seit Monaten in Bunkern vegetieren. Wir, das sind die, die plötzlich aus der Mitte der Kameraden geholt, in einem zynischen Verhör der unfaßbarsten Dinge beschuldigt wurden, mit denen dann in einer vollständig verdunkelten Zelle das grausamste Experiment angestellt wird: *wie lange ein Mensch ohne Essen leben kann!*

Immer eisiger wird die Kälte. Wurde dieser Ort auch deshalb für uns als Wohnstätte ausgewählt, weil es da auch bei hellstem Sonnenschein keine Wärme gibt? Jedenfalls ist im Zellenbau der unerträglichste Geselle des Hungers die Kälte, die unfaßbare, nicht zu schildernde Kälte. Zuerst muß man sich an den Gedanken gewöhnen, daß man im Bunker ist, in jenem Bau, der von Frauen des Lagers aufgebaut wurde, dessen Herstellung Unzähligen das Leben kostete, dessen Boden gedüngt ist mit den Tränen der Unglücklichen, die zu dieser schweren Arbeit beordert waren. Man muß sich daran gewöhnen, daß man als Sehender – zur *Blindheit* verurteilt ist. Monatelang! Man muß mit den Fingern die Augenlider befühlen, um zu wissen, ob man die Augen geschlossen hält oder ob sie offen sind. Denn die Dunkelheit hat jedes Empfinden dafür getötet. Man möchte sich wehren gegen diese Finsternis, die wie ein schweres Tier auf dir liegt, und doch unterliegt man ihr. Es ist so, als ob Zentner für Zentner auf dich geladen würden, immer mehr und mehr, und du bekommst das Gefühl, von der Schwere des Daseins plötzlich erdrückt zu werden. Am Anfang versuchst du, gegen all diese Dinge zu kämpfen: du wanderst stunden- und tagelang ununterbrochen in der Zelle auf und ab, du horchst entsetzt auf die Geräusche, auf die entsetzliche «Symphonie» des Bunkers. Immer wieder erscheint das höhnische Gesicht des Gestapomannes, der dich erpressen will, auszusagen gegen deine Kameraden ...

Plötzlich schrickst du wieder zusammen, denn du hörst ihn, wie er mit seinen wuchtigen Stiefeln näher und näher kommt und die Zelle aufreißt. Neuerlich beginnen die unzähligen, widersinnigen und quälenden Fragen, die ausklingen in die nicht mißzuverstehende Drohung: «Du wirst erschossen!» Als abschreckendes Beispiel für die anderen. Und so lebst du tage-, wochen- und monatelang. Du horchst auf, wenn in der Früh sich die Häftlinge mit der Aufseherin deiner Zelle nähern, um das weniger als kärgliche «Frühstück» zu bringen. Du wartest wie ein Tier in seinem Käfig auf die schicksalschwere Sekunde, ob die Schritte an deiner Zelle vorbeigehen oder ob sie haltmachen werden.

Heute hast du Glück! Der Schieber öffnet sich, du bist geblendet von dem Strahl des Lichtes, der (plötzlich zum *Feinde* geworden in deiner Dunkelheit) auf dich eindringt. Ein musternder Blick der Aufseherin, und dann hast du dein Stück Brot und einen Topf schwarzen Wassers bekommen. Für diesen Tag bist du glücklich und reich beschenkt. Wenn die Schritte aber vorbeigehen und du dann weißt, daß du nun wieder 24 Stunden warten mußt, kämpfst du einen grauenhaften Kampf mit dir selbst, bis die Qual von neuem beginnt. Endlich hat die Müdigkeit dich übermannt, du legst dich auf die Erde wie ein Hund, preßt dich eng zusammen, um ein wenig warm zu werden, du träumst von Helle, Wärme und dampfenden Schüsseln und vergißt für einige Stunden die Grausamkeit des Daseins. Wenn aber der Gestapomann kommt, und er kommt immer, dann bist du mutig. Ist er draußen, dann kommt tausendfach die Qual über dich, dann bäumst du dich auf gegen den Gedanken, daß es ans Sterben gehen soll. Du willst nicht sterben! Du willst noch einmal die Sonne sehen, nein, du willst sie noch oft sehen, du willst Musik hören und Bücher lesen, du willst unter deinen Kameraden sein und du willst die Stunde der Wiederkehr der Partei erleben. Du willst alles, nur sterben willst du nicht. Man ist nicht immer Heldin, man hat Schwächen, jämmerliche und allzu menschliche.

Du bist heute erwacht. Mit einem Male ein leises Klopfen an der Wand. Die Mauer wird zum Buch, in dem du liest, sie wird lebendig und sie sagt dir: «Du, heute ist der 1. Mai.» Ist es nun noch dunkel in der Zelle? Nein, plötzlich ist es ganz licht, ganz hell und strahlend. Plötzlich gibt es keine Gestapo, keine Prügel, keinen Hunger und keine Kälte. Plötzlich sind die Mauern weit auseinandergerückt:

Du stehst mitten in Wien auf der Ringstraße, du marschierst mit den Genossen zum Rathaus, du singst mit ihnen aus vollem Herzen die «Internationale», du erlebst mit ihnen jene Gemeinschaft, die man

nicht lernen kann, die man fühlen muß in ihrer ganzen Tiefe – und plötzlich sind alle Zweifel, alle Schwächen wie weggeblasen! Was kann dir ein Gestapomann antun? Was diese Zelle? Was alle Qual? Das ist alles vergänglich. Du klopfst zurück und erzählst von leuchtend roten Fahnen, von begeisterten Menschen. Und so geht es von Zelle zu Zelle: «Seid stark, laßt euch nicht niederdrücken, heute ist es noch dunkel, aber wir schreiben den 1. Mai 1943, schon gibt es Signale überall, schon fluten die deutschen Heere zurück, schon liegt ab und zu eine versteckte Angst in den Worten der SS, schon versucht manche Aufseherin, und gerade die Grausamste, einen Weg zu finden zu uns.»
Was tut es, daß wir leiden, was tut es, daß sie uns quälen, heute übers Jahr marschieren wir wieder über den Ring, und sind wir nicht dabei, dann werden es Hunderttausende andere sein. Heute noch sind wir unterdrückt, morgen aber tragen wir siegend die roten Fahnen: trotz alledem und alledem!»

Rüstungsarbeiterinnen

Da ist ein Heeresverpflegungsamt. Frauen stehen an langen Tischen; die älteren sitzen. Es sind ganz alte Frauen dabei, mehrere haben die 65 schon überschritten. «Sie wollen auch dabei sein», sagt der Unteroffizier, dem der Saal unterstellt ist. «Die Arbeit ist zwar leicht, aber dennoch – alle Achtung!» Unermüdlich füllen die Frauen die kleinen harten Zwiebackstücke in Zellophanbeutel, wiegen sie ab und verschließen sie. Es sind Eiserne Rationen, die hier frontfertig verpackt werden. Eine Achtundsechzigjährige ist dabei, die ebenso schnell arbeitet wie die jüngeren Arbeiterinnen.

Jede Anerkennung wehrt sie erstaunt ab, ohne daß ihre Hände auch nur einen Augenblick ruhen. «Aber das ist doch selbstverständlich. Jetzt muß doch jeder 'ran, der noch arbeiten kann.» – Sie lächelt etwas und fügt dann hinzu: «Nein – hinter dem Ofen zu hocken, wenn der Führer ruft, das ist nichts für die alte Schüllern ...»

Fräulein Werner, die wir als Verkäuferin in einem Modegeschäft schon seit Jahren kannten, nickt uns schon von weitem fröhlich zu.

«Ich habe Glück gehabt», meint sie. «Ich bin in einem unserer neuzeitlichen Betriebe eingesetzt worden, wo die Schönheit der Arbeit als oberstes Gesetz gilt, wo der Blick in der Pause auf Wald und Wasser schweifen kann, wo weite, luftige Räume das Gefühl der Enge und Dumpfheit verhindern, wo gepflegte Rasen, farbenfrohe Kantinen, Bäder und Duschen die Arbeitsfreude beleben.

Wenn ich die Reihen der Werktätigen entlangschaue, die schon seit Jahren an diesen Plätzen stehen, so findet sich kein bedrücktes Gesicht darunter. Und so merkwürdig es klingt, aber in solchem Betrieb lernen wir wieder Tempo halten. Kein Hasten und Jagen mehr, kein unbedingtes Hineinstopfen irgendwelcher Pläne und Absichten in den ohnehin reich gefüllten Tag. Das Geheimnis der Arbeit heißt Gleichmäßigkeit. Es bleibt sogar noch Zeit zu einem kleinen Schwatz über den Lärm der Maschinen hinweg, wenn die alte Lieferung aufgearbeitet und die neue im Augenblick noch nicht angerollt ist. Besonders nett ist der Meister, wie es sich gehört, ein angegrauter Mann, dem man die langjährigen Erfahrungen vom Gesicht ablesen kann. Mich hat er in der ersten Stunde gefragt, ob ich denn keine Wirtschaftsschürze besäße. Ich besitze keine, weil in einem Modesalon gewöhnlich kein solches Stück benötigt wird. Eine Stunde später schon habe ich dann von ihm fürsorglich eine funkelnagelneue Lederolschürze bekommen. Seitdem fühle ich mich zünftig, trotzdem mein Soldat draußen jede künftige Ladehemmung auf meine bescheidene Kontrolltätigkeit zurückzuführen droht.»

Auf unsere Frage, ob ihr die Arbeit nicht doch manchmal recht schwer falle, sieht uns die junge Arbeiterin der Munitionsfabrik nachdenklich an. «Manchmal – warum soll ich das verschweigen? – überkommt mich auch jenes Tier, das die deutsche Sprache so plastisch den inneren Schweinehund nennt. Dann nähert sich im gleichmäßigen Summen der Treibriemen und Maschinen bedrohlich die Schlaflust, und der Uhrzeiger scheint nicht vorwärts zu rücken. Unachtsamkeit aber gefährdet das Leben deutscher Männer!
Da hilft nur ein gewaltsames Sich-Aufraffen und mit Bewußtsein horche ich auf das Lied der rastlos rasenden Motoren: Schafft wieder Waffen und wieder Munition! Ihr rettet damit deutsche Soldaten.»
Leben retten? Für eine Frau, die Leben schenkt, ein höchstes Ziel. Neue Kraft strömt in die Adern, und mit erhöhter Sorgfalt werden die kleinen und so unwesentlich scheinenden Griffe ausgeführt.

Sie gehört zu jenen jüngeren kinderlosen Frauen, bei denen es nur noch des Anstoßes durch die Meldepflicht bedurfte, um sich bereitwillig in den kriegswichtigen Schaffensprozeß einzuordnen. Nun hat sie das Arbeitsamt in einen kriegswirtschaftlichen Betrieb eingewiesen, in dem zwar keine Waffen – wie sie es sich vorgestellt hatte –, jedoch überaus notwendige chirurgische Instrumente, Injektionsspritzen usw. für unsere Verwundeten hergestellt werden. Frau Dietrich bedient eine Maschine, an der mit ein paar leichten Griffen Injektionsnadeln eingesetzt werden.
Wie sie sich mit der Arbeit zurechtgefunden habe? «Es geht alles besser als ich gedacht hatte», sagt Frau Dietrich und lächelt nun schon wie über etwas längst Abgetanes über den Arbeitsanfang, vor dem sie erhebliche Angst gehabt hatte.
«Mit der Arbeit an dieser Maschine habe ich mich gut angefreundet – hiervon gehe ich bestimmt vorläufig nicht mehr weg! Die Eintönigkeit der Arbeit, vor der man sich als Außenstehende leicht fürchtet, vergißt man ganz, wenn man selbst den guten Willen hat, nicht hinter den Frauen, die nun schon so lange hier tätig sind, zurückzustehen, und wenn man sich immer wieder sagt, wie wichtig es ist, daß solch ein

kleines Teilchen fertig wird, und daß mit jeder Injektionsnadel vielleicht ein Menschenleben gerettet werden kann.»

Eine junge Frau, die vordem als Zeichnerin tätig war, später aber das Reißbrett mit dem Kochtopf vertauschte, ist wieder in den technischen Betrieb eingetreten und steht jetzt mit den Männern in Reih und Glied. Das war für manchen Mann etwas ungewohnt. – Einer fragte sogar – und ein etwas spöttischer Unterton schwang mit –, ob man hier rauchen dürfe.
«Meinetwegen gern», antwortete die junge Frau, «soweit Ihre Raucherkarte reicht. Ich schicke meine paar Zigaretten meinem Mann an die Front. Das Rauchen hilft ihm über manche schwere Stunde hinweg.» Dieses Wort klang noch eine geraume Zeit nach.
Sehr verwundert aber war die junge Frau, als ihr von allen Seiten Zigaretten als Beisteuer für die nächste Frontsendung zugesteckt wurden. An dieses kameradschaftliche Echo hatte sie wirklich nicht gedacht.

Im Grunde genommen gehörte ja auch die Schneiderin Frau Bruns ins Metallgewerbe, denn sie schwang den ganzen Tag eine Stahlstange, ihre Nähnadel. Und weil sie auch mit Nähten aller Art zu tun hatte, lag nichts näher, als sie in der Blechschweißerei zu beschäftigen. Hier wurden lange Blechstreifen zusammengeschweißt. Die Nähte mußten so fest und so dicht sein, daß sie auch bei den größten Spannungen nicht reißen konnten.
Nachdem die neue Schweißerin ihre anfängliche Furcht vor dem sprühenden und glühenden Lichtbogen verloren hatte, legte sie eine Naht hin, die auch den Kenner zur Bewunderung zwang. Aber noch verblüffter waren alle, als die neue Kameradin sagte: «Ich habe öfters für die drei Jungen meiner Schwester neue Hosen genäht. Sie haben lange gehalten. Und ich glaube, damals wurden an meine Arbeit die gleichen Ansprüche gestellt wie heute bei der Schweißerei!»
Nachdenklich nickten die Männer und erinnerten sich lächelnd an die eigene wilde Jungenzeit.

Feierabend. – Die Züge sind überfüllt. Müde Männer und Frauen fahren nach Hause, und daheim wartet weitere Arbeit auf sie. Aber man spürt den inneren Gleichklang. Die Männer wissen, was die Frauen im Kampfe für die Heimat leisten.
Die Schaffnerin hat zwischen zwei Stationen einen kleinen Augenblick Zeit. Sie ist noch jung; sie wollte studieren: Philologie.

«Aber das hat noch Zeit», sagt sie. «Jetzt muß man da arbeiten, wo man gebraucht wird, und so habe ich mich bei der Reichsbahn gemeldet. Der Dienst ist ja nicht einfach, manchmal kostet es Nerven – aber ich möchte es auch nicht leicht haben. Ich will meine Pflicht tun, so gut ich es vermag, damit ich unseren Soldaten später offen in die Augen sehen kann ...»

Waldemar Quaiser

Sachsenhausen wird geräumt

Wir marschieren dem Zusammenbruch des Dritten Reiches, das für Jahrtausende sein sollte, greifbar in regenkalter Aprilnacht entgegen.
Beim Lagertor heraus, links schwenkend. Auf der Betonstraße und linksschwenkend entlang der Lagermauer, Richtung Ort Sachsenhausen.
Über dem Konzentrationslager mächtige Feuersäulen und Detonationen, die die Luft erschüttern.
Eingeweihte flüstern: Sie sprengen das Krematorium und die Hinrichtungsanlagen auf dem Industriehofe!
Neben uns schwerbewaffnete SS-Mannschaften. Hinter uns ein ganzer Zug SS auf Fahrrädern.
Von dort her in kurzen Intervallen:
«Rascher marschieren!»
Neben mir Josef Schrei und Fritz Bröckelmann.
Bahnhof Sachsenhausen.
Schweigen, Kälte und Marschieren.
Die ganze Nacht, den ganzen Tag!
Nassenheide, Teschendorf, Löwenberg.
Da und dort kracht ein Schuß! Im Morgengrauen sehen wir die ersten Toten im Straßengraben liegen. Alles Kopf- und Genickschüsse! Wer nicht mitkam, wer schwach, elend oder krank ist, wird erbarmungslos niedergeschossen. Wie ein räudiger Hund! Wer nicht rasch genug seine Notdurft verrichtet, muß dran glauben. Wehe, wer jetzt auch nur von einem Durchfall erfaßt wird.
In Löwenberg endlich eine größere Rast.
Dort, mitten im Ort, vor den Augen der Zivilbevölkerung, eine ganze Anzahl Häftlinge niedergeknallt. Die Leichen bleiben an den Hausmauern liegen ... Eine Gruppe von Juden und Russen wird weggeführt. In den Wald. Später krachen Gewehrschüsse aus der gleichen Richtung.
«Weitermarschieren!»
Bei stark gelockerter Marschdisziplin werden die Ortschaften Linde, Grieben und Herzberg passiert.
In Herzberg stockt der Marsch. Die breite Straße gibt Raum für zwei

Marschsäulen nebeneinander. In der zweiten Säule eine Menge Bekannte, darunter Otto Kriesche ...
Die zweite Säule marschiert wieder.
Unsere Säule steht weiter.
Ein grauer viereckiger Lastkraftwagen fährt langsam, von Norden kommend, auf uns zu. Trotz des Schmutzes sind die Schweizer Hoheitszeichen zu erkennen.
'raus aus der Kolonne. Winke dem Wagen zu. Sehe jetzt deutlich, daß es ein Lastkraftwagen des Internationalen Komitees des Roten Kreuzes in Genf ist.
Er hält an, und ein jüngerer Herr entsteigt ihm.
Ich rufe halblaut:
«Bringen Sie uns Pakete?»
«Wir bringen euch Pakete! Lassen Sie Ihre Leute antreten!»
Ich melde dies sofort dem SS-Rottenführer, der mit zwei SS-Männern unser Kommando bewacht.
«In Vierer-Reihen antreten!»
Während der Formierung kann ich einige Sätze mit dem Genfer Abgesandten sprechen:
«Lassen Sie uns nicht im Stich! Es besteht nach wie vor die Gefahr, daß man uns politische Gefangene umlegt. Und bringen Sie uns Nahrung. Die meisten haben nichts mehr zu essen und fallen vor Hunger um und werden erschossen! – Haben Sie die Toten gesehen?»
«Seien Sie unbesorgt. Wir fahren euch nach. Fahren eure Marschwege ab. Sagen Sie Ihren Kameraden, sie sollen aushalten. Es geschieht das Menschenmögliche. Wir sind informiert! ... Vier Mann ein Paket!»
«Ich danke Ihnen im Namen aller mitmarschierenden Österreicher und Tschechoslowaken!»
Dies alles wickelte sich innerhalb einiger Minuten ab ...
«Quartiere beziehen!»
Wir kommen in die Scheune eines Bauernhauses. Und Frau Steinberg, dieser Engel, kocht uns jenen ersten hervorragenden Bohnenkaffee, den wir den Paketen des Kanadischen Roten Kreuzes entnahmen.
Das schreibt sich so leicht hin: Kanadisches Rotes Kreuz. Aber ihm und dem Genfer Zentralkomitee verdanken an diesem Tage Hunderte, vielleicht Tausende von Bürgern nahezu aller europäischer Staaten ihr Leben, zumindest ihren Lebensmut.
60000 bis 70000 marschierende Opfer des Nationalsozialismus hatten nunmehr Anschluß an die Welt gefunden.
Das Dritte Reich, nicht mehr in der Lage, seine politischen Gefange-

nen zu betreuen und zu verpflegen, nimmt den Schutz des Internationalen Roten Kreuzes an!
Das Ende.
Und einer anderen Welt entgegen!
Der Marsch geht weiter ...
Wulkow, Alt-Ruppin und bei Neu-Ruppin entlang des Flugplatzes nach Storbeck.
Schauerlich ist der Flugplatz und seine nächste Umgebung hergerichtet. Auch der Friedhof. Hier muß ein Inferno geherrscht haben. Hier hatten die amerikanischen Bomber den Boden buchstäblich umgepflügt.
Nur weiter! Jeder unnötiger Aufenthalt muß vermieden werden. Dazwischen da und dort ein erhaltenes Wohnhaus, das die Tragödie des zerstörenden Krieges deutlich macht. Und dort noch eine einladende Handwerkertafel in großen Lettern: Hier sind Sie richtig beim Malermeister ...!
Kälte und Nässe.
Der Regen dringt durch die mangelhafte Kleidung. Er läßt nicht nach, dieser April-Schauer. Die meisten frieren gottserbärmlich.
Die Lichterfelder-Kolonne hält sich noch am besten. Die anderen bieten meist ein Bild des Jammers und Elends, vor allem die Frauen-Kolonnen.
Überall stoßen wir auf Nachzügler, meist Frauen.
Alle konnte die SS nicht erschießen!

Leopold Kreutz

Der Todesmarsch von Brünn

30. Mai 1945. Ein Betrieb in Brünn, in dem Männer und Frauen, Tschechen und Deutsche arbeiten. Von der Belegschaft fehlen viele der jungen Tschechen, die in diesen bewegten Tagen meist andere Interessen verfolgen. Sie stehen im Dienste des Národny Vybor,[1] sie machen Bewachungsdienste in Lagern, in denen Deutsche interniert sind. Sie geben sich als Partisanen aus, zu denen sie angeblich während der Nazizeit gehörten und laufen gerne mit Maschinenpistolen oder Karabinern bewaffnet herum und spielen oft Richter und Strafvollzugsorgan in einer Person.
In diesem Betrieb kommt am zeitlichen Nachmittag der Werkmeister in den Arbeitsraum, um zu verlautbaren, daß die Deutschen sofort die Arbeit einzustellen, nach Hause zu gehen und sich am Abend um neun Uhr bei ihren zuständigen Polizeistationen zu melden haben.
Alle Deutschen in Brünn müssen sich zu dieser Stunde melden. An die 30000 Menschen, vor allem Frauen und Kinder, die Männer meist Kranke und Greise, werden bei den Polizeistationen gesammelt. Sie werden in Listen eingetragen, bekommen Zettel in die Hand, auf welchen sie sofort ihre Wohnungsabmeldung vornehmen müssen. Man legt offenbar Wert auf ein «ordnungsgemäßes Verfahren». Aber immer noch weiß niemand von den gesammelten Deutschen, was mit ihnen geschehen soll. Nichts Gutes ahnend, hatten sie die ihnen wichtig scheinenden Habseligkeiten (wie Decken, Bettzeug, Lebensmittel u. a. m. in Koffern, Kartons, Säcken und Rucksäcken verpackt) mitgebracht. Noch während der Sammlung vor der Polizeidirektion vollzieht sich ein widerliches Schauspiel. Was die Menschen an Wertgegenständen bei sich haben, wie Ohrringe, Fingerringe, Uhren usw., muß abgegeben werden. Es wird von eifrigen «Partisanen» eingesammelt. Schließlich wird die versammelte Masse von Menschen, flankiert von den bewaffneten Zivilisten, in Bewegung gebracht. Im Morgengrauen hat der Zug der Dreißigtausend die Mauern der Heimatstadt hinter sich. Es begann die Tragödie, die Vertreibung der Deutschen aus Brünn, aller Deutschen, egal ob sie Nazi waren oder nicht.

1 Volksrat, regional und lokal, anfangs unkontrolliert, von den Tschechen zur Übernahme der Macht gebildet

Während des immer schwieriger werdenden Marsches wird der Zug nach Männern, die noch einigermaßen arbeitsfähig scheinen, abgesucht. Sie werden herausgeholt und an das Ende des Zuges gebracht. Den Frauen, die ihre Habseligkeiten schleppen, wird immer wieder auf die Finger geschlagen. Das wiederholt sich so oft, bis sie ihre Lasten fallen lassen. Diese «weggeworfenen» Koffer werden von den Besatzungen der am Ende des Zuges nachfahrenden Lastwagen eingesammelt und auf die Autos geworfen. Die zweite Nacht nach dem eine Nacht und einen Tag dauernden Marsch wird in der Ortschaft Porlitz verbracht. Am zeitlichen Morgen, es ist noch nicht richtig hell, wird diese hungernde, frierende und schon vielfach erschöpfte Masse aufgejagt und weitergetrieben. Es geht nun der tschechisch-österreichischen Grenze entgegen. Während dieses Weitermarsches bleiben die ersten an Ruhr und Typhus Erkrankten und Erschöpften in den Straßengräben liegen. Niemand darf ihnen helfen. Typhus- und Ruhrerkrankungen haben sich schon vor Porlitz bemerkbar gemacht. Die Toten in den Straßengräben werden von den am Ende des Zuges nachgeführten Männern eingesammelt und in von ihnen ausgehobenen Massengräbern begraben.

Im Morgengrauen des nächsten Tages, als zum Weitermarsch aufgefordert wird, raffen sich alle auf, die wenigstens noch eines schwachen Willens fähig sind, um nicht auf der letzten, auf tschechischem Boden liegenden Raststätte zurückzubleiben. Sie wollen mit, hinüber ins Österreichische. Für Tausende wird diese schon übermenschliche Willensanstrengung sozusagen zum Vollzug ihres letzten Willens, wenigstens auf österreichischem Boden zu sterben. In den niederösterreichischen Grenzdörfern Drasenhofen, Steinebrunn, Poisdorf und einigen anderen Grenzgemeinden zeugen zahlreiche Massengräber, bis zum Rande mit Leichen gefüllt, von dieser grausigen Etappe des «Brünner Marsches».

Willi Mader

Die letzten Tage

In der dritten Märzwoche an einem Sonntag: der Himmel ist klar, wie ausgekehrt, nur weit in den Bergen schwebt eine langgezogene Wolke wie eine baumlose Straße im Morgenlicht. Diese Ruhe täuscht. Es ist eine bedrohliche Zeit, und die Frage erregt alle, ob der Krieg auch nach hier kommen werde. Die Nervosität unter den Nazibonzen nimmt zu. Sie sind geschäftig unterwegs, als ob sie die eigene Angst und den ihnen entgegenschlagenden Haß unterlaufen wollten. Sie sagen es offen: Meckerer und Miesmacher, vor allem aber alle, die keine einwandfreie Vergangenheit haben und Gegner geblieben sind, werden in dieser schweren, aber doch nur vorübergehenden Krisenzeit scharf im Auge behalten. Jeder Blockleiter kennt seine Vögel, und es wird unbarmherzig durchgegriffen. Feiglinge und Verräter – sagen die Scharfmacher – werden hinter der Schinderhütte im Wald oder in den Steinbrüchen stillschweigend umgelegt, die anderen nach dem Endsieg, den der Einsatz neuer Wunderwaffen bald schon herbeiführen werde, nach dem Osten verschickt.

In der ehemaligen roten Hochburg Schlesiens, in Wigstadtl, sind noch viele, die nicht zu den Nazis übergelaufen sind. Sie wissen, daß mit ihnen nicht herumgefackelt wird. Sie spüren die Gefahr. Nur jetzt nicht auffallen, sich ja nicht von einem Spitzel provozieren lassen! Ihre Hoffnungen und Parolen flüstern, nein, hauchen sie in die Ohren verläßlicher Genossen, und nur dort, wo sie völlig unter sich sind: auf einsamen Landstraßen, in der Kirche, hinter verschlossenen Türen und gesicherten Fensterläden. Jedes Wort, an einem falschen Ort gesprochen und von einem Spitzel aufgefangen, bringt sie auf die schiefe Ebene, die im KZ oder vor dem Volksgerichtshof mündet. Ich bin gefährdet wie meine Freunde. Und ich beobachte wie sie die Entwicklung in meiner Heimatstadt, der sich die Front immer schneller nähert: Troppau, Gräz, Hirschdorf und Wagstadt sind schon Kampfgebiet; russische Flugzeuge, deren Motoren wie Nähmaschinen summen, werfen Splitterbomben; die Häuser im oberen Stadtteil haben durchlöcherte Dächer; in der Schule, oberhalb meines letzten Klassenzimmers, klafft ein großes Loch; aber das aus hartem Marmor gehämmerte Pestalozzi-Denkmal davor ist unversehrt; Bomben- und Granattrichter, weit drüben auf den Hängen, starren mit toten Augen in den

Himmel, der Nacht für Nacht in allen Farben der Zerstörung brennt.

Ein Maientag hat das erste Grün aus der Erde gelockt; schmutzige Schneeflecken auf Feldern und Wiesen werden von ihr verschluckt. Die Sirenen heulen ihren täglichen Alarm. Mit dem Fallen der Bomben, dem Donnern der Kanonen aller Kaliber und dem Rollen der Stalinorgeln kriecht die Angst wie eine giftige Spinne in die Stadt. Der Krieg hat sie erreicht, und man wird die Toten in die Gruben schaufeln wie verfaultes Obst.

Um die Mittagszeit wird die Stadt von Zivilisten geräumt. Bleich und zitternd drängen sie sich zu den Fahrzeugen. Es sind zu wenig Autos. Es gibt zu wenig Benzin. Nur ein kleiner Teil kommt mit. Niemand weiß, wohin die Flucht führt und wie sie endet. Die Zurückgebliebenen verkriechen sich wieder in die Keller ihrer zumeist schon zertrümmerten Häuser.

Der Volkssturm mit seiner zweiten Kompanie, einem zusammengewürfelten Haufen aus Enthobenen, kleinen Parteifunktionären und politisch wenig Verläßlichen, die allerletzte Reserve, liegt, aufgeteilt auf zwei Gasthäuser, in der Kirchengasse in Bereitschaft. Vor Tagen wurde sie bei einem Appell, bei dem der Kreisleiter der NSDAP den Kampfauftrag ausgab und Feiglingen und Verrätern das Aufhängen androhte, eingekleidet: Uniformen der «Goldfasanen» und der SA, die an Ort und Stelle angezogen werden mußten. Seither nistet die Verzweiflung in der Kompanie. Jeder weiß es, auch wenn es niemand ausspricht: diese Uniform ist das Todesurteil.

Die erste Kompanie, vor ihrem Einsatz genauso eingekleidet und vor vierzehn Tagen bei Gleiwitz in den Kampf geworfen, hatte bei den Sowjetsoldaten kein Pardon gefunden: wer nicht im Kampf gefallen ist, wurde an Ort und Stelle erschossen. Die Parteiuniform war der Grund hierfür.

Die Männer der zweiten Kompanie erscheinen, da sie vor dem Einsatz stehen, über Nacht «gerundet». Sie tragen unter den Uniformen leichte Zivilkleidung. Ihre Ausrüstung ist armselig: ein alter Karabiner, pro Mann zehn Patronen; der Kompanie ist ein einziges Maschinengewehr zugeteilt; einige Panzerfäuste sind da. Dafür ist der Auftrag umfassender: sie sollen die Stadt bis zur letzten Patrone verteidigen, an den Panzersperren die für den nächsten Morgen erwarteten Vorausabteilungen der Sowjetarmee aus Richtung Hirschdorf und dem Raupenwald aufhalten und zurückschlagen.

Es ist Nacht. Aus einem nervösen Schlaf reißen mich Stiefeltritte gegen das Schienbein. «Schweine!» brülle ich, fahre hoch und sehe im flakkernden Licht in zwei fremde grinsende Gesichter.
«Mitkommen. Zum Sanitätsstab!»
Ich hänge den Karabiner über, taste nach den Patronen in der Manteltasche. Für alle Fälle. Ich lasse mich nicht so ohne weiteres liquidieren.
Die Nacht ist pechschwarz. Wir stolpern über Mauerbrocken und zersplitterte Dachsparren, stampfen in schlammige Pfützen. Aus zerschossenen und schräg von den Hauswänden wegstehenden Dachrinnen schießt Wasser über die Mütze, über den Mantel, in die Stiefel und schwemmt den Dreck der Wände mit hinein.
Die Volkssturmmänner, die mich geholt haben, sind mir fremd. Gestern, bei Dunkelheit, hätten sie den Befehl erhalten, mich zu holen. Sie hätten mich schon überall gesucht, auch in meiner Wohnung nachgefragt. Das macht mich stutzig, und ich beginne, die Schritte zu zählen, als wir den Ring überqueren, um herauszubekommen, wohin sie mich führen. Ich zähle die Häuser, die ich in der Dunkelheit ausmachen kann. Und ich zähle immer wieder die Patronen.
Plötzlich halten sie an und schieben mich durch eine Türe, die sich geräuschlos in den Angeln dreht und sich hinter mir schließt. Das ist die Falle. Einmal mußte es ja kommen.
Am Ende eines schmalen Ganges schimmert Licht. Ich gehe langsam auf es zu. Lautlos, die Stiefel versinken in einem Teppich. An den Wänden des Ganges erkenne ich Bilder. Bilder von Dürer und Holbein. Und nun weiß ich auch, wo ich bin: bei Dr. Beyer, meinem Hausarzt.
Jetzt – ein Schrei, dem ein Aufschluchzen folgt. Dann Stimmengemurmel. Ich stoße die Türe auf und sehe in dem von dichtem Zigarettenrauch milchigen Licht drei gute Bekannte: zwei Ärzte und einen Drogisten. Alle drei NSDAP-Mitglieder. Jetzt Sanitätsstab. Mein Eintreten, grußlos und ohne Meldung, stört sie nicht. Während der eine einen Fingerverband erhält, prüft der andere einen roten Streifen, der sich bis in die Armbeuge zieht. Aha, denke ich: Blutvergiftung. Auf dem Tisch blutige Watte. Das Waschbecken ist angekleckert. Injektionsspritze. Arztbesteck. Eine offene Flasche. Zigaretten. Eine Bergmannpistole und viel Munition.
Ich werde zum Niedersitzen aufgefordert, erhalte Schnaps aus der Flasche, der nach Pferdemedizin stinkt, und Zigaretten angeboten und nütze jede Bewegung, den Stuhl zurück an die Wand zu rücken. Den

Karabiner behalte ich zwischen den Knien, die freie Hand am Karabinerschloß.
Und schon sprudelt aus ihnen – jeder weiß was zu sagen – ein von ihnen ausgetüftelter Plan: weiße Fahne auf den Kirchturm – kein Kampf – kein Untergang in Blut und Dreck! Und dann erfahre ich, welche Rolle ich dabei zu spielen habe. Es ist ein Auftrag: Sofort losziehen, durch den von der SS gezogenen Verteidigungsring durchschlängeln, die Sowjetkommandantur aufsuchen, als Parlamentär – eine weiße Fahne wird mir zugeschoben – die kampflose Übergabe von Wigstadtl ansagen! Sollte ich unterwegs in Schwierigkeiten geraten – nun schiebt mir ein Arzt die Bergmannpistole und die Munition zu –, naja, ich müßte mich auf jeden Fall durchbeißen.
Mein Inneres sträubt sich gegen diese Wahnsinnsidee, die der Stadt nichts nützt und mir den sicheren Tod durch die SS bringt, aber ich stimme zu, um nicht wegen Befehlsverweigerung den Strick um den Hals zu bekommen, versorge Pistole und Munition, nehme die weiße Fahne an mich und gehe.
Auf der Straße ist niemand. Die weiße Fahne fliegt in ein halb eingestürztes Haus. Meine Stiefel schlurren und klappern, manchmal übertönt vom anbrechenden Gefechtslärm. Zurück zur Kompanie, dort untertauchen, wohin der Sanitätsstab nie kommen wird. Regennässe und Schweiß vermengen sich auf meinem Gesicht.

Die Kompanie wird eben alarmiert. Die Kommandos überschlagen sich: Fertigmachen. Antreten. Scheißkerle, raus! An die Panzersperre! – Der Kompaniechef ist plötzlich da. Die blonden Haare kleben, das Gesicht ist fahl, die Stimme bricht, als er die Lage erklärt: Die Russen sind durchgebrochen. Sie sind schon ganz nahe bei der Bleiche. Auch um die Bahnlinie bei Maria-Stein wird schon gekämpft.
Die Kompanie ist keine Kompanie, keine Einheit. Einige stehen abmarschbereit, andere suchen nach irgendwelchem Krimskram, viele zaudern und schielen nach einem Fluchtweg. Die Kommandos werden schärfer.
Und jetzt kommt meine Stunde. Ich sage einfach: «Nein!»
Der Kompaniechef sieht mich erschrocken an: «Was soll denn das?»
«Sind die 60 Mann bei Gleiwitz nicht genug?» sage ich ruhig und reiße die Pistole aus der Manteltasche. «Von uns beiden stirbt einer – du oder ich! Ja, einer für die 80 da! Zieh den Befehl zurück!»
Der Kompaniechef wendet sich ab, stockt, als würde er zusammenbrechen. Eine Handbewegung, die alles sagt. «Geht nach Hause! Aber

zieht zuvor die Uniformen aus. Es ist sowieso alles verloren ...» Und dann geht er mit ausholenden Schritten zu seinem Auto, das in der Toreinfahrt beim Brauhaus steht.
Die Männer laufen auseinander. Jeder in seine Richtung. Als Zivilisten. Ich gehe entlang der rechten Häuserzeile, versorge mich in den verlassenen Geschäften mit Brot und Wurst, laufe die bergige Straße hinan zum Rosenhügel und – plötzlich vor mir eine Szene, als ob der Krieg weiß Gott wo wäre: Unter der breiten Türe der Schule steht ein Sarg, mit einer Hakenkreuzfahne und mit Blumen geschmückt, davor der Kreisleiter, neben ihm eine Rotte Männer der Waffen-SS: Verabschiedung – von wem wohl? – mit markiger Stimme. Zum Schluß ein dreifaches Sieg-Heil!
Ich weiche weit aus. Neben dem Gartenzaun liegt ein Kradfahrer ohne Kopf. Die Straße ist menschenlos. Auf den Feldern und Wiesen liegen Tote. Granaten schlagen in die Stadt ein. Vereinzelt fallen Schüsse. Dann und wann kläfft ein Maschinengewehr. An einem Hauszaun lehnen drei Landser. Müde. Fertig. Regen rinnt über ihre verdreckten Gesichter. Ich gebe ihnen mein Brot, meine Wurst und zeige auf einen Wald, durch den sie noch durchkommen.
Keuchend erreiche ich den Rosenhügel. Überall hängen Leintücher aus den Fenstern. Auch bei unserem Haus. Im Tor steht meine Frau.
Und schon wälzt ein T 34 die Gartenzäune links und rechts nieder. Die Straße ist zu eng für dieses Ungetüm. Weitere T 34 folgen. Eine endlose Kette. Auf einem dieser Ungetüme öffnet sich eine Luke. Eine Gestalt in blauem Overall schreit in deutscher Sprache zu uns herüber: «Versteckt eure Frauen und den Schmuck. Der Krieg ist für euch aus!» Dann klappt die Luke wieder zu.
Die Panzer rollen vorbei, begleitet von Infanteristen, die ausschwärmen und Gärten und Häuser nach deutschen Soldaten absuchen ...

Zeitgeschichtliche Hinweise

1918: *Alle Macht in die Hände des Volkes*

Die schon 1917 in Deutschland und Österreich-Ungarn in größerem Umfang einsetzenden Streikwellen und Hungerdemonstrationen, die Matrosenaufstände in Kiel und in Cattaro steigerten sich gegen Kriegsende zu machtvollen Friedensdemonstrationen und Massenstreiks, in deren Folge sich im November 1918 Arbeiter- und Soldatenräte bildeten. Österreich-Ungarns Armee befand sich in Auflösung; der Habsburger-Staat zerfiel. Wilhelm II., der sich im Großen Hauptquartier im belgischen Badeort Spa sicherer fühlte als im revolutionären Berlin, befahl am 8. 11. den Einsatz von Fronttruppen, um die Revolution in Deutschland zu unterdrücken und Berlin von der «roten Kumpanei» zu säubern. Als Generalleutnant Groener, der Nachfolger Ludendorffs als Erster Generalquartiermeister, dem Monarchen melden mußte, auch Elitedivisionen seien nicht mehr bereit, gegen den Feind und schon gar nicht gegen die Heimat zu kämpfen, eröffnete sich für Deutschland der Weg zu einer Neuordnung von Staat und Gesellschaft. Die Arbeiterbewegung jedoch, die diese Ordnung bestimmen und tragen sollte, war gespalten: Die Mehrheitssozialdemokraten unter Friedrich Ebert hatten andere Zielvorstellungen als die Unabhängige Sozialdemokratische Partei Deutschlands (USPD) unter Hugo Haase und die Spartakisten unter Karl Liebknecht und Rosa Luxemburg. Dies läßt sich an den Ereignissen eines einzigen Tages demonstrieren:

9.11.1918: Friedrich Ebert, dem an diesem Tag von Prinz Max von Baden die Geschäfte des Reichskanzlers übertragen worden sind, ruft die Bevölkerung auf, die Straßen zu verlassen und für Ruhe und Ordnung zu sorgen, um die Ernährung des Volkes zu sichern.
Philipp Scheidemann, engster Mitarbeiter Eberts, verkündet ohne dessen Wissen vom Balkon des Reichstags: «Der Kaiser hat abgedankt! Er und seine Freunde sind verschwunden. Über sie alle hat das Volk auf der ganzen Linie gesiegt. Es lebe die Republik!»
Karl Liebknecht proklamiert vom Balkon des von revolutionären Matrosen besetzten kaiserlichen Schlosses die sozialistische Republik Deutschland.

Die Auseinandersetzungen verliefen nicht unblutig (siehe: *Die ersten Toten der Novemberrevolution*). Der «Vorwärts» meldete am 20. 11.1918, daß in der Novemberrevolution außer 15 Männern die Arbeiterin Charlotte Nagel und die Hausgehilfin Paula Plate auf der Straße erschossen worden seien.
In dieser entscheidungsreichen Woche, nämlich vom 4.–11. November, gab es in

den Großstädten des Reiches für jeden Normalverbraucher täglich 25 Gramm minderwertige Wurst, 160 Gramm «Mischbrot», 7 Gramm Margarine und 10 Gramm Marmelade sowie als Wochenration 45 Gramm Dörrgemüse und 250 Gramm Kartoffeln. (Für Österreich siehe: *Max Winter*.)

In Österreich war der Übergang von der habsburgischen Vielvölkermonarchie zur deutschösterreichischen Republik viel ruhiger und planmäßiger verlaufen:

30.10.1918: Konstituierung der «Provisorischen Nationalversammlung für Deutschösterreich».

11.11.1918: Der Staatsrat nimmt die vom Sozialdemokraten Dr. Karl Renner vorgelegte neue Verfassung an und beschließt ohne Gegenstimme, daß Deutschösterreich ein Bestandteil Deutschlands ist.

12.11.1918: Feierliche Proklamation der Republik Deutschösterreich unter großer öffentlicher Teilnahme.

In Deutschland und in Österreich wurde in diesen Tagen eine soziale Umwälzung größten Ausmaßes eingeleitet. Ihre Initiatoren und Träger waren die sozialdemokratischen Parteien und die Gewerkschaften; beide erreichten auf Anhieb viele ihrer sozialpolitischen Ziele, auch wenn mehrere Jahre vergehen sollten, bis alle Errungenschaften gesetzlich festgeschrieben waren.

15.11.1918: Friedrich Ebert und Carl Legien führen in einer gemeinsamen Konferenz der Arbeitgeberverbände und der Gewerkschaften eine Vereinbarung dieser Verbände herbei, die vom Achtstundentag, dem Streik-, Urlaubs- und Tarifrecht, dem Arbeitsschutz, der staatlichen Fürsorgepflicht und der Ausdehnung der Sozialpolitik auf das Bildungs- und Gesundheitswesen sowie den sozialen Wohnungsbau bis zur Einführung des Frauenwahlrechts reicht und die gesetzliche Anerkennung der Gewerkschaften verankert.

23.11.1918: Einführung des Achtstundentags in Deutschland.

6.11.1918: In Österreich setzt der sozialdemokratische Staatssekretär für soziale Verwaltung, Ferdinand Hanusch, die staatliche Arbeitslosenfürsorge durch.

19.12.1918: Einführung des Achtstundentags in Österreich, vorerst beschränkt auf Industriebetriebe. (Ferdinand Hanusch bereitet eine ähnlich umfassende Sozialgesetzgebung wie in Deutschland für die parlamentarische Behandlung vor.)

Die soziale Sicherheit, die Grundlage für den Aufbau einer sozialen Demokratie, scheint in beiden Staaten gewährleistet. Zudem erreichen in Deutschland Friedrich Ebert und Carl Legien einen entscheidenden politischen Erfolg:

19. 12. 1918: Die Reichskonferenz der Arbeiter- und Soldatenräte (u. a. 291

Delegierte der SPD, 80 der USPD und 10 des Spartakusbundes) überträgt – u. a infolge des am 15. 11. beschlossenen und in Kraft gesetzten Sozialprogramms – die gesetzgebende und vollziehende Gewalt an den Rat der Volksbeauftragten (Ebert, Scheidemann und Landsberg von der SPD und Haase, Dittmann und Barth von der USPD) und beschließt mit 344 gegen 98 Stimmen, daß das Rätesystem nicht unter allen Umständen die Grundlage für die neue Verfassung sein müsse und daß die Wahlen für die Nationalversammlung am 19. 1. 1919 zu erfolgen haben. Damit ist der Weg in eine soziale parlamentarische Demokratie geebnet.

1919–1929: *Ära der politischen und wirtschaftlichen Wirrnisse*

Schon Anfang 1919 wurde allen Beobachtern der politischen Landschaft klar, daß Deutschland kein ruhiger Aufbau beschieden sein werde. Die Reaktion (Junker, Industriemagnaten, Adel, Offiziere sowie monarchistische und nationalistische Gruppierungen) sammelte sich. Die Arbeiterschaft, republikanisch gesinnt und einziger ernstzunehmender Gegner der Reaktion, war politisch gespalten und trieb auf einen mörderischen Bruderkrieg zu.

30.12.1918
–1.1.1919: Konstituierung der Kommunistischen Partei Deutschlands (Spartakusbund). – Karl Liebknecht: «Die USPD hat das Recht verwirkt, als Partei des sozialistischen Klassenkampfes anerkannt zu werden.» Und Rosa Luxemburg: «Die Regierung Ebert-Scheidemann ist der Todfeind des deutschen Proletariats. Nieder mit der Regierung Ebert-Scheidemann!»

Es ging um politische Grundsätze, aber der aktuelle Kampf richtete sich gegen die von Ebert und Scheidemann repräsentierte Staatsmacht. Die Aufstände vom 5.–12. 1. und 3.–12. 3. in Berlin, die von der Ermordung Karl Liebknechts und Rosa Luxemburgs durch eine Offiziersclique am 15. 1. ausgelösten blutigen Demonstrationen, der Bergarbeiterstreik im Ruhrgebiet (17.–22. 2.) und der in Mitteldeutschland (23. 2.–7. 3.), die Räteregierung in Baden (2.–25. 2.) und die von Bayern (13. 4.–3. 5.) (siehe: *Ernst Toller*) wurden von Militär, Polizei und Freikorps zwar niedergeworfen, aber Haß war geboren und keine Lösung erreicht worden. Deutschland war erschüttert. Doch der Aufbau des neuen Staates ging weiter.

6.2.1919: Wegen der Unruhen in Berlin wird die neugewählte Nationalversammlung nach Weimar einberufen.

11.2.1919: Friedrich Ebert wird mit 277 von 379 Stimmen zum provisorischen Reichspräsidenten gewählt.

13.2.1919: Bildung der ersten Nachkriegsregierung, der sogenannten «Weimarer Koalition», aus SPD, Demokraten und Zentrum unter Philipp Scheidemann.

13.8.1919: Die von der Nationalversammlung angenommene neue Verfassung tritt in Kraft.

Wenige Monate später führt die Reaktion den nächsten größeren Schlag gegen die Republik. Der rechtsradikale Generallandschaftsdirektor von Ostpreußen, Wolfgang Kapp, läßt am 13. 3.1920 die Marinebrigade Ehrhardt unter General von Lüttwitz gegen Berlin marschieren und erklärt die Regierung, die nach Dresden und dann nach Stuttgart flüchtet, für abgesetzt. Auf Eberts Aufruf treten 12 Millionen Arbeiter, Angestellte und Beamte in den Generalstreik. Kapp gibt am 15. 3. auf. Erbitterte Kämpfe von Arbeiterverbänden im Ruhrgebiet, die für alle Zeiten einen Putsch von rechts unmöglich machen wollen, gegen anrükkende Freikorps, werden durch das Bielefelder Abkommen am 24. 3. beendet. Wieder kommt es zu keiner Lösung, lediglich zu einem fragwürdigen Waffenstillstand (siehe: *Erich Knauf*).

Die Besetzung Düsseldorfs, Duisburgs und Ruhrorts durch Ententetruppen wegen nicht geleisteter Reparationslieferungen am 8. 3. 1921, die mitteldeutschen Märzkämpfe im Raum zwischen Hettstadt und Leuna, die Besetzung des Ruhrgebiets durch französische und belgische Soldaten am 11. 1. 1923, der dagegen von der Regierung Cuno proklamierte «passive Widerstand» mit seinen 132 Toten, Streiks und Hungerdemonstrationen im Osten und Westen Deutschlands und in Berlin September 1923, der Putsch der «Schwarzen Reichswehr» in Küstrin am 1. 10., die Gründung der separatistischen «Rheinischen Republik» am 21. 10. und des «Autonomen Pfalzstaates» in Speyer am 24. 10., der von der KPD initiierte Aufstand der Hamburger Arbeiter vom 23.–25. 10. und schließlich der Hitlerputsch in München vom 8.–9. 11. 1923 verschlechterten die politische und wirtschaftliche Lage in Deutschland und wurden von den Parteien mit der Aufstellung von Wehrverbänden beantwortet.

3.8.1921: Gründung der «Turn- und Sportabteilung der NSDAP», bald als «Sturmabteilung» (SA) bezeichnet, verstärkt die rechtsradikalen Gruppen (wie z. B. «Stahlhelm», «Oberland» und «Reichsflagge») mit dem Ziel, den Marxismus zu zerschlagen und die Macht im Staat zu ergreifen.

22.2.1924: «Reichsbanner Schwarz-Rot-Gold» als Bund republikanischer Frontsoldaten zur Sicherung der Weimarer Republik gegründet; er wurde zum Träger des sozialdemokratischen Abwehrkampfes gegen rechts und links.

29.7.1924: Gründung des «Roten Frontkämpferbundes» auf Initiative des späteren Vorsitzenden der KPD, Ernst Thälmann, in Halle.

Die unerträglichen Reparationslasten aus dem Friedensvertrag (nach dem Dawes-Plan vom 16. 8. 1924 jährlich 2,5 Milliarden Goldmark) und die Folgen der 1923 einsetzenden Inflation, die «den kleinen Leuten die letzten Ersparnisse geraubt und sie wieder zu besitzlosen Proletariern gemacht» hatte (bei Schluß der Inflation am 15. 11.1923 hatte 1 Billion Papiermark den Wert einer Rentenmark), hatten einen sozialen Tiefstand trotz der raschen Stabilisierung der Wirtschaft zur Folge.

1923: Der Reallohn liegt im Durchschnitt bei 77,5 Prozent des Lohnes der Vorkriegszeit.

1925: Der Staat zahlt Renten an 1529097 Invalide, an 597694 Waisen, an 233404 Witwen, an 89462 wegen Alters und an 29481 wegen Krankheit aus dem Arbeitsprozeß ausgeschiedene Personen.

1926: Die Zahl der Arbeitslosen beträgt rund 2 Millionen; die Zahl der Kurzarbeiter ist nicht erfaßt.

1929: Der Index der Industrieproduktion (1913 = 100) erreicht 117,3, aber die Kaufkraft sinkt durch steigende Preise der Grundnahrungsmittel und die zweimaligen Mieterhöhungen 1927, so daß die Arbeitenden verlieren und die Besitzer von Industriekapital profitieren.

Wie ein roter Faden zieht sich die Not der Proletarier durch dieses Jahrzehnt (siehe: *Anna Siemsen, Max Barthel* und *Erich Weinert*). Die Industrieherren zeigten wenig Verständnis (siehe: *I. Wan*), vielmehr nutzten sie den wirtschaftlichen Druck auf die Regierung von außen und deren innenpolitische Schwierigkeiten, um neue Zugeständnisse durchzusetzen. Sie erreichten z. B., daß die Reichsregierung zwar grundsätzlich am Achtstundentag festhielt, aber am 21. 12. 1923 in einer Verordnung gestattete, die Arbeitszeit auf 10 Stunden zu verlängern. Mehr Arbeitslose und mehr Kurzarbeit waren die Folgen; die Rationalisierung erlaubte den Einsatz angelernter Arbeitskräfte (siehe: *Karl Grünberg*), der Standard der Arbeiterschaft sank ab.
Die Konzentration in der Wirtschaft nahm zu:

2.12.1925: IG-Farben, der bis dahin größte Industriekonzern in Europa, entsteht,

14.1.1926: Gründung der Vereinigten Stahlwerke AG. in Düsseldorf (Dachkonzern für Stinnes-, Thyssen-, Phönix-Gruppe und Rheinisches Stahlwerk). Sie beherrschen rund 50 Prozent der deutschen Steinkohlen- und Roheisen- sowie 40 Prozent der Stahlproduktion.

Diese mächtigen Konzerne setzten Teile ihrer Kapitalgewinne gegen die Arbeiterklasse sowie zur Unterstützung der nationalistischen Kampforganisationen und der hinter ihnen stehenden Parteien ein.

In Österreich waren die zwanziger Jahre nicht weniger von Not gezeichnet als in der Weimarer Republik (siehe: *Heinrich Holek* und *Else Feldmann*). Da die sozialdemokratische Arbeiterbewegung zu Beginn der Republik nicht durch Spaltung geschwächt war, und die Sozialdemokraten bis zum Austritt aus der Koalition (ab 22. 10. 1920 gab es nur mehr bürgerliche Regierungen) die wichtigsten sechs sozialen Grundgesetze durchgebracht hatten, traten – anders als in Deutschland – nur rechtsgerichtete republikfeindliche Gruppen auf. Sie hingen wie an einer Nabelschnur an den gleichartigen, mächtigeren Organisationen in Bayern.

15.5.1920: Die zur Zeit des Grenzschutzes und des «Kärtner Abwehrkampfes» gebildeten regionalen Selbstschutzverbände werden unter dem Kommando des christlichsozialen Landesrates Steidle zu «Heimatwehren», später «Heimwehren», zusammengefaßt.

Juli 1920: Tiroler und Salzburger Heimwehrführer unterstellen sich in München dem Kommando der Organisation Escherich (ORGESCH),dem Zentrum der bayrischen Freikorps, und erhalten Waffen und Ausbilder.

Februar 1923: Schwarzgelbe Legitimisten der «Ostara» ermorden den Arbeiter Franz Birnecker; Nationalsozialisten ermorden den Eisenbahner Still und bald darauf den 16jährigen Franz Kovarik.

19.2.1923: Gründung des «Republikanischen Schutzbundes» als sozialdemokratischer Ordnerorganisation.

30.1.1927: «Frontkämpfer» überfallen in Schattendorf einen Schutzbundaufmarsch und erschießen aus dem Hinterhalt den Kriegsinvaliden Cmarits und das 8jährige Arbeiterkind Grössing.

15.7.1927: Demonstration der Arbeiter von Wien wegen des am Vortag erfolgten Freispruches der Mörder von Schattendorf (siehe: *Erich Gottgetreu*).

1929–1933: *Weltwirtschaftskrise und Erstarken des Faschismus*

Bis 1931 hatten die USA in Deutschland 1170 Millionen Dollar langfristig, 700 Millionen kurzfristig und 243 Millionen in anderer Form angelegt und damit die Wirtschaft gestützt. Der Börsenkrach am 29. 10. 1929 in den USA, der eine Weltwirtschaftskrise größten Ausmaßes einleitete und Kursverluste in der Höhe von 50 Milliarden Dollar verursachte, mußte daher Deutschland besonders schwer treffen. Deutschland war nach wie vor auferlegt, Jahr für Jahr 2 Milliarden Goldmark an Reparationen zu zahlen, und es erhielt nun von den USA kaum noch Stützungskredite, um die Wirtschaft in Gang zu halten.

Die Folgen:

26.7.1930: Aufgrund der Notverordnung zur «Behebung finanzieller, wirtschaftlicher und sozialer Mißstände» wird der Beitrag zur Arbeitslosenversicherung auf 4,5 Prozent erhöht bei gleichzeitiger Einschränkung der Leistungen der Arbeitslosen- und Krankenversicherung.
Der fast gleichzeitig einsetzende Lohnabbau um nahezu 10 Prozent kann in Arbeitskämpfen nicht verhindert werden; die Unternehmer beantworteten Streiks mit Entlassungen und Aussperrungen.

13.7.1931: Der Zusammenbruch der Danat- und Dresdner Bank führt zu einem Sturm auf die Sparkassen, zur Schließung sämtlicher Banken und Börsen und zur Kapitalverknappung.

1.10.1931: Erstmals steigt die Zahl der Arbeitslosen auf 7,5 Millionen.

14.1.1932: Die Gesamtproduktion von Industrie und Landwirtschaft ist gegenüber 1929 fast um die Hälfte gesunken.

31.12.1932: Die durchschnittlichen tariflichen Stundenlöhne für Arbeiter liegen bei 84,8 Prozent gegenüber 107,3 Prozent Ende Dezember 1930 (1928 = 100 Prozent).

Das war Auftrieb für den Nationalsozialismus. Nicht so wichtig war dabei die wachsende Zahl der eingeschriebenen Parteimitglieder:

1925	27117
1928	108717
1930	389000
1931	806294

Ebensowenig die straffe Durchorganisierung der SA und SS (2. 9. 1930: rund 100000 Mann). Von entscheidender Bedeutung war das Bündnis mit der Schwerindustrie und den bürgerlichen nationalen Parteien sowie der planmäßige Terror in Stadt und Land nach der Devise Hitlers: Wer nicht für mich ist, ist gegen mich.

11.10.1931: Bildung der «Harzburger Front» aus Nationalsozialisten, Stahlhelm, Reichslandbund und Deutschnationalen.
Sie wurde vereinbart zwischen Hitler für die NSDAP, Hugenberg für die Deutschnationale Volkspartei, Seldte und Duesterberg für Stahlhelm, Graf Kalckreuth für den Landbund, Schacht und Claß für den Alldeutschen Verband, v. d. Goltz für die Vaterländischen Verbände und «eingesegnet» von Poensgen (Vereinigte Stahlwerke), von Schlenker (als Interessenvertreter der rheinisch-westfälischen Schwerindustrie), von Ravené (Großhandelsverband) und von Blohm (Werft Blohm & Voß).

2.12.1931: Aussprache Hitlers mit den Industriellen Thyssen und Vögler im Berliner «Kaiserhof».

19.11.1932: Industrielle fordern in einer Denkschrift den Reichspräsidenten Hindenburg auf, Hitler zum Reichskanzler zu berufen.

Woher sind bei bloß 800000 zahlenden Parteimitgliedern die Mittel dafür gekommen, einen riesigen Parteiapparat aufzubauen, Zeitungen und Zeitschriften auf den Markt zu werfen, intensive Wahlkämpfe, sogar mit Einsatz von Flugzeugen zu führen (siehe: *Herbert Seehofer*) und eine Privatarmee auszurüsten und zu unterhalten?
Der republikanisch gesinnte Teil der Bevölkerung befürchtete dennoch nicht den Sieg des Nationalsozialismus. Das Ergebnis der Reichstagswahl vom 14. September 1930 mit 8577000 sozialdemokratischen und 4592000 kommunistischen Stimmen gegenüber 6409000 NSDAP-Wählern ließ vermuten, daß Hitler auf parlamentarischem Wege das Kanzleramt nicht erreichen werde. Zudem hatten beide Arbeiterparteien ihre Anstrengungen verstärkt, dem offenen Terror der SA zu widerstehen.

20.9.1930: Das «Reichsbanner Schwarz-Rot-Gold» bildet zum Schutze seiner Einrichtungen und der Parteiorganisationen eine militante Kampfgruppe (Schufo), die im Frühjahr 1931 eine Viertelmillion Mann umfaßt; sie ist ohne reguläre Bewaffnung.

28.9.1930: Gründung des kommunistischen Kampfbundes gegen den Faschismus in Berlin.

23.12.1931: Bildung der «Eisernen Front», einer Kampforganisation der SPD, des ADBG, der Arbeiter-Sportorganisation und des Reichsbanners zur Abwehr der faschistischen Gefahr.

31.12.1931: Eine Denkschrift der SPD weist aus, daß in diesem Jahr von den Nazis 1484 Gewaltverbrechen begangen worden sind, wobei 62 Menschen getötet und 3200 verletzt wurden.

17.9.1932: Bis zu diesem Tag wurden von den Sondergerichten 336 Angeklagte sozialdemokratischer oder kommunistischer Parteizugehörigkeit wegen «Landfriedensbruchs» (Zusammenstößen mit Nazis sowie Abwehr von Angriffen auf Parteiheime und Redaktionen) zu 177 Jahren 11 Monaten Zuchthaus, zu 122 Jahren 7 Monaten Gefängnis und zu 170 Mark Geldstrafe verurteilt.

31.12.1932: In diesem Jahr allein wurden 8100 Reichsbannermitglieder – die in Auseinandersetzungen mit den Nationalsozialisten geraten waren – wegen Landfriedensbruchs angeklagt. Davon wurden über 3000 zu insgesamt 441 Jahren 5 Monaten Gefängnis und zu 42 Jahren 5 Monaten Zuchthaus verurteilt.

Der Terror der Nationalsozialisten – die NSDAP hatte laut ihrem Historiker Hans Volz von 1920–1932 genau 200 Tote zu verzeichnen! – machte keinen Unterschied zwischen Sozialdemokraten und Kommunisten. Lokal hatte sich da und dort eine Einheitsfront gegen die faschistische Gefahr gebildet (siehe: *Jura Soyfer*), aber der große und vielleicht rettende Zusammenschluß kam nicht zustande.

3.8.1932: Ernst Thälmann, der Vorsitzende der KPD, erklärt erneut, daß es nicht die geringste Abschwächung des prinzipiellen Kampfes gegen die SPD geben dürfe.

30.1.1933: Reichspräsident Paul von Hindenburg – er wurde am 10. 4. 1932 mit Unterstützung der SPD mit 19359633 Stimmen gewählt, Hitler erhielt 14418051 und Thälmann 3706655 Stimmen – beauftragt Hitler mit der Regierungsbildung.
Hitler hat sein Ziel erreicht: Das «Tausendjährige Reich» beginnt.

1933–1945: *... bis alles in Scherben fällt!*

SPD, ADGB und Allgemeiner freier Angestellten-Bund forderten ihre Mitglieder auf, die Republik unter voller Beachtung der Verfassung und Gesetzlichkeit zu verteidigen und den Kampf gegen Hitler in Einigkeit zu führen. Wilhelm Pieck verlangte am 24. 2. 1933 zwar eine «Einheitsfront der Tat», lehnte aber die Einstellung der Angriffe auf SPD- und ADGB-Führung strikt ab. Am 27. 2. 1933 brannte das Reichstagsgebäude (siehe: *Heinz Liepmann*), und die am nächsten Tag erlassene «Verordnung des Reichspräsidenten zum Schutz von Volk und Staat» legalisierte alle gegen SPD und KPD gerichteten Aktionen: Ihre Funktionäre wurden verhaftet, ihre Parteigebäude besetzt, ihre Zeitungen verboten, ihre Minister abgelöst, die Mandate annulliert, das Parteivermögen beschlagnahmt, eine Verhaftungswelle jagte die andere (siehe: *Lotte Peter*), die SPD-Führung übersiedelte nach Prag, Widerstandsgruppen organisierten sich – und die bürgerlichen Parteien kapitulierten.
Noch sind die Zahlen verläßlich, die der NS-Staat über die Verfolgung der Antifaschisten veröffentlicht:

31.12.1933: Das Statistische Jahrbuch des Deutschen Reiches meldet für das Jahr 1 der faschistischen Regierung:
20565 Personen wegen politischer Vergehen verurteilt,
1689 Personen wegen Hochverrats verurteilt,
17827 Personen wegen «heimtückischer Angriffe gegen die Regierung» bzw. wegen politischer Ausschreitungen verurteilt.

Schon damals allerdings blieb unbekannt, wieviele Antifaschisten bei Verhaftungen «wegen Widerstands» oder «auf der Flucht» ermordet wurden und wieviele, als «Vorbeuge- oder Schutzhäftlinge» in Konzentrationslager verbracht, an «Lungenentzündung» gestorben sind (siehe: *Jan Petersen* und *Walter Hornung*).
Der anlaufende Autobahnbau – übrigens war ein zentrales Autobahnnetz schon in der Weimarer Republik baureif geplant, ein erstes Teilstück, die Strecke von Köln nach Bonn, 1932 dem Verkehr übergeben worden – und die planmäßige Umstellung der Industrie auf Kriegswirtschaft (siehe: *Maria Leitner*) hatten die Arbeitslosenziffern zu senken vermocht, aber der Preis für die Arbeitenden war groß: Aufhebung des Achtstundentages 1933 und völliger Verlust der Mitbestimmung durch Aufhebung des Betriebsrätegesetzes 1934. Die Beendigung der Weltwirtschaftskrise durch Roosevelts «New Deal», das größte Arbeitsbeschaffungsprogramm aller Zeiten, fiel zudem genau in diese Zeit und erwies sich als Starthilfe für die am 21. 9. 1933 von Hitler verkündete «Schlacht um Arbeit».
Auch der Vernichtungsfeldzug gegen die Juden wurde «wirtschaftlich» genutzt: Die 1935 aus dem Reichsfürsorgegesetz ausgeschlossenen Juden durften nach Zahlung hoher Vermögensabgaben auswandern; nach dem Raubzug der SA und SS in der sogenannten «Reichskristallnacht» (9. 11. 1938) wurde den Juden eine Sondersteuer von einer Milliarde Reichsmark auferlegt. Jene Juden, die nicht fliehen durften oder konnten, erlebten Furchtbares in den Konzentrationslagern und kamen aufgrund des am 1. 11. 1941 ausgegebenen Himmler-Befehls zur «Endlösung der Judenfrage» in Vernichtungslagern wie Treblinka, Maidanek, Belzeck und Auschwitz-Birkenau ums Leben (siehe *Karl Barthel, Rosa Jochmann* und *Waldemar Quaiser*).
Der systematische Aufbau der Wehrmacht, Hitlers ständige Aussprüche «Ich werde es nicht dulden, daß auch nur einem einzigen Deutschen ein Haar gekrümmt wird!» und die gegen Österreich gerichteten Maßnahmen – erster Auftakt war die Verhängung der «Tausend-Mark-Sperre» am 27. 5. 1933 – ließen deutlich werden, daß Hitler seinen Traum von einem «Großdeutschen Reich» militärisch zu verwirklichen beabsichtigte. Im Spanischen Bürgerkrieg wurden der Stand der Truppenausbildung und neue Waffen erprobt.
Österreich lernte in dieser Zeit eine andere Spielart des Faschismus kennen: den Heimwehr- oder Austrofaschismus. Bis zu seiner Etablierung – durch eine Panne schaltete sich das Parlament durch den Rücktritt der drei Nationalratspräsidenten am 4. 3. 1933 selber aus – verlief alles wie in der Weimarer Republik: Überfälle auf Antifaschisten, Erstürmung von Parteiheimen, Verbot oder zumindest Störung sozialdemokratischer Aufmärsche und Kundgebungen (siehe: *Erich Gottgetreu* und *Rudolf Brunngraber*); Brechung des organisierten Widerstandes: Auflösung des Republikanischen Schutzbundes 31. 3. 1933, Verbot der KPÖ 26. 5. 1933.

7.3.1933: Bundespräsident Miklas bestätigt die nun ohne Parlament agierende Regierung Dollfuß im Amt. Österreich wird mit Hilfe des nie aufgehobenen «Kriegswirtschaftlichen Ermächtigungsgesetzes» vom 24. 7. 1917 auf dem Verordnungsweg regiert.

20.5.1933: Gründung der «Vaterländischen Front» (VF), der man angehören muß, wenn man Lohn- und Gehaltsempfänger ist oder in Frieden leben möchte.

12.2.1934: Nach provozierenden Waffensuchen, Besetzung von Arbeiterheimen und Parteihäusern und infolge der Drohung «Der Marxismus wird zerschmettert», erhebt sich der seit seinem Verbot nicht mehr voll aktionsfähige Republikanische Schutzbund zur Verteidigung der Demokratie. Mit Hilfe des Militärs und unter Einsatz der Polizei sowie des Heimatschutzes wird der Aufstand am 15. 2. 1933 blutig niedergeschlagen (siehe *Johann Haas*).

Standrecht, Kerker, Verhaftung und Einlieferung der sozialdemokratischen Funktionäre in sogenannte Anhaltelager, Auflösung der Sozialdemokratischen Partei, das unter Strafrecht gestellte Verbot einer Betätigung in ihrem Sinne, die Gleichschaltung der Freien Gewerkschaften sowie die Amtsenthebung sozialdemokratischer Mandatsträger bis hinunter zu den Gemeinden haben die antifaschistische Arbeiterbewegung nicht völlig zerschlagen: Als «Revolutionäre Sozialisten» sammeln Sozialdemokraten und Kommunisten sich im Untergrund und setzen ihren Kampf gegen den Faschismus fort.

Der nationalsozialistische Putsch vom 25. 7. 1934, bei dem Dollfuß ermordet wird, ist nur mehr ein blutiges Zwischenspiel bis zu Okkupation Österreichs durch Hitlertruppen am 12. 3. 1938, das Land «kehrt» als «Ostmark» ins Deutsche Reich «heim» und muß wie das am 1. 10. 1938 okkupierte Sudetenland den Marsch in den mörderischen Zweiten Weltkrieg antreten.

1.9.1939: Beginn des zweiten Weltkrieges, in dem 55 Millionen Menschen bei Kämpfen, Bombenangriffen und als Opfer des nationalsozialistischen Völkermords umkommen.

Über die Autoren

Jakob Altmaier
Keine Lebens- und Werksdaten eruierbar

Karl Barthel, *Lohmen 1907, † vermutlich nach 1957 Jena
Metallarbeiter/KP-Mitglied, 1929–1931 MdL Thüringen, 1932–1933 MdR, als Politischer Häftling Nr. 1317 ab 16. 7. 1937 im KZ-Buchenwald, von wo er jene Berichte herausschmuggeln konnte, die das im Quellenverzeichnis zitierte Werk ausmachen

Max Barthel, *Dresden-Loschwitz 1893, †1975 Waldbrol
Vater: Maurer / als ungelernter Arbeiter in Fabriken und auf Arbeitswanderschaft / Mitglied der SAJ / 5 Jahre Frontsoldat / Teilnahme am Spartakus-Aufstand / 1920–1923 Rußlandreisen / Austritt aus der KPD / Wiederannäherung an SPD / Freier Schriftsteller und Journalist / 1933 regimefreundlich / 1942 als Polizeiwachtmeister, später zu einer Propagandakompanie eingezogen / Arbeiterschriftsteller: Lyrik, Sprechchor, Prosa

Walter Bauer, *Merseburg 1904, †1976 Toronto, Kanada
Vater: Arbeiter / neben Besuch des Lehrerseminars Tätigkeit als Verpackungsarbeiter / bekennt sich früh zum radikalen Flügel der Sozialdemokratie / nach Examen 1925 und während Arbeitswanderschaft unterschiedliche Berufe / 1929–1939 Volksschullehrer / 1933 Verbot seiner Bücher, später Lockerung des Schreibeverbotes / ab 1940 Frontsoldat / 1952 Übersiedlung nach Kanada, wo er als Packer und Tellerwäscher sein Weiterstudium finanziert / ab 1958 Professor für Germanistik an der Universität Toronto / Arbeiterschriftsteller: Lyrik und Prosa

Hans Biallas
Keine Lebens- und Werksdaten eruierbar

Willi Bredel, *Hamburg 1901, †1964 Berlin
Vater: Arbeiter / nach Volksschule Dreher auf Hamburger Werften / 1916 Eintritt in die Sozialistische Arbeiter Jugend (SAJ), 1917 Mitglied des Spartakusbundes, dann der KPD / Wegen Teilnahme am Hamburger Oktoberaufstand 1923 zu zwei Jahren Gefängnis verurteilt, nach Amnestierung 1925 auf Seefahrt / 1928 Mitglied des BPRS, Redakteur der «Hamburger Volkszeitung» / 1930 wegen «literarischen Landes- und Hochverrates» 2 Jahre Festungshaft / 1933–34 dreizehn Monate KZ-Fuhlsbüttel, dann Flucht in UdSSR / 1937–1939 im Spanischen Bürgerkrieg / nach 1945 Redakteur, freier Schriftsteller / 1962–1964 Präsident der Akademie der Künste der DDR / Arbeiterschriftsteller: Prosa

Rudolf Brunngraber, *Wien 1901, †1960 Wien
Vater: Maurer, Mutter: Dienstmagd / neben Besuch des Lehrerseminars Fabrikarbeiter / Arbeitswanderschaft in Skandinavien (Taglöhner, Holzfäller, Dockarbeiter u. a.) / Anschluß an die Sozialdemokratie, aktiv als Bildungsreferent und in Organisierung der Arbeiterschriftsteller / 1926–1930 Besuch der Kunstgewerbeschule / Gebrauchsgraphiker, ab 1933 freier Schriftsteller / 1934 Emigration Jugoslawien, Griechenland und Tschechoslowakei / 1940 Ausschluß aus der Reichsschrifttumskammer / Arbeiterschriftsteller: Prosa (seine zeitkritischen Romane wurden in 17 Sprachen übersetzt)

Max Dortu, (d. i. Karl Neumann) *Nienstetten 1875, †1935 Wetzlar
Vater: Gärtner / ab 14. Lebensjahr auf Arbeitswanderschaft als Kellner, Hilfsarbeiter in Fabriken und auf Zechen / als Kriegsdienstverweigerer in Irrenanstalt / 1918 Teilnahme am Spartakusaufstand, dann Sozialdemokrat / Fabrik-, Hafen- und Bahnarbeiter / Arbeiterschriftsteller: Lyrik und Prosa

Else Feldmann
Journalistin, zahlreiche Beiträge in sozialdemokratischen Zeitungen Österreichs / Buchveröffentlichungen / Keine Lebensdaten eruierbar

Fred Frank
Keine Lebens- und Werksdaten eruierbar

Erich Gottgetreu, *Chemnitz 1903. Journalist und freier Schriftsteller (Verfasser zweier Reportagenbände) / 1933 emigriert nach Jerusalem / 1943–1967 Jerusalem-Korrespondent der Associated Press, seither freier Mitarbeiter bei zahlreichen Zeitungen und Zeitschriften in der BRD und in der Schweiz.

Martin Grill, *Altrohlau/Böhmen 1908
Vater: Bergarbeiter / Lehre als Metallarbeiter, infolge Wirtschaftskrise arbeitslos, Bau- und Hilfsarbeiter, später Jugendheimleiter der DSAP / aktiv in der sozialdemokratischen Jugend- und Arbeiterbewegung / Kriegsdienst / 1945 Emigration nach Schweden, zuerst Metallarbeiter, dann Journalist / Arbeiterschriftsteller: Lyrik, Sprechchor und Prosa

Karl Grünberg, *Berlin 1891, †1972 Berlin
Vater: Schuhmacher / war erst als ungelernter Arbeiter tätig, von 1912–14 als Chemielaborant / 1911 Eintritt in die SPD, 1919 Wechsel zur USPD, 1920 zur KPD / Organisator der Arbeiterkorrespondentenbewegung, Mitbegründer des Bundes proletarisch-revolutionärer Schriftsteller (BPRS) / zwischen 1928–1931 drei Rußlandreisen / nach Inhaftierung im KZ Sonnenburg wieder im illegalen Widerstand / nach 1945 Redakteur und freier Schriftsteller / Arbeiterschriftsteller: Prosa, Dramen, Agitprop-Stücke

Johann Haas, *Haidl/Böhmerwald 1895, †1980 Wien
Vater: Holzarbeiter / nach Schulbesuch Arbeiter, dann Polizeibeamter in Wien / 1919 Eintritt in die sozialdemokratische Arbeiterbewegung, als Schutzbundführer bei den Februarkämpfen 1934 verwundet / politisch verfolgt: interniert im Anhaltelager Wöllersdorf (KZ des Dollfuß-Regimes) und Haftstrafen wegen antifaschistischen Widerstands in den Reihen der «Revolutionären Sozialisten» / führender Funktionär des «Bundes sozialistischer Freiheitskämpfer und Opfer des Faschismus».

Edgar Hahnewald, *Dresden 1884, †1961 Stockholm
Mutter: Waschfrau / nach Schulbesuch Maler und Anstreicher / ab 1921 Redakteur der sozialdemokratischen Arbeiterpresse, u. a. der «Dresdener Volkszeitung» / 1933 Emigration nach Prag, 1938 nach Schweden / Arbeiterschriftsteller: Prosa

Walter Hasenclever, *Aachen 1890, †1940 Les Milles / Frankreich
Vater: Sanitätsrat / Universitätsstudium, übergewechselt zum Journalismus, Korrespondent in Paris / Pazifist / ging 1933 in Exil nach Frankreich und beging dort im Internierungslager Selbstmord / Expressionistischer Lyriker und Dramatiker

Heinrich Holek, *Aussig 1885, †1934 Wien
Sohn des Arbeiterautobiographen Wenzel Holek / 1899–1914 Glas-, Ziegel-, Land- und Transportarbeiter / Sozialdemokrat seit 1902 / ab 1914 Redakteur in Aussig, ab 1917 Journalist in Wien / Arbeiterschriftsteller: Prosa, hauptsächlich Reportagen

Walther von Hollander, *Blankenburg (Harz) 1892
Nach Philosophie-, Soziologie- und Literaturwissenschaftsstudium (Dr. phil) Verlagslektor, Kritiker und seit 1939 freier Schriftsteller / wirtschaftliche Basis: Gutsbesitz / Prosa, Drehbücher, Hörspiele

Walter Hornung (d. i. Julius Zerfaß), *Kirn an der Nahe 1886, †1956 Zürich
Nach Gärtnerlehre Arbeitswanderschaft, verschiedene Tätigkeiten / früh aktiv in der Gewerkschaft und SPD / nach Arbeitsunfall 1907 Journalist und freier Schriftsteller / ab 1919 Redakteur in München / 1933 KZ-Dachau, nach Entlassung Flucht in die Schweiz / Arbeiterschriftsteller: Lyrik und Prosa

Kurt Huhn, *Elbing 1902, †1976 Berlin
Vater: Metallarbeiter / nach Schlosserlehre arbeitslos, als Land- und Grubenarbeiter auf Arbeitswanderschaft, Betriebsschlosser / 1917 Eintritt in die SAJ, 1923 in die KPD / 1928 Mitbegründer des BPRS / ab 1930 freier Schriftsteller / ab 1933 im antifaschistischen Widerstand / 1938–1940 im KZ-Sachsenhausen und Neuengamme / ab 1957 Chefredakteur der Zeitschrift «Die Schatulle» / Arbeiterschriftsteller: Lyrik, Sprechchor, Prosa

Wenzel Jaksch, *Langstrobnitz/Böhmerwald 1896, †1966 Wiesbaden
Vater: Häusler und Bauarbeiter / nach der Volksschule von 1910–1916 Bauarbeiter in Wien / 1913 Eintritt in die SAJ / nach Einsatz als Frontsoldat Funktionär der sudetendeutschen Arbeiterbewegung / ab 1921 Redakteur in Komotau in Böhmen und Prag / 1929–1938 Mitglied des Prager Parlaments / 1938 Vorsitzender der Deutschen Sozialdemokratischen Arbeiterpartei in der ČSR (DSAP) / 1939 Flucht über Polen und Schweden nach England / im Exil führend im Widerstand gegen den Nationalsozialismus und Begründer der «Treuegemeinschaft sudetendeutscher Sozialdemokraten», der «Seliger-Gemeinde» / 1948 Übersiedlung nach Frankfurt am Main / 1950 Mitglied des SPD-Vorstandes / 1953–1961 Mitglied des Bundestages

Rosa Jochmann, *Wien 1901
Vater: Arbeiter / nach Schulentlassung Hilfsarbeiterin / tritt früh in die Gewerkschafts- und Arbeiterbewegung ein / 1925–1932 Sekretärin des Verbandes der chemischen Arbeiter, anschließend Reichssekretärin des Frauenzentralkomitees der Sozialdemokratischen Partei / 1934–1938 antifaschistischer Widerstand: ein Jahr schwerer Kerker, mehrere Polizeistrafen / 1939 in Gestapohaft und von 1940–1945 interniert im KZ Ravensbrück / 1945–1959 Frauenzentralsekretärin, anschließend bis 1967 Vorsitzende des Frauenzentralkomitees und Mitglied des Parteivorstandes der Sozialistischen Partei Österreichs (SPÖ) / 1945–1967 Abgeordnete zum Nationalrat / 1951 bis heute Obmann des «Bundes sozialistischer Freiheitskämpfer und Opfer des Faschismus» / zahlreiche Zeitungs- und Zeitschriftenaufsätze

Hanns Johst, *Seehausen bei Dresden 1890, †1979 Oberallmannshausen / Starnberger See
Vater: Volksschullehrer / nach Studium Schauspieler, Kriegsfreiwilliger, freier Schriftsteller / NS-Autor / Im Dritten Reich laut Ernst Loewy: SS-Brigadeführer. Preußischer Staatsrat, Präsident der Reichsschrifttumskammer, Präsident der Akademie der Deutschen Dichtung u. a. m. / Lyrik, Dramatik, Prosa, auch Reisereportagen

Egon Erwin Kisch, *Prag 1885, †1948 Prag
Sohn eines jüdischen Tuchhändlers / technisches Studium abgebrochen / 1904–1906 Volontär beim «Prager Tageblatt» / 1906–1914 Lokalreporter bei Zeitung «Bohemia», Prag / als Soldat Einsatz an der Front / 1918 Leiter der «Roten Garde» in Wien / 1919 Eintritt in die Kommunistische Partei Österreichs (KPÖ) / seit 1921 freier Journalist / 1928 Mitbegründer des BPRS / 1933 in Berlin verhaftet, abgeschoben nach Prag / 1937–1939 bei der Internationalen Brigade in Spanien / 1940–1946 im Exil in Mexiko / Verfasser zahlreicher Reportagenbände und Theoretiker dieser Literaturgattung

Kurt Kläber, *Jena 1897, †1959 Carona bei Lugano
Vater: Werkmeister bei Zeiss / nach 4 Klassen Gymnasium Schlosserlehre, dann im Ruhrbergbau / Frontdienst / Beteiligung am Spartakusaufstand und Eintritt in die KPD (1938 ausgetreten, Annäherung an die Sozialdemokratie) / 1928 Mitbegründer des BPRS / Hochofenarbeiter, Bergmann, nach USA-Aufenthalt Journalist, Wanderbuchhändler, Leiter der Bochumer Arbeiterhochschule / 1933 verhaftet, dann Emigration in die Schweiz / Arbeiterschriftsteller: Lyrik und Prosa; in der Schweiz Jugendbücher unter Pseudonym Kurt Held

Erich Knauf, *Meerane 1895, †1944 Strafanstalt Brandenburg
Vater: Arbeiter / 1909 Schriftsetzerlehre, anschließend Arbeitswanderschaft Italien, Griechenland, Türkei / Mitglied der SAJ / Kriegsdienst / Eintritt in die SPD / 1920 aktiv bei Niederschlagung des Kapp-Putsches / 1922–1928 Redakteur, dann literarischer Leiter der Büchergilde Gutenberg / antifaschistischer Widerstand (Berufsverbot, 10 Wochen KZ Oranienburg) / 1944 verhaftet, wegen «Wehrkraftzersetzung» zum Tod verurteilt und hingerichtet / Arbeiterschriftsteller: Lyrik, Prosa, Essay

Paul Körner, (d. i. Karl Schrader), *Wedderstadt/Harz 1900, †1962 Berlin
Vater: Schreiner / nach Gärtnerlehre 1918 Soldat, wegen «literarischen Hochverrats» 1 Jahr Festungshaft / 1919 Eintritt in die KPD / Teilnehmer an den revolutionären Kämpfen der Arbeiterklasse 1920 und 1921, lebt dann als «U-Boot» unter dem Decknamen Paul Körner als Bergmann u. a. / 1928 Mitglied des BPRS / Redakteur der «Roten Fahne» / nach 1933 Schreibverbot und Zwangsarbeit / nach 1945 freier Schriftsteller / Arbeiterschriftsteller: Lyrik, Laien- und Hörspiele, Prosa

Leopold Kreutz, *Neuwelt/Riesengebirge 1895
Vater: Glasarbeiter / Glasschleiferlehre / 1909 Eintritt in die SAJ / aktiv in der Konsumgenossenschaftsbewegung, dortselbst als Bildungssekretär in Reichenberg, Mährisch-Ostrau und Mährisch-Schönberg / nach dem Nazi-Einmarsch Tätigkeiten in der Privatwirtschaft / 1945 nach Österreich ausgesiedelt, er war 10 Jahre Landesobmann der Seliger-Gemeinde Österreich / Zeitungsaufsätze

Felix Kreyss, *Marburg 1915
Vater: Eisenbahnbeamter / neben Studium journalistisch tätig / 7 Jahre Soldat, dann verschiedene Brotberufe / Journalist und freier Schriftsteller

Maria Leitner, *Varazdin/Ungarn 1892
Aus bürgerlicher Familie / Schulausbildung in der Schweiz / Mitbegründerin des KP-Jugendverbandes Ungarn / ging 1919 ins Exil nach Wien, 1922 weiter nach Berlin / Journalistin und Verlagssekretärin / Aufenthalt und Reisen in Nord- und Südamerika / in verschiedenen untergeordneten Berufen tätig zur Finanzierung zweier Reportagebände / nach Rückkehr nach Berlin Journalistin / Mitglied des

BPRS / 1933 emigriert und aktiv in der deutschen, belgischen und französischen Widerstandsbewegung / mehrmals illegal im Nazideutschland / 1940 über Frankreich Flucht in die USA, wobei letzte gesicherte Nachricht über sie 1947 aus New York kommt / Arbeiterschriftstellerin: Prosa

Heinrich Lersch, *Mönchengladbach 1889, †1936 Remagen
Vater: Kesselschmied / Lehre und Geselle im väterlichen Betrieb / 1909 Arbeitswanderschaft als Fabrikarbeiter durch Österreich, Südost- und Westeuropa / Frontsoldat, nach Verschüttung als dienstuntauglich entlassen / wegen eines Lungenleidens Aufgabe der väterlichen Fabrik / freier Schriftsteller ab 1926, materiell ungesichert / mehrere Kuraufenthalte in Davos, auf Capri und in Griechenland / 1933 in die Preußische Dichterakademie berufen / Arbeiterdichter katholischer Prägung: Lyrik und Prosa

Heinz Liepmann, *Osnabrück 1905, †1966 Agarone/Tessin
Journalist, Romanschriftsteller / als Dramaturg zuerst in Frankfurt/Main, dann in Hamburg / 1933 ausgebürgert und in der Emigration in Holland, Belgien, Frankreich, England, USA / 1943–1947 Redakteur der «Time» in New York / 1947 wieder in Hamburg, ab 1961 in der Schweiz

Willi Mader, *Wigstadtl 1898
Vater: Seidenweber / nach Weberlehre und Kriegsteilnahme ab 1918 Textilarbeiter / früh Eintritt in die SAJ / ab 1918 Mitglied der DSAP / 1919 von den Tschechen, 1939 von der Gestapo und 1945 wieder von den Tschechen verhaftet (Gefängnis, Arbeits- bzw. Internierungslager) / nach Aussiedlung Angestellter / langjähriger SPD-Stadtrat und Bürgermeister in Mainbernheim / Arbeiterschriftsteller: Lyrik und Prosa

Lotte Peter
Keine Lebens- und Werksdaten eruierbar

Jan Petersen (d. i. Hans Schwalm), *Berlin 1906, †1969 Berlin
Vater: Maurer / Kaufmannslehre, Werkzeugmacher und Dreher / 1930 Eintritt in die KPD und 1931 in BPRS / 1933–1935 im Untergrund publizistisch tätig / 1935 Emigration nach Frankreich, von da in die Schweiz und weiter nach England / 1946 Rückkehr nach Berlin / 1953–1955 Vorsitzender des Deutschen Schriftstellerverbandes (DSV)-Berlin-Ost / Arbeiterschriftsteller: Lyrik, Prosa, Filmmanuskripte

Alfred Polgar, *Wien 1873, †1955 Zürich
Vater: Musiker / Journalist und Kritiker in Wien, 1927–1933 in Berlin, dann wieder Wien, 1938–1947 in den USA / ab 1947 abwechselnd in Deutschland, Österreich und in der Schweiz / Erzähler, Dramatiker, Essayist

Waldemar Quaiser, *Reichenberg/Böhmen 1892, †1962 Wien
Journalist / 1934–1938 im Rahmen des Bundespressedienstes Funktionär des Heimatdienstes / Exponent der Vaterländischen Front (VF) / 1938 nach Prag übersiedelt / 1939–1945 politischer Häftling in verschiedenen KZ's. Nach 1945 Generalsekretär der Europäischen Minderheitenorganisationen.

Erik Reger (d. i. Hermann Dannenberger), *Bendorf/Rhein 1893, †1954 Wien
Politischer Publizist und gesellschaftskritischer Erzähler / aus seiner Tätigkeit im Pressebüro der Firma Krupp schöpfte er das Material für seinen Erstling «Union der freien Hand», für den er 1932 den Kleist-Preis erhielt

Joseph Roth, *Schwabendorf bei Brody 1894, †1939 Paris
Studium Literatur und Philosophie u. a. in Wien / Kriegsfreiwilliger / nach Entlassung aus der Kriegsgefangenschaft Journalist in Wien und Berlin, freier Schriftsteller in Frankfurt/Main / als Jude 1933 emigriert / Romane, Erzählungen, Reportagen

Georg Schwarz, *Dortmund 1896, †1943 Berlin

Herbert Seehofer, *1902, †1939 Berlin

Anna Siemsen, *Mark bei Hamm 1882, †1952 Hamburg
Vater: evangelischer Pfarrer / 1901 Lehrerinnenexamen in Münster, 1911 Dr. phil und Staatsexamen, als Oberlehrerin tätig / im Ersten Weltkrieg Anschluß an den pazifistischen «Bund Neues Deutschland», Eintritt in die Unabhängige Sozialdemokratische Partei Deutschlands (USPD) / Schulreformerin / Lehrauftrag Universität Jena / 1928 SPD-Abgeordnete zum Reichstag / ging 1933 ins Exil in die Schweiz, dort Mitarbeit in der Bildungszentrale der Schweizer Sozialdemokratie / 1945 Berufung an die Universität Hamburg / neben Fachliteratur Verfasserin von Erzählungen und Reportagen für die proletarische Frau und das proletarische Kind

Hans Siemsen, *Mark bei Hamm 1891
Bruder der Vorigen, Journalist und freier Schriftsteller, zuletzt in Düsseldorf

Jura Soyfer, *Charkow 1912, †1939 KZ-Buchenwald
Seit 1918 in Wien, wohin seine jüdischen Eltern vor der russischen Revolution geflohen waren / Mittelschule, Philosophiestudium / früh Anschluß an Sozialdemokratie / freier Mitarbeiter der «Arbeiter-Zeitung», für die er 1932 als Reporter nach Deutschland ging / nach Februarkämpfen 1934 Eintritt in die KP / Texter, Schauspieler, Rezitator für Agitprop «Blaue Blusen», zur Zeit des Dollfuß-Faschismus Mitglied eines antifaschistischen Kabaretts / Polizeihaft / 1938 von Gestapo verhaftet, zuerst KZ-Dachau, dann KZ-Buchenwald (Schutzhäftling Nr. 9697), wo er an Typhus stirbt. / Arbeiterschriftsteller: Lyrik, Spielszenen, Dramen, Roman

Alexander Graf Stenbock-Fermor, *Mitau/Livland 1902
Vater: Gutsbesitzer und zaristischer Offizier / kämpft als Freiwilliger gegen die Rote Armee, 1920 nach Deutschland emigriert / während des Ingenieurstudiums als Werkstudent Bergarbeiter im Ruhrgebiet / ab 1924 Buchhandel und Verlagswesen / 1929 Eintritt in BPRS, freier Schriftsteller / 1933 kurzfristig verhaftet, seine Bücher verboten / aktiv in der «Widerstandsgruppe revolutionärer Arbeiter und Soldaten» / vor Kriegsende zur Deutschen Wehrmacht eingezogen / nach 1945 Oberbürgermeister in Neustrelitz / seit 1947 freier Schriftsteller und Drehbuchautor in West-Berlin, Vertreter der klassischen Reportage

Ernst Toller, *Samotschin bei Bromberg 1893, †1939 New York
Vater: Kaufmann / 1914 Kriegsfreiwilliger, 1916 schwere Kriegsverletzung, anschließend Jura-Studium / 1917 wegen Antikriegspropaganda verhaftet / Eintritt in die USPD / führend in der bayerischen Räterepublik / 1919 deswegen zu 5 Jahren Festungshaft verurteilt / Austritt aus der USPD, seither ohne Parteibindung / als freier Schriftsteller auf Reisen in USA und UdSSR / ging 1933 über die Schweiz, Frankreich, England nach den USA ins Exil / aktiv in der antifaschistischen Kulturfront / als Folge schwerer Depressionen Freitod / Dramatiker, Lyriker, Chorwerke, Reportagen

I. Wan
Keine Lebens- und Werksdaten eruierbar

Erich Weinert, *Magdeburg 1890, †1953 Berlin
Vater: Ingenieur / 1905–1908 Maschinenbaulehre, 1908–1912 Kunstgewerbeschule, anschließend Zeichenlehrer / 1913–1919 Militärdienst / ab 1921 freier Schriftsteller, Rezitator, Agitator / Mitbegründer des BPRS / 1929 Eintritt in die KPD / 1933 Emigration über Schweiz und Frankreich 1935 nach Moskau / 1937–1939 bei der Internationalen Brigade in Spanien, nach Flucht aus französischer Internierung in Moskau / 1943 Präsident des Nationalkomitees «Freies Deutschland» / ab 1946 Vizepräsident der Zentralverwaltung für Volksbildung in Ostberlin / Arbeiterschriftsteller: Lyrik (Agitprop und Satire) und Prosa

Max Winter, *Tarnok/Ungarn 1870, †1937 Hollywood
Vater: Eisenbahnbeamter / nach 4 Klassen Gymnasium und Kaufmannslehre Redakteur, seit 1894 unter Victor Adler bei der «Arbeiter-Zeitung» in Wien / Mitbegründer der Kinderfreunde-Bewegung / ab 1911 sozialdemokratischer Abgeordneter im österreichischen Reichsrat, ab 1919 Stadtrat und Vizebürgermeister in Wien / ab 1924 Mitglied des Bundesrates / ging 1934 ins Exil in die USA / Arbeiterschriftsteller: Prosa, rund 1000 Reportagen in der Arbeiterpresse, nur zum geringen Teil in Buchform

Otto Wohlgemuth, *Hattingen 1884, †1965 Hattingen
Vater: Bergmann / nach Eisenformerlehre 1900–1923 Bergarbeiter unter Tag,

dann Stadtbibliothekar in Gelsenkirchen / 1933 als Sozialdemokrat entlassen, zeitweiliges Schreibeverbot / gehörte zum Bund «Werkleute auf Haus Nyland» / Organisator der Künstlervereinigung «Ruhrland» / gilt als Begründer der modernen Bergarbeiterdichtung: Lyrik und Prosa

Herta Zerna, *Berlin 1907
Vater: Fabrikschlosser / nach Mittelschule Büroangestellte, dann Redaktionshilfe / 1928–1932 und 1947–1951 Redakteurin der sozialdemokratischen Arbeiterpresse, zuletzt «Sozialdemokrat» Berlin / freie Schriftstellerin: Lyrik und Prosa

Statistische Daten

Deutschland

Fläche 1925: 470627 qkm mit 63180619 Einwohnern (Volkszählung Juni 1925), davon 20053335 männliche und 11319088 weibliche Erwerbstätige = 31.372423
Erwerbslose: 636877, davon 477953 männlich und 158924 weiblich

Fläche 1933: 470713 qkm mit 66030000 Einwohnern (Volkszählung Juni 1933), davon 16104601 männliche und 10336455 weibliche Erwerbstätige = 26441056
Erwerbslose: 5855018, davon 4712432 männliche und 1142586 weibliche

Fläche nach dem Statistischen Jahrbuch 1941/42 ohne das Protektorat Böhmen und Mähren 680872 qkm mit 89940185 Einwohnern. Zahlen über die Erwerbspersonen beziehen sich hier auf 1939: 34268600, von denen 17375300 der Arbeiterschaft angehören. Zahlenmaterial der folgenden Jahre über die Erwerbspersonen und Erwerbslosigkeit ist entweder ungenau oder liegt gar nicht vor.

Entwicklung der Arbeitslosigkeit im Jahresdurchschnitt (altes Reichsgebiet)

1919	1925	1930	1932	1933	1935	1939
1076000	1060000	3075580	5575492	4804428	2151039	118915

Inflation 1923

Für den Ankauf eines US-Dollars mußten ausgegeben werden:

Mai	47700 Papiermark
August	4620000 Papiermark
September	98905000 Papiermark
Oktober	25,2 Milliarden Papiermark
November	4,2 Billionen Papiermark Beginn der Ausgabe der *Rentenmark*

Der Hunger hält an

Als November 1918 die Friedensglocken erklangen, mußten die Gehalts- und Lohnempfänger feststellen, daß die Höhe der rationierten Lebensmittel weiterhin Hunger und körperliche Schwächung «garantierte». Denn: die Rationen 1918/19 hielten bei Fleisch bei 12, bei Fisch bei 5, bei Butter bei 28, bei Reis bei 0, bei Hülsenfrüchten bei 7, und nur bei Kartoffeln bei 94 Prozent des Vorkriegsverbrauchs!

Löhne und Gehälter

Lohnvergleich eines gelernten Arbeiters in der Metallindustrie in der Stadt Frankfurt

1925	0.79 RM pro Stunde
1930	0,95 RM pro Stunde
1935	0,80 RM pro Stunde
1939	0,79 RM pro Stunde

Monatsgehälter der planmäßigen Reichsbeamten (ledig) aus der Ortsklasse D, Besoldungsgruppe 12 (z. B. Postbote) (in RM)

1927	1931	1932	1936	1939	1940	1941
138.–	123.–	110.–	110.–	117.–	126.–	138.–

Heimarbeitsentgelte 1925

Hier handelt es sich um Mittelwerte; die großen regionalen Schwankungen im Stundenlohn sind hier nicht berücksichtigt. Einige Beispiele:

Textilindustrie	
Pfennige pro Stunde	
Hausweberei	47
Spitzen- und Stickereiindustrie	17
Strickerinnen	13
Bekleidungsindustrie	
Herrenkonfektion	60
Damenkonfektion	50
Wäscheindustrie	34
Tabakindustrie	
Zigarrenherstellung	39
Wickelmacherinnen	25
Schuhindustrie	
Pfennige pro Stunde	
Straßenschuhe	23
Handschuhindustrie	26
Sattler- und Portefeuiller	
Männer	100
Frauen	52
Holzindustrie	
Bürstenhersteller	
Männer	48
Frauen	33
Holzspielzeug	13

Lebensmittel-Preisvergleich (Durchschnittswerte im Kleinhandel)

Pfennige pro Kilogramm

	1925	1930	1932	1934	1939	1941
Roggenbrot	42	39	36	33	35	38
Kartoffeln	13	10	8	51	24	34
Kochrindfleisch	220	230	155	150	170	170
Butter	410	380	280	315	320	360
1 Liter Vollmilch	34	28	25	24	25	27

Lebenshaltungskosten 1932

am Beispiel einer vierköpfigen Berliner Arbeiterfamilie – Vater: AEG-Transformatorenarbeiter, 2 Söhne arbeitslos, Mutter im Haushalt:

Durchschnittsmonatslohn bei vierzigstündiger Vollarbeit:		121,60 Mark brutto
nach Abzug der Sozialversicherung und Krankenkasse:		109,56 Mark netto
Festausgaben monatlich		
Miete, Gas und Strom	34,50 Mark	
Wochenkarte	1,20 Mark	
Zeitung, Radio	4,40 Mark	
Partei und Verband	5,20 Mark	45,30 Mark
es verbleiben		64,26 Mark
Unbedingte Haushaltsausgaben		
Seife, Waschmittel, Schuhcreme, Schnürsenkel	18,00 Mark	18,00 Mark
es verbleiben «zum Leben»		46,26 Mark

Das heißt: pro Tag und pro Person stehen für Essen und Getränke 38 Pfennig zur Verfügung!

Im gleichen Jahr kosteten 1 Kilogramm Roggenbrot 36 und 1 Kilogramm Kartoffeln 8 Pfennige!

Mandatsverteilung im Deutschen Reichstag

	1920	1928	1930	1932*	1933
Zentrum und Bayerische Volkspartei	85	78	87	98	92
Deutsche Volkspartei	65	45	30	8	2
Deutschnationale Volkspartei	71	78	41	37	52
Wirtschaftspartei	–	23	23	–	–
Demokratische Partei (Staatspartei)	39	25	20	4	5
SPD	102	153	143	133	120
USPD	84	–	–	–	–
KPD	4	54	77	89	81
NSDAP	–	12	107	230	288

* Aufgrund der Wahl vom 31. 7. 1932

Mitgliederbewegung der deutschen Sozialdemokratie (SPD)

	Mitglieder insgesamt	davon Frauen
1920	1180208	207007
1925	690802	153693
1930	1021777	218335
1932	1008953	230331

Mitgliederbewegung des Allgemeinen Deutschen Gewerkschaftsbundes (ADGB)

1920	8032057
1925	4182511
1930	4716569
1931	4134902
1932	nicht veröffentlicht

Österreich

Fläche: 83 868 qkm mit 6057017 Einwohnern (Volkszählung 1920), davon 3 084 002 Erwerbstätige

Gliederung nach Berufen	Personen
Land- und Forstwirtschaft	984 434
Industrie und Gewerbe	1 026 004
Handel und Verkehr	375 248
Freie Berufe	80 298
Öffentlicher Dienst	271 799
Haushalt	346 219

Entwicklung der Arbeitslosigkeit (Jahresdurchschnittswerte)

	1919	1925	1930	1934
vorgemerkt	185 000	253 000	244 000	434 000
unterstützt [1]	?	223 000	208 000	(ca. 40–50 %)

1 Nicht inbegriffen sind die sogenannten «Ausgesteuerten», das sind Arbeitslose, die nach Auslaufen der zeitlich begrenzten Arbeitslosenunterstützung der öffentlichen Wohlfahrt zugewiesen werden. (Genaue Zahlen liegen nicht vor; praktisch machen sie die Differenz aus vorgemerkten und unterstützten Arbeitslosen aus.)

Die Währung
Inflation:
100 Schweizer Franken entsprechen

1919	567 Kronen	1921	12 200 Kronen
1920	2 702 Kronen	1922	360 000 Kronen

Einführung der Schillingwährung: 1924: 10 000 Kronen = 1 Schilling Zwangsumtausch Schilling in Reichsmark: 1938: S 150,– = RM 100,–

Der Hunger hält an
Nach 1921 ist die Grundnahrung rationiert, nur auf Lebensmittelkarten zu beziehen: Der Hunger für Lohn- und Gehaltsempfänger dauert an!
Pro Kopf und Woche werden ausgegeben:

1016 Gramm Mischbrot	120 Gramm Fett
500 Gramm Mehl	120 Gramm Fleisch
180 Gramm Zucker	

Lebensmittel-Preisvergleich (Durchschnittswerte)

	1914 1 Krone = 100 Heller	1918[1] 1 Krone = 100 Heller	1925[2] 1 Schilling = 100 Groschen
1 Laib Brot	0,32	6,00	0,56
1 kg Mehl	0,44	11,20	0,82
1 kg Kartoffel	0,12	–	0,18
1 kg Rindfleisch	2,00	18,00	3,40
1 kg Schweinefett	0,30	4,50	0,52

1 Amtlich festgesetzte Höchstpreise. – Diese Lebensmittel sind allerdings in der gewünschten Menge nur auf dem «Schwarzmarkt» zu haben, für die – je nach Jahreszeit und Vorrat – der vierzig-, fünfzig- bis zweihundertfache Preis gefordert und – von wem wohl? – auch bezahlt wird.

2 Von 1925 bis 1938 sind diese Lebensmittel verhältnismäßig preisstabil, abgesehen von saisonbedingten und vom Weltmarkt her bestimmten Schwankungen.

Lohnvergleich am Beispiel eines gelernten Drehers im Akkord

	1914	1918	1925
pro Arbeitsstunde	80 Heller bis 1,50 Kronen	2 bis 2,50 Kronen	96 Groschen bis 1,14 Schilling

Lebenshaltungskosten von der Inflation bis zur Stabilisierung

Eine vierköpfige Wiener Arbeiterfamilie muß für Lebensmittel pro Woche folgende Beträge auslegen:

Juli 1919	2 540,99 Kronen
Juli 1924	1 425 943,00 Kronen
Juli 1926	151,95 Schilling
Juli 1928	159,09 Schilling

Lohnvergleich
anhand des vertragsmäßigen Mindestwochenlohnes[1]

	1919 Kronen	1924 Kronen	1926 Schilling	1928 Schilling
Metallarbeiter	416	408 000	40,80	57,60
Herrenschneider	277	642 600	64,24	68,09
Textilarbeiter	315	291 000	33,28	45,00

1 Das sind die Lohnansätze für männliche Berufstätige. Laut Volkszählung 1923 betrug der Anteil der Frauen 36% aller Erwerbstätigen und stieg von da an ständig an; ihre Löhne machten unverändert nur 50 bis 70% der Männerlöhne aus. (Siehe auch nachfolgende Tabelle.)

1928 betrug der Durchschnittsverdienst[1]
pro Woche

Metallindustrie:	
Facharbeiter im Zeitlohn	52 bis 58 Schilling
Frauen im Zeitlohn	25 bis 30 Schilling
Textilindustrie:	
Facharbeiter	43 bis 58 Schilling
Qualifizierte Hilfsarbeiter	37 bis 46 Schilling
Qualifizierte Hilfsarbeiterinnen	31 bis 34 Schilling
Lebensmittelindustrie:	
1. und 2. Fleischselcherei-Gehilfe	84 Schilling
Hilfsarbeiter	45 bis 68 Schilling
Hilfsarbeiterinnen	25 bis 32 Schilling
Bauindustrie	
Maurer	71 Schilling
Baupoliere	109 Schilling
Druckindustrie	
Buchdrucker	45 bis 65 Schilling
Hilfsarbeiter	36 bis 45 Schilling
Hilfsarbeiterinnen	15 bis 34 Schilling
Schneiderhandwerk	
Herrenschneider	48 bis 68 Schilling
Damenschneiderinnen	14 bis 41 Schilling

1 Der hier angegebene Wochendurchschnittsverdienst beinhaltet die Lohnerhöhungen aus den gewerkschaftlich geführten Lohnkämpfen 1926 bis Juni 1928

Träger des gewerkschaftlichen und arbeitsrechtlichen Kampfes

1. *Gewerkschaftsverbände* (Mitgliederbewegung)

	1919	1927	1932
Freie Gewerkschaften	295 147	772 762	520 162
Christliche Gewerksch.	20 626	78 906	130 000
Deutschvölkische Gewerksch.	26 165	47 877	48 000
Neutrale	–	45 000	45 000
	341 938	944 545	743 162

Während der Zeit des Dollfuß-Faschismus (1934–1938) gab es nur eine Einheitsgewerkschaft, deren Funktionäre bestellt, nicht gewählt wurden. Mitgliederstand 1936: 368 078 Personen.

2. *Kammer für Arbeiter und Angestellte* (Wahlergebnisse nach Fraktionen)

	1921	%	1926	%
Sozialdemokraten	446 900	83,9	430 800	78,8
Kommunisten	15 100	2,7	15 300	2,8
Christlichsoziale	65 700	11,8	56 800	10,4
Nationale	8 000	1,4	43 000	7,8
Neutrale	1 100	0,2	1 050	0,2

Österreichs Sozialdemokratie (Mitgliederbewegung)

	Mitglieder insgesamt	davon Frauen
1920	335 836	76 709
1925	576 107	156 045
1930	698 181	228 179
1932	648 497	223 314

Nationalratswahlen 1920–1930 (abgegebene Stimmen und Mandate)

	1920		1927		1930	
Sozialdemokraten	1072709	69	1539635	71	1516913	72
Christlichsoziale	1245531	85	1756761	85[1]	1314468	66
Großdeutsche und Deutsche Bauernpartei	514127	28	230157	9[2]	652159[3]	27
Sonstige	147961	1	114973	–	203542	–
	2980328	183	3641526	165	3687082	165

Quellen: Ferdinand Tremel: Wirtschafts- und Sozialsgeschichte Österreichs. Wien 1969; Gustav Otruba: Österreichs Wirtschaft im 20. Jahrhundert. Wien 1968; Fritz Klenner: Die österreichischen Gewerkschaften, 2 Bde. Wien 1951/1953; Hans Hautmann/Rudolf Kropf: Die österreichische Arbeiterbewegung vom Vormärz bis 1945. 2. Auflage. Wien 1976

1 Wahlgemeinschaft: Christlich soziale (73 Mandate) und Großdeutsche (12 Mandate)
2 Deutsche Bauernpartei – hier Landbund, kandidierte allein
3 Hier «Schoberblock» (Wahlgemeinschaft «Nationaler Wirtschaftsblock» und Landbund) mit 19 Mandaten und «Heimatblock» mit 8 Mandaten

Zur Entstehung und Ausbildung der Arbeiterliteratur 1850 – 1933

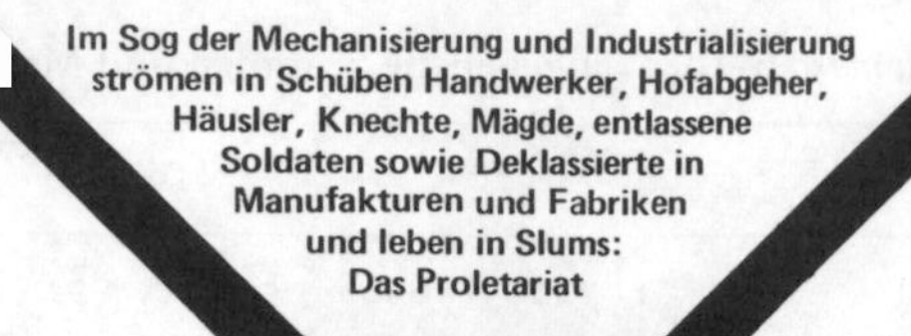

Im Sog der Mechanisierung und Industrialisierung
strömen in Schüben Handwerker, Hofabgeher,
Häusler, Knechte, Mägde, entlassene
Soldaten sowie Deklassierte in
Manufakturen und Fabriken
und leben in Slums:
Das Proletariat

Proletariat = Masse „ohne Gesicht"
Handwerkliche und bäuerliche Traditionen wirken nach

Aus sich, in Anlehnung an die bürgerliche Sozialdichtung und in Nachfolge der Handwerkerautobiographien entstehen Gedichte, „soziale Bilder" und kurze Lebensdarstellungen: auf das Individuum bezogen, nicht auf die Gesellschaft!

Arbeiter-Bildungsvereine
formieren Proletariat zur Arbeiterklasse

Es entsteht Arbeiterliteratur
in der Auseinandersetzung mit
Menschsein + Arbeitswelt + Gesellschaft:

Arbeiterlyrik
Erlebnisberichte
Arbeiterautobiographien
Soziale Reportagen
Arbeitertheater/Sprechchor/Kabarett
Arbeiterromane

Arbeiterliteratur will aufklären, die Emanzipation der Arbeiterklasse vorantreiben und ihr das Bild einer solidarischen Gesellschaft ins Herz brennen. Bewußt versteht sich hier „Solidarität als Gegenbegriff zum bürgerlichen Individualismus" (Walter Köpping).

Daher ist Arbeiterliteratur nicht Sub- sondern Gegenliteratur, Teil einer sich ausbildenden Zweiten Kultur

Die Arbeiterbewegung
und ihre Institutionen, Verbände und kulturellen Vorfeldorganisationen sichern der
Arbeiterliteratur

Niederschlag
in der
bürgerlichen
Dichtung

Proletarier
in der
Sozialdichtung

als Einzelmensch
nicht als
soziales Wesen

Gesellschaft
im Naturalismus

„Oben" und
„Unten"
unveränderbar

Mensch
im Expressionis-
mus

Utopische
Menschheitsver-
brüderung ohne
realen Bezug auf
die Gesellschafts-
lage

Niedersch
in der
bürgerlich
Dichtun

Arbeitswe
in der
Industriedich
(Nyland-Kr

„Schöne Kul
bis zur
Verklärung
Werk und Me

Gesellscha
in der
Neuen Sachl
keit

Vergottu
des technisc
Fortschri
tabuiert
bestehenc
Gesellscha
ordnung

die Verbreitung
durch ihre Presse, über eigene Verlage und mit Hilfe ihrer Buchgemeinschaften

die Herausbildung einer eigenständigen Literaturtradition
durch einen fortwährenden Bildungs- und Aneignungsprozeß

die Rezeption
über Arbeiterbiblioth
und durch eine hoche
wickelte Arbeiterfest-K

Quellenverzeichnis

Jakob Altmaier: In die besetzte Heimat. In: Die Glocke. Berlin, 19. 3. 1923
Karl Barthel: Buchenwald – den Tieren geht es gut. In: Die Welt ohne Erbarmen. Rudolstadt, 1946
Max Barthel: Im Eulengebirge. In: Erde unter den Füßen. Berlin, 1929
Walter Bauer: Zur Schicht. In: Stimme aus dem Leunawerk. Berlin, 1930
Hans Biallas: Deutsche Arbeiter fahren nach Madeira. In: Der Sonne entgegen. Berlin, 1936
Willi Bredel: Reichstagswahl. In: Rosenhof-Straße. Berlin, 1931
Rudolf Brunngraber: Acht Tage Rossauer Lände. In: Arbeiter-Sonntag. Wien, 29. 10. 1933
Max Dortu: Der Leuchtturm des Proletariats. In: Wir Männer vom Steinbruch. Berlin, 1921
Else Feldmann: Jute in Simmering. In: Arbeiter-Zeitung. Wien, 27. 4. 1928
Fred Frank: In Fricks Weimar. In: Kulturwille. Berlin, 1930/7–8
Erich Gottgetreu: Aufregende Fahrt ins beruhigte Wien. In: Haben Sie gelesen, daß ... Berlin, 1929
Martin Grill: Nelson III. In: Freiheit. Teplitz-Schönau, 7. 1. 1934
Karl Grünberg: Ford Motor Company. In: Mit der Zeitlupe durch die Weimarer Republik, Berlin, 1960
Johann Haas: Der Kampf um den Karl-Marx-Hof. 12. Februar 1934. Wien o. J.
Edgar Hahnewald: Der Lokomotivführer. In: Die Glocke. Berlin, 3. 4. 1922
Walter Hasenclever: Tageskino. In: Hier schreibt Berlin. Berlin 1929
Heinrich Holek: Vom Elend der Textilarbeiter. In: Der graue Film. Wien, 1925
Walther von Hollander: Wohin geht die Straße. In: Menschen auf der Straße. Stuttgart, 1931
Walter Hornung: Im Vorhof der Hölle. In: Dachau. Zürich, 1936
Kurt Huhn: Der Kalkulator. In: Die Linkskurve. Berlin, 1930/4
Wenzel Jaksch: Die Heerschau der zerstörten Existenzen. In: Trautenauer Echo. Trautenau, 12. 10. 1926
Rosa Jochmann: Erkundung im eigenen Herzen. In: Maifestschrift. Wien, 1946
Hanns Johst: Berlin. Reichskanzlei. In: Maske und Gesicht. München (1941)
Egon Erwin Kisch: Stahlwerk in Bochum. In: Der rasende Reporter. Berlin, 1924
Kurt Kläber: 20000 ausgesperrte Metallarbeiter. In: Empörer! Empor! Berlin, 1925
Erich Knauf: Nach dem Kapp-Putsch. In: Ça ira! Berlin, 1930
Paul Körner: Der Kalfaktor. In: Die Rote Fahne. Berlin, 24. 6. 1927
Leopold Kreutz: Der Todesmarsch von Brünn. In: Es gibt nicht nur ein Lidice. Stuttgart, o. J.
Felix Kreyss: Der König ist kein König mehr. Originalbeitrag

Maria Leitner: Reinsdorf. In: Das Wort. Moskau, 1936/2
Heinrich Lersch: Welch eine Faszination. In: Zwischen Niederrhein und Akropolis. Hamburg, 1940
Heinz Liepmann: Hamburg in der Nacht des Reichstagsbrandes. In: ... wird mit dem Tode bestraft. Zürich, 1935
Willi Mader: Die letzten Tage. Originalbeitrag
Lotte Peter: Haussuchung. In: Neuer Vorwärts. Karlsbad, 30. 7. 1933
Jan Petersen: Die Straße. In: Neue deutsche Blätter. Prag, 1933/2
Alfred Polgar: Der Herr mit der Aktentasche. In: Gestern und heute. Dresden, 1922
Waldemar Quaiser: Sachsenhausen wird geräumt. Originalbeitrag
Erik Reger: Die Entdeckung einer Exotin. In: Union der festen Hand. Berlin, 1931
Joseph Roth: So traurig ist keine Straße der Welt. In: Juden auf Wanderschaft. Berlin, 1927
Georg Schwarz: So wohnen sie im Kohlenpott. In: Kohlenpott. Berlin, 1931
Herbert Seehofer: Hallo, jetzt kommt der Reichsbericht. In: Mit dem Führer unterwegs. München, 1939, 11. Aufl.
Anna Siemsen: Im Thüringer Wald. In: Die Frau. Wien, 1930/3
Hans Siemsen: Kurfürstendamm am Vormittag. In: Hier schreibt Berlin. Berlin, 1929
Jura Soyfer: Sturm auf das Gewerkschaftshaus. In: Arbeiter-Zeitung. Wien, 24. 7. 1932
Alexander Graf Stenbock-Fermor: Hunger im Frankenwald. In: Deutschland von unten. Stuttgart, 1931
Ernst Toller: Wie man auf der Flucht erschossen werden kann. In: Justizerlebnisse. Neudruck. Berlin, 1979
I. Wan: Das sind so Ansichten. In: Das Wort. Halle-Merseburg, 1924/104
Erich Weinert: Waldenburg. In: Sozialistische Republik. Köln, 9. 12. 1929
Max Winter: Das hungernde Wien. In: Arbeiter-Zeitung. Wien, 29. 11. 1918
Otto Wohlgemuth: Fahrt in die Tiefe des Bergwerks. In: Schlagende Wetter. Essen, 1923
Herta Zerna: Berlin-Moabit. Rostockerstraße 28. In: Trautenauer Echo. Trautenau, 29. 7. 1927

Anonyme Beiträge:
Die ersten Toten der Novemberrevolution. In: Mit Luxemburg und Liebknecht. Berlin, 1919
Eine Maifeier in der Bauernstube. In: Erzähl, Kamerad! Berlin, 1936
Bückeberg. In: Erzähl, Kamerad! Berlin, 1936
Rüstungsarbeiterinnen. In: Mädel – eure Welt! München, 1944